탄소중립의 정치적, 경제적, 사회적 측면 연구

탄소중립과
사회전환

탄소중립과 사회전환
탄소중립의 정치적, 경제적, 사회적 측면 연구

발행	2023년 11월 30일
저자	정지범, 송창근, 차동현, 박창용, 류종기,조봉경, 정하일, 김청일, 임동현, 김은성,연다혜, 김성필, 김종수, 이보은, 심민재
펴낸이	UNIST
펴낸곳	리스크 인텔리전스
출판사등록	2020년3월6일(제973521호)
주소	서울특별시 송파구 올림픽로 135
전화	010-4951-3043
E-mail	ceo@riskintelligence.kr
ISBN	979-11-973521-4-0

www.riskintelligence.kr

탄소중립의 정치적, 경제적, 사회적 측면 연구

탄소중립과
사회전환

UNIST 지음

UNIST

▽ 발간사

UNIST는 기후변화에 대응하고, 탄소중립사회로의 전환을 위해 노력하고 있습니다. 이를 위해 2022년 탄소중립 기술과 정책 연구를 위한 탄소중립대학원을 선도적으로 설립하고, 탄소중립 사회 실현에 기여할 수 있는 다학제 융합형 과학기술 인재양성에 힘을 쏟고 있습니다.

UNIST는 세계 최고 수준의 배터리 기술과 태양광 기술 등 탄소중립 사회 실현에 핵심적인 기술을 보유하고 있습니다. 이를 포함하여 탄소중립대학원에서는 탄소 포집/활용/저장, 수소 생산/저장/수송, 자원순환 및 다양한 신재생에너지 기술 개발을 위해 노력하고 있습니다.

탄소중립사회로의 전환은 단순히 기술만의 문제는 아닙니다. 탄소중립 사회로의 전환 과정에서는 다양한 정치적, 경제적, 사회적 갈등과 논란이 발생할 수 있습니다. 우리나라에서도 신재생에너지 발전을 둘러싼 다양한 사회, 정치적 문제들이 발생하고 있고, 이를 해결하기 위한 환경 및 에너지 정책 개발과 적용이 필요합니다. 기업들도 마찬가지입니다. RE100, ESG, CBAM 등 기업경영 환경에 큰 변화가 다가오고 있고, 이러한 환경에 효과적으로 적응한 기업들만이 살아남을 수 있을 것입니다.

이러한 변화의 흐름에 대비하기 위하여 UNIST 공과대학에서는 "탄소중립과 사회전환"을 발간하게 되었습니다. 이 책은 탄소중립 과정에서 발생하는 다양한 정치, 경제, 사회적 문제들을 살펴보고, 그 간의 연구 결과를 보다 많은 대중과 공유하는 것을 목표로 합니다. 아무쪼록 UNIST의 용기있는 도전에 많은 관심과 힘찬 응원을 보내주시기 바랍니다.

UNIST 공과대학장 김성엽

▽ 추천사

기후위기 시대에 접어들고 있습니다. 기후변화는 점점 더 빨라지고, 폭염과 한파, 홍수와 가뭄 등 기후재난에서 산불과 전염병 증가에 이르기까지 다양한 부작용이 증가하고 있습니다. 지금과 같은 상황이 지속된다면 미래 사회 인류의 생존조차 보장하기 어려울 수도 있습니다.

기후변화 속도를 늦추고 기후위기 상황에서 벗어나기 위해 인류는 "탄소중립" 사회로의 전환을 위해 노력해야 합니다. 탄소중립이란 우리가 배출하는 탄소량과 이를 흡수 혹은 제거하는 탄소량을 같게 만들어 실질적인 탄소 배출량을 0으로 만드는 것을 의미합니다. 탄소중립 사회로의 전환은 단순히 기술만의 문제가 아닙니다. 인류의 삶과 사회 공동체의 커다란 변화를 요구하며, 이 과정에서 우리 사회는 심각한 갈등을 경험할 수 있습니다. 이러한 갈등의 예방과 해소를 위해서는 사회전환 과정에서 발생하는 경제적, 정치적, 사회적 현상에 대한 이해가 필요합니다.

UNIST는 2050년 탄소중립 사회 전환을 위해 탄소중립대학원을 설립하고, 각종 탄소중립기술과 탄소중립 교육과정을 개발하기 위해 노력하고 있습니다. 탄소중립대학원에서는 첨단 기술 뿐만 아니라 탄소중립과 관련된 환경경영 정책 개발에도 많은 투자를 하고 있습니다. 이 책은 그간의 탄소중립대학원이 지원한 연구의 성과물을 활용하여 보다 많은 대중들이 탄소중립 과정에서 발생하는 경제적, 정치적, 사회적 문제들을 이해하는 것을 목표로 합니다.

 아무쪼록 이 책을 통하여 우리나라 국민들이 탄소중립 사회 전환에 대하여 보다 잘 이해하고, 그 과정에서 발생하는 다양한 문제에 대해 고민할 수 있는 계기가 되었으면 합니다.

UNIST 총장 이용훈

▽ 서언

우리는 기후위기의 시대를 살고 있습니다. 지구의 기후가 변화하고 있다는 것은 다양한 과학적 사실로 증명되어 왔습니다. 이제는 대부분의 사람들이 한여름 열대야를 견디면서, 갑자기 쏟아지는 집중호우에 놀라면서, 우리가 기후위기의 시대를 살고 있다는 것을 실감하게 되었습니다. 우리나라의 지속가능한 발전, 나아가 인류의 생존과 번영을 위해, 기후변화 속도를 늦추고 기후위기에 적응하기 위한 "탄소중립" 사회로의 전환을 위해 노력해야 합니다.

그러나 아직도 이 사실을 부정하고, 우리의 역시와 노력을 뒤로 돌리려는 사람들이 있습니다. 기후변화는 과학적 사실일 수 있지만, 기후변화의 영향은 시간적, 공간적으로 매우 불평등하기 때문에 기후위기를 자연의 일시적 변덕 정도로 생각하는 사람들이 많은 실정입니다. 결국 기후변화에 대응하는 탄소중립 사회로의 전환은 이러한 다른 생각들을 조율하고 사회적 통합을 고려하는 매우 정치적인 과정일 수 있습니다. 이 책은 이 문제에 주목합니다. 탄소중립 사회 전환에 있어 우리가 경험할 수밖에 없는 다양한 정치적, 경제적, 사회적 문제를 확인하여, 현황을 분석하고, 대안을 제시하고자 노력했습니다. 기후변화가 진행되고 인류는 기후위기 시대에 살고 있지만, 아직까지 근본적 문제 해결은 매우 어려운 실정입니다. 따라서 이 책도 탄소중립사회 전환에 대한 해답을 주기보다는 문제를 제기하는 책입니다.

이 책은 UNIST 공과대학과 탄소중립대학원의 지원을 통해 발간될 수 있었습니다. UNIST 탄소중립대학원은 탄소중립사회 전환을 위한 각종 탄소중립 기술과 탄소중립 교육과정을 개발은 물론 탄소중립 사회전환을 둘러싼 각종 정책 연구도 진행하고 있습니다. 탄소중립대학원이 2021년부터 지원한 "탄소중립시대, 사회-경제-정책환경 변화에 따른 대응방안 연구" 과제를 통하여 여러 교수님들과 박사님들, 그리고 학생들이 다양한 탄소중립사회 전환 연구를 실시하였고, 그 결과물을 국제적으로 저명한 국제학술지들에 발표했습니다. 이 책은 주로 이 성과물을 바탕으로 재구성하였습니다.

이 책의 대부분의 글들이 국내외 학술지에 발표된 글들이기 때문에 상당히 학술적이고, 일반인들이 읽기에는 조금 버거울 수도 있습니다. 이 책에 참여한 저자들이 되도록 많은 사람들이 읽을 수 있는 쉬운 글로 바꾸기 위해서 노력했습니다만, 아직도 조금은 어려운 글일 수 있습니다. 그럼에도 불구하고, 탄소중립사회 전환 과정에서 발생하는 다양한 정치, 경제, 사회적 문화를 이해하기 위해서 이 책을 참고하시면 큰 도움이 될 수 있을 것입니다. 아무쪼록 이 책을 보다 많은 독자들이 읽으시고, 탄소중립 사회 전환 과정에서 나타날 수 있는 문제를 이해하고, 이에 대한 고민을 할 수 있었으면 합니다.

저자들을 대표해서

2023. 11

정지범

목차

제1장

서론

정지범

▽ 제1장 서론

정지범 (UNIST)

인류에게 기후변화는 처음이 아니다

기후는 계속 변화해왔고, 인류는 변화된 기후에 적응하며 살아왔다. 온화한 기후는 인류의 번성에 기여했지만, 극한 기후변화는 문명의 붕괴를 이끌기도 했다. 일찍이 헌팅턴은 기후 변화가 인간 문명에 큰 영향을 미쳤다고 강조하며, 너무 춥거나 덥지 않으며 적당한 강수량을 가진 온화한 기후 조건이 고대 문명 발전의 핵심 조건이었다고 주장한다 (Huntington, 1924). 이러한 주장은 문명의 발전에 있어 지리적 위치의 중요성을 강조한 제레드 다이아몬드의 주장과도 맥락을 같이 한다 (Diamond, 1998). 거시적으로 본다면 인류의 역사는 위대한 영웅의 역사가 아니라 기후 그 자체와 기후의 변화에 적응하는 인류에 대한 이야기인지도 모른다. 온화한 기후에서 번성했던 인류는 극한 기후변화 상황을 겪으면서 농업생산이 감소했고, 식량부족으로 인한 사회갈등이 증가했으며, 이로 인하여 반란, 전쟁, 문명의 붕괴 등을 경험하곤 했다.

장 등은 (Zhang et al., 2007) 고기후학과 인류의 전쟁역사를 비교하는 방법을 통하여 심각한 기후변화 상황에서 발생했던 인류의 갈등과 전쟁의 증가를 증명해 냈다. 아래의 그림에서 확인할 수 있듯이 북반구의 이상기온이 심해질수록(낮아질수록) 평균 전쟁 횟수가 유럽과 중국에서 모두 증가한 것을 확인할 수 있다.

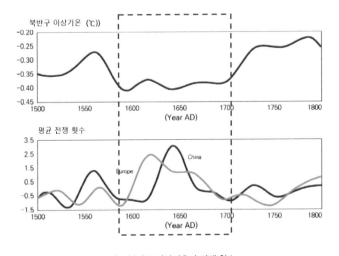

그림 1. 북반구 이상기온과 전쟁 횟수

출처: Zhang et al. (2007) 에서 편집

　이 그림에서 특히 주목할 만한 시기는 17세기이다. 전세계적으로 17세기에 수많은 사회적 갈등과 소요, 그리고 전쟁이 발생했는데, 이는 유럽과 아시아를 포함한 전 세계적으로 유사한 현상이었다. 기후와 역사의 관계에 주목하는 많은 학자들은 이 원인을 기후변화로 지목한다.

17세기 무렵에 심한 기후변화(저온화 현상)가 발생했고, 이로 인한 식량 생산 감소, 그에 따른 인구감소와 사회적 갈등의 확산이 전쟁으로 이어졌다는 것이다. 따라서 학자들은 인류가 경험했던 17세기의 위기 상황을 "17세기 일반 위기 (General Crisis of the 17th Century)"로 명명하기도 했다 (Parker and Smith, 1997). 17세기의 기후변동의 원인에 대한 공통된 결론은 없으나, 일반적으로 태양활동의 비정상적인 축소 (Eddy, 1976), 화산 폭발로 인한 태양빛의 차단 (김연옥, 1996), 운석의 낙하와 대폭발 (이태진, 1996) 등으로 설명되곤 한다. 기후적 측면에서 이 시기를 '소빙기(小氷期)'로 일컫기도 하는데 이는 이전의 빙하기에 비하면 규모가 작은 것임을 의미하지만, 이 시기 전지구적으로 기온이 낮아졌음을 의미한다 (이태진, 1996).

전지구적인 기후변화는 우리나라도 예외가 아니었다. 17세기 소빙기 시기에 한국, 일본, 중국은 모두 저온현상으로 인한 피해가 매우 컸다. 중국의 숭정 13-15년(1640-162) 대기근, 일본의 칸에이 대기근(寬永の 大飢饉, 1640-43)과 엔포 대기근(延宝の大飢饉, 1674-75), 조선의 경신 대기근(1670-1671) 등 동시적인 대기근이 발생하면서 식인 행위가 만연될 정도가 되었다 (김문기, 2011). 실제로 조선왕조실록에서 재난[1]의 횟수를 년대기적으로 분석한 이태진 (1996)의 연구 결과에 따르면 이 시기 재난이 뚜렷하게 많이 나타나고 있다[2].

---

1 고려와 조선시대에는 자연재해를 천변재이(天變災異)라고 명칭했다. 여기서 재이(災異)는 "인간세계에 재앙이 되는 괴이한 일" 또는 "천재(天災)와 지이(地異)"를 의미하는데, 이는 자연현상뿐만 아니라 "인간사회의 질서를 교란시키는 사회적 현상"을 의미하기노 했다 (한정수 2003. 고려전기 천변재이와 유교정치사상. 한국사상사학, 21, 43-79.)

2 이 그림에서 1568년부터 1590년까지의 깊은 골짜기는 임진왜란으로 선조실록의 기록이 극도로 부실해진 결과이다 (이태진, 1996: 215).

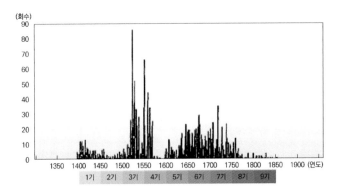

그림 2. 조선왕조실록에 기록된 천변재이의 횟수

출처: 이태진 (1996: 215)

그렇다면 이러한 기후변화의 시기에 인류는 어떻게 적응했을까? 가장 눈에 띄는 대응은 사회의 소요현상, 나아가 전쟁의 증가이다 (Zhang et al., 2007). 소빙기를 맞이했던 조선 역시 마찬가지 상황이어서 1592년(선조 25년) 임진왜란, 1597년(선조 30년) 정유재란에 이어서 1627년(인조 5년) 후금의 군대가 조선을 침공하는 정묘호란과 1636년(인조 14년) 병자호란 등 극심한 혼란을 겪게 되었다. 특히 정묘호란은 후금의 기근 상황이 전쟁의 가장 중요한 동기 중 하나였다 (김문기, 2011).

인류가 만든 기후변화와 사회전환

20세기 이전의 기후변화는 일반적으로 자연의 변덕으로 느껴졌다. 그리고 인간은 변화된 기후환경에 적응할 수밖에 없는 존재였다. 그러나 현재 우리가 경험하는 기후변화는 이전의 그것과는 매우 다른 양상을 보이고 있다. 가장 중요한 점은 현재의 기후변화를 인류가 만들었다는 것이다. 이는 인류가 지속적 환경개입을 통하여 새로운 지질 시대를 열었다고 하는 주장, 즉, 인류세(Anthropocene)의 개념과 일맥상통한다. 인류세는 원래 지질학 분야에서 시작된 개념이지만, 기후변화의 영역을 광범위하게 포괄한다.

일반적으로 지질시대의 구분은 지구의 탄생과 다세포 생물이 번성한 선캄브리아대, 최초 육상생물이 출현한 고생대, 공룡 등의 파충류가 번성한 중생대, 포유류가 번성한 신생대로 구분된다. 신생대는 공룡 멸종 이후부터 약 170만 년 전까지의 제3기, 그 후부터 현재까지의 제4기로 구분되며, 제4기는 다시 플라이스토세와 홀로세로 구분된다 (이성규, 2019). 인류세는 현재까지의 홀로세와 구분되는 지질학적 특징을 보인다. 화석연료 사용 증가로 인한 탄소 동위원소의 증가, 비료 사용 증가에 따른 질소의 증가, 그리고 미세 플라스틱 입자들까지 지질학적 흔적을 남길 수 있을 것이다 (이성규, 2019). 이처럼 인류가 만들어낸 기후변화는 지구 전체의 모습을 바꾸고 새로운 지질시대를 열 정도로 거대한 영향을 주고 있다.

기후변화로 인한 광범위한 변화는 결국 인류의 삶을 크게 변화시킬 것이다. 개인의 삶과 사회공동체, 나아가 전 세계가 커다란 전환을 눈앞에 두고 있다. 전환이 의미하는 것은 보다 근본적인 변화이다. 아래 그림에서 최초 인류 사회는 적절한 균형 상태에 놓여 있는 것을 볼 수 있다. 이 때 기후변화 등 초기 균형을 흔드는 충격이 발생하고, 그 충격에 어떻게 대응하는가에 따라 저항(resistance), 조정(adjustment), 전환(transformation)으로 구분이 가능하다 (Matyas and Pelling, 2015). 여기서 저항이란 기후변화 충격이 심각하다 하더라도 그 충격을 견뎌내고 원래의 상태로 돌아가는 것을 의미한다. 기후변화에 대한 저항을 택한 사회는 기후변화 위험이 아무리 심각하더라도 원래의 삶의 행태와 사회구조를 유지한다. 지속적으로 화석연료를 사용하고 탄소중립의 필요성을 인정하지 않는다. 조정은 충격 이후에 점진적 변화를 추구한다. 그러나 원래의 상평형 상태를 벗어나지 않는다. 자원과 조직의 재조정이 있을 수 있지만 근본적 변화는 아니다. 이는 기후변화에 대응하는 대부분의 국가와 사람들의 모습이다. 우리나라도 기후변화 대응을 위해 신재생에너지 확대, 석탄발전 축소, 전기자동차 보급 등의 노력을 펼쳤지만, 이는 점진적인 자원의 재배치에 불과할 뿐 근본적인 변화를 유도한 것으로 보기는 어려울 것이다. 전환은 초기 균형상태를 벗어나는 근본적인 삶과 사회의 변화를 의미한다. 진정한 탄소중립을 실현하는 사회의 모습이 될 수 있으며, 기존의 삶의 방식에서 커다란 변화를 요구한다. 화석연료 사용이 없는 신재생에너지로의 전환, 대부분의 사람들의 삶의 행태가 탄소중립적인 형태로 변화하는 것을 의미한다.

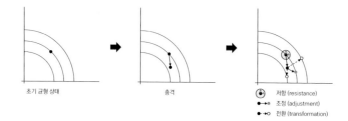

초기 균형 상태   충격

⊛━━▶■ 저항 (resistance)
●━━▶■ 조정 (adjustment)
●━━▶○ 전환 (transformation)

그림 3. 기후변화의 대응 양상

출처: Matyas and Pelling (2015)에서 수정

이러한 전환은 개인과 공동체의 삶을 지배하는 경제적, 사회적, 정치적 구조의 변화를 의미한다. 국가적으로는 기후변화를 야기하는 모든 활동에 대한 탄소세(Carbon Tax)의 보편화, 국가간 무역거래에 있어 탄소국경조정제도(Carbon Border Adjustment Mechanism)의 도입, 각종 신재생에너지, 에너지 절약, 자원 순환에 대한 지원 강화, 나아가 탄소중립적인 개인의 행태를 유도하기 위한 광범위한 노력이 필요할 것이다. 노엄 촘스키와 로버트 폴린이 주장하는 바와 같이 지구 공동체의 그린뉴딜(Green New Deal)에 대한 고민이 필요하다 (Chomsky and Pollin, 2020).

탄소중립 사회전환의 정치학

거대한 사회전환은 당연히 커다란 갈등과 정치적 논쟁을 불러 일으킨다. 미국 공화당의 트럼프 전 대통령은 기후변화 자체를 믿지 않았고, 대통령 취임 이후 파리기후변화 협약을 탈퇴했다. 이후 민주당의 바이든 대통령이 당선되면서 협약에 재가입했지만, 가장 큰 탄소 배출국 중 하나인 미국 정치권에서 기후변화와 탄소중립을 둘러싼 갈등은 여전한 상황이다. 우리나라 역시 마찬가지이다. 우리나라 정치권은 전반적으로 기후변화의 위험성을 인식하고 대응이 필요하다는 인식을 공유하고 있으나, 대응 방법과 속도에 있어서는 커다란 차이와 갈등이 지속되고 있다. 가장 대표적인 것은 원자력 발전을 둘러싼 갈등이다. 후쿠시마 원자력발전소 사고 이후 원자력 발전의 위험성에 대해서는 공감했으나, 국가 경제의 지속 성장, 기후변화 완화를 위한 대안으로서 원자력에 대한 인식은 매우 달랐다. 따라서 정권에 따라 원자력 산업은 큰 부침을 겪었고, 가장 민감한 정치적 문제가 되어 양극화 현상이 심화되었다. 이러한 정치적 양극화는 최근에는 신재생에너지 분야에도 확산되고 있는 실정이다.

탄소중립을 둘러싼 사회 전환은 어떤 한 나라의 노력으로 달성할 수 없으며, 전세계의 공동의 노력이 필요한 인류의 과제이다. 따라서 UN에서도 빈곤탈출을 핵심 목표로 삼았던 새천년목표(Millennium Development Goal; MDG)를 2015년부터 지속가능발전목표(sustainable development goal; SDG)로 전환했다. UN은 궁극적 목표로서 지속가능발전을 표방하고, 기후변화의 완화와 적응을 위한 구체적 노력으로 전 세계 196개국이 참여하는 파리협정을 2015년에 체결했다. 파리협약은 협약 당사국 모두의 참여와 행동을 강조하면서 국가별로 '국가온실가스감축목표(National Determined Contribution, NDC)'를 수립할 것을 요구하고 있다. 한편, 기후변화 적응을 위한 노력의 일환으로 재난위험을 저감하고 국가별 대응을 강조하는 센다이프레임워크도 마련되었다 (United Nations International Strategy for Disaster Reduction, 2015). 즉, 지속가능발전-기후변화-재난위험 저감은 긴밀히 연결되어 있고, 이를 체계적으로 구현한 것이, UN의 지속가능발전 목표, 기후변화협약, 그리고 재난위험저감을 위한 센다이프레임워크라고 볼 수 있을 것이다. 문제는 이러한 국제적 노력에도 불구하고 대부분의 협정들이 강제력이 없기 때문에 실제 대부분의 국가에서 기후변화 완화와 적응 노력들이 뚜렷하게 나타나지 않는다는 것이다. 대부분 약간의 자원 재분배를 통해 무늬만 탄소중립을 지향하는 저항과 점진적 조정에 불과한 실정이다.

인도 출신의 세계적 작가로서 전세계적 기후위기와 제국주의 착취 구조를 탐구한 아미타브 고시(Amitav Ghosh)는 국가 간의 권력 격차가 지금까지 각국의 탄소배출량과 긴밀한 관련이 있다고 주장한다 (Ghosh, 2018). 즉, 현재 세계의 강대국들은 모두 세계에서 가장 많은 탄소를 배출하고 있는 국가이며, 실제로 2017년 G2로 일컬어지는 중국(27%)과 미국(15%)의 탄소배출량은 전세계 배출량의 거의 절반에 육박한다 (Chomsky and Pollin, 2020). 이처럼 탄소배출이 국력인 상황에서 각국의 자발적 탄소 감축은 결국 자국의 국력 약화를 의미한다. 따라서 강대국들이 자발적으로 권력을 내려놓는 일은 결코 쉽지 않을 것이다.

이러한 문제는 "기후정의"(Climate Justice)의 국제 정치 개념에서 봐야 한다. 즉, 서구 선진국들이 엄청나게 배출한 탄소를 기반으로 세계의 권력을 장악하고 있는 상황에서 전 세계 국가가 동일한 부담을 지는 것은 정의롭지 않다는 것이다. 따라서 "감축과 수렴" 전략 (선진국은 과감하게 탄소배출을 '감축'해 나가고, 개발도상국들은 약간의 배출 상승을 허가함으로써 양편이 같은 목표지점에 장기간에 걸쳐 '수렴'하자는 전략) 등을 통해 개발도상국들의 발전을 보장해줘야 한다는 것이다 (Ghosh, 2018). 그러나 탄소배출량이 국가들의 패권을 결정하는 현재의 상황에서 이러한 국가간 협약은 쉽지 않을 것이다.

탄소중립 사회전환을 위한 문제 인식과 저변의 확대

탄소중립이 지향하는 바는 결국 광범위한 사회 전환이다. 이는 과학기술적인 이해와 노력을 뛰어넘어 인간사회를 구성하는 다양한 요소를 모두 포괄한다. 학문적으로 본다면 단순 기술적인 문제뿐만 아니라 정치, 경제, 사회, 심리 등 사회과학 나아가 문학을 포함한 인문학의 다양한 영역을 포괄하는 접근이 필요하다는 것을 의미한다. 특히 탄소중립을 둘러싼 정치적 갈등의 해결이 쉽지 않은 상황에서 수많은 환경운동가들과 각국 정부는 기후변화를 "도덕적 이슈"로 다루는 경향이 증가하고 있다 (Ghosh, 2018). 또한 이러한 기후변화의 도덕화 경향은 다양한 문화 현상들과 결합하면서, 각 개인의 삶의 행태에 영향을 주고 있다.

대표적인 사례는 기후소설(Cli-Fi; Climate Fiction)의 등장이다. 기후변화가 만들어낸 미래사회의 종말론적 모습은 이미 여러 영화와 문학에서 등장했다. 기후소설은 일종의 과학소설(Science Fiction)과 유사한 쟝르라고 볼 수 있지만, 기후변화의 엄혹한 현실과 자본주의 체제 자체의 위기 의식이 반영된 결과로 볼 수 있을 것이며 나아가 대안적 문명에 대한 대안적 성찰이 깊어질 수 있다는 뜻이다 (유희석, 2021). 즉, 사회전환의 필요성의 공감대를 높일 수 있다는 것이다.

기후변화에 대응하는 각 개인의 행태에 대한 연구와 고찰도 증가하고 있다. 기후변화의 대응 문제를 도덕적(Norm) 관점에서 보고, 기후변화의 심각성을 인정하면서도 행태가 바뀌지 않는 문제는 무엇인가를 연구하는 학자들이 증가하고 있다. 기후변화 문제를 사회구성원들의 사회학적, 심리학적 측면에서 살피는 노력이다. 개인이 보기에 기후변화는 너무도 거대한 문제이기 때문에 개인의 노력과 그 결과를 확인할 수 없다. 인간의 활동과 기후변화의 관계에 대한 즉각적 인과관계를 확인할 수 없으며, 그 부정적 결과 역시 나에게 오는 것이 아니라 지구 반대편의 취약 지역에 더 크게 작용하곤 하기 때문에 시간적, 공간적으로 나와는 관련이 없는 문제처럼 느끼게 된다 (Gifford, 2011b). 최근에는 이러한 인간의 인식과 행태를 분석하여 각 개인의 삶을 보다 탄소중립적으로 바꿀 수 있는 다양한 노력들이 진행되고 있다.

탄소중립과 사회전환에 대한 그간의 연구들

기후변화와 탄소중립, 그리고 사회의 정치, 경제, 사회적 변화를 함께 보는 노력들, 특히 그러한 노력을 대중과 공유하려는 시도가 부족했다. 특히 우리나라에서는 탄소중립 문제를 기술적으로 다루는 것에만 집중하여 사회전환과 관련된 다양한 측면의 고찰이 부족한 측면이 있다.

그간의 국내에서 발간된 탄소중립 관련된 도서들을 정리하면 다음과 같은 특징이 있다.

첫째, 기후변화의 현상을 소개하고 주요 신재생 에너지 기술을 소개했다 (한국과학기술연구원, 2022; 한국환경연구원, 2021; 이재호, 2022; 윤양일, 2022). 이러한 도서들은 현재 기후변화 현상의 특징을 소개하고, 탄소중립을 위한 신재생에너지로서 태양광, 풍력 등 발전원, 제품의 폐기 및 재활용 기술 등을 다룬다.

둘째, 기후변화와 관련된 국제협약 및 해외 사례, 그리고 각 부문의 역할을 설명한다 (한국환경연구원, 2021; 이재호, 2022; 윤양일, 2022; 환경정치연구회, 2021). 파리 협약의 내용과 각 국의 계획 등을 소개하고, 우리나라의 관련 정책도 소개한다. 이와 함께 탄소세, 탄소국경조정제도 등 국제 협약도 다루고 있다. 특히 환경정치연구회(2021)에서는 탄소중립과 그린뉴딜에 관해 정치와 정책을 초점으로 각 이해당사자 집단의 다양한 이해관계, 갈등과 협력의 행동 양상을 관찰하고 분석한 결과를 제시한다.

셋째, 민간과 기업의 대응을 다룬다 (요시세피 & 에드가블랑코, 2021; 이재호, 2022; 환경정치연구회, 2021 등). RE100 등 대중의 관심을 받았던 기업의 정책들을 소개하고 특히 최근 화두로 떠오르는 ESG 경영에 대해서 다룬다.

이미 다양한 대중서가 출간되어 기후변화와 탄소중립의 다양한 측면을 다루고 있지만 탄소중립과 사회전환을 둘러싼 정치, 경제, 사회학에 대한 심도 깊은 고찰을 부족한 편이다.

이 책의 내용

이 책은 기후변화에 맞서 탄소중립 사회로의 전환과 관련된 다양한 사회 현상을 살펴보는 것을 목표로 한다. UNIST 공과대학과 탄소중립 대학원의 지원을 받아 그간 수행되었던 연구 결과들을 살펴보고, 탄소중립을 둘러싼 정치, 경제, 사회, 심리적 측면의 연구 결과들을 공유하고자 한다.

이 책은 탄소중립 정책과 직접 연계된 기후변화 현상 연구를 시작으로 탄소중립의 경제학, 탄소중립의 정치학, 그리고 탄소중립의 사회학 관련 연구들을 다루고 있다.

먼저 울산과학기술원 송창근 교수는 기후변화에 대응하는 인류의 노력으로 탄소중립의 개념과 필요성을 다룬다. 전 지구적 노력으로서의 탄소중립 전략의 역사와 국제적 협력과 노력의 필요성을 강조한다.

제2장에서 울산과학기술원 차동현 교수와 박창용 박사는 기후변화가 한반도에 미치는 영향에 대하여 살펴보았다. 기후변화에 관한 정부간 협의체(IPCC)의 탄소 배출 시나리오와 분석을 근거로 하여, 한반도의 기후변화 영향을 분석한 내용을 제시했다. 이에 따르면, 탄소 배출이 지속되는 고배출 시나리오(SSP5-8.5) 상황에서 한국의 기온은 2100년까지 약 7°C까지 증가할 수 있고, 폭염, 폭우, 태풍 등 기상이변도 크게 증가할 것으로 예상된다. 그리고 이러한 기상이변은 저배출 시나리오(SSP1-2.6)에 비하여 고배출 시나리오에서 크게 증가하여, 미래 사회에서 탄소배출 절감의 중요성을 강조하고 있다.

탄소중립의 경제학에서는 탄소중립 사회 전환을 위한 새로운 경제적 제도, 민간기업의 대응 등에 대하여 다룬다. 먼저, EY한영(Ernst & Young) 류종기 상무는 기후위기에 대한 기업의 대응으로서 ESG(환경·사회·지배구조) 경영에 대하여 다룬다. ESG 경영의 개념과 주요 내용을 살펴보고, 이를 적용하고 있는 기업들을 현황을 알아본다. 특히 기업의 가치사슬 전반을 포괄하는 스코프 3 배출량의 산정과 관리의 중요성을 강조한다. 이와 함께 기업의 기후변화 대응을 위한 시나리오 분석 방법에 대하여 소개한다.

　UNIST 조봉경 박사는 배출권거래제와 탄소국경조정제도에 대해 다룬다. 기후변화 대응은 전세계 국가들의 동참이 필요한 전지구적 문제이지만, 기업들은 상대적으로 세금이나 규제가 약한 국가들로 공장을 이전시켜 기존의 탄소배출을 지속하는 행태를 보이고 있다. 이를 '탄소 누출(Carbon Leakage)'이라고 한다. 탄소 누출이 발생하면 전지구적으로 탄소 배출을 줄일 수 없기 때문에, EU에서는 탄소국경조정제도(Carbon Border Adjustment Mechanism, CBAM)를 도입하기로 결정했다. CBAM은 EU의 ETS와 연계되어 운영되고, 당장 2023년 10월부터 전환기간을 거쳐 2026년부터 본격 시행된다. CBAM이 시행되면 한국 산업계는 큰 영향을 받는다. 제품을 생산하는 과정에서 탄소를 많이 배출하는 철강, 시멘트, 알루미늄, 비료, 전기, 수소가 우선 적용대상이다. 이 글에서는 CBAM에 대한 알기쉬운 소개와 한국의 대응에 대하여 다룬다.

　서울과학기술대학교 정하일 교수는 기후위기에 대응하여 기업들의 대응도 필수적일 수밖에 없음을 강조하고 기업의 기후변화에 대한 인식과 기업의 생산성과 기후변화의 관계를 분석했다. 기후변화 효과는 기업별로 또는 산업별로 다르므로, 각 기업의 의사결정권자(Chief Executive Officer; 기업의 최고 의사결정권자)들이 기후변화를 어떻게 인지하고 인식하는지, 그리고 기업들이 탄소배출량을 감소하려는 행위들이 어떤 효과를 유발하는지에 대해서 살펴보았다. 그리고 탄소세 부과, 탄소배출 규제 및 인증제도 등 기업의 탄소배출을 제한하는 법적 규제가 전세계적으로 강화되는 흐름에 따라 기업의 탄소생산성(탄소배출량 당 매출)과 금융·시장에 미치는 영향에 대한 분석을 실시했다.

탄소중립의 정치학 분야에서는 탄소중립 사회로의 전환 과정에서 발생하는 이해당사자들 간의 갈등과 조정을 다룬다. 먼저 UNIST 김청일 박사와 정지범 교수는 탄소중립 전환 과정에서 첨예한 갈등이 발생하고 있는 원자력과 재생에너지 문제를 살펴보았다. 한국에서는 2011년 후쿠시마 원전 사고 이후 원자력을 둘러싼 한 양극화가 심화되었다. 2017년 문재인 대통령은 이전 정부의 접근 방식에서 벗어나 원자력에서 재생에너지로 전환하는 에너지 정책을 시행하였다. 또한 문재인 정부는 신고리 원전 건설 관련 주민 숙의형 공론화 등과 같은 사회적 갈등을 최소화하기 위한 다양한 시민 참여형 에너지 정책을 지원하였다. 그러나 이러한 정책은 원자력 지지파와 반대파, 그리고 원자력 지지파와 재생에너지 지지파 간의 양극화를 더욱 심화시키고 임기 후반으로 갈수록 양극화가 심화되는 양상을 보였다. 이러한 문제를 분석하기 위하여 문재인 정부의 시작과 종료 시점에 설문 조사를 실시하여 지지 정당에 따른 에너지원 선호도 변화를 분석하였다. 그 결과 정책적으로 중립적으로 여겨졌던 재생에너지 확대 방안이 문재인 정부 아래 양극화가 진행된 것으로 나타났다. 이 연구는 에너지전환을 가로막는 정치적 교착 상태를 해소하기 위한 정책도구로서 참여형 프로젝트 활용하는 전략을 연구할 필요성을 강조한다.

UNIST 조봉경 박사와 송창근, 정지범 교수는 탄소중립 전환을 둘러싼 국가 거버넌스의 한계를 살펴보았다. 기후변화에 대응하기 위한 협력적 거버넌스로서 구성되었던 녹색성장위원회와 탄소중립위원회의 출범과 운영 과정을 살펴보고 그 한계와 문제점을 확인했다. 각 위원회가 정치화되면서 정권 교체에 따라 급격한 정책 변화 혹은 정책 단절이 발생했지만, 화석연료 발전기술과 관련된 산업과 제도가 가진 강력한 관성의 문제가 어떻게 경로 고착 현상을 만들어 내는지 살펴보았다. 과거에 만들어진 제도나 정책은 경로가 고착(lock-in)되어 기존의 경로를 따라가게 된다. 따라서, 이미 화석 연료를 기반으로 전력을 생산하고 소비하는 탄소 고착(Carbon lock-in) 문제가 정파적으로 매우 다른 두 위원회에 모두 존재함을 확인하였고, 기존 경로 고착 문제를 해소하기 위한 방안을 모색하였다.

탄소중립의 사회학에서는 특히 탄소중립 사회의 전환기에 놓여 있는 대중의 인식과 행태에 집중했다. 특히 풍력, 태양광, 지열발전과 같은 신재생에너지를 받아들이는 대중의 인식에 주목했다. 동의대학교 임동현 교수와 UNIST 정지범 교수는 포항 지열발전소를 둘러싼 지역 주민들과의 갈등과 자연재난으로서 지진이 어떤 영향을 주었는지를 고찰했다. 지열 발전은 원자력의 위험성과 태양광/풍력의 간헐성에 비해 많은 장점을 가지고 있어 주목받았다. 그러나 2017년 포항지진 이후 대중의 우호적인 인식은 급격히 변화했다. 포항지진이 지열발전소에 의해 촉발된 것으로 지목되었고, 이로 인해 지열발전 기술에 대한 지역사회의 인식은 매우 부정적이게 되었다. 우호적이었던 신재생에너지 기술에 대한 대중들의 급격한 인식변화는 갑작스럽게 발생하는 것이 아니라 사회시스템 안에서 다양한 이해관계자들의 상호작용에 의해 형성될 수 있다. 이 연구에서는 사회적 표상 이론(Social representation theory)을 활용하여 대중이 신재생에너지 기술에 대한 위험인식이 급변하는 사례를 살펴보았다.

경희대 사회학과 김은성 교수는 한국 사회에서 풍력발전을 받아들이는 요인들에 대하여 분석했다. 기존의 경제적 관점에 기반한 님비적 관점을 벗어나, 풍력발전에 대한 감각적, 문화적 요인과 함께 제도적 요인으로서의 절차적 민주성을 다룬다. 특히 이미 잘 알려진 감각적 차원을 뛰어 넘어 문화적 요인으로서 한국인의 풍수적 가치관과 생태적 가치관을 다루었다는 점은 기존 관점의 지평을 넓혔다는 점에서 의미가 있다.

마지막으로 탄소중립 사회로의 전환 과정에서 각 개인의 인식과 행태를 살펴보았다. 대부분의 사람들이 기후변화가 위험하며, 우리는 기후변화를 완화하고 적응하기 위해 최선의 노력을 다해야 한다고 믿고 있다. 그러나 이러한 믿음과는 달리 실제로 개인들의 환경친화적 행동은 미흡한 경우가 많고, 이러한 인식과 행태의 불일치를 극복하기 위한 노력이 필요한 실정이다. UNIST 연다혜 학생과 정지범 교수, 김성필 교수를 비롯한 연구팀은 이러한 문제의 극복을 위한 다양한 연구 방법론을 제시하고 장단점을 분석했다. 탄소중립에 대한 대중의 인식과 행태를 확인하기 위한 방법으로서 자기보고 방식과 관찰 방식의 이론과 사례, 그리고 각 방법론의 한계도 제시했다. 나아가 새로운 방법론으로서 뇌신경과학의 활용 가능성을 살펴보고 이들을 연계한 혁신적 연구를 시도했다. 이 연구에서는 아직까지 사회적 규범으로 완벽하게 성립하지 못한 기후 친화적 행동을 유도하는 방법으로서 사회적 동조의 중요성을 강조했고, 이를 설문조사와 행동실험, 그리고 EEG를 통한 뇌신경과학적 검증을 통해 확인했다.

제2장

기후변화와
탄소중립

기후변화와 탄소중립
- 송창근

기후변화와 한반도
- 차동현, 박창용

▽ 제2장 기후변화와 탄소중립

1. 기후변화와 탄소중립[3]

송창근 (UNIST)

기후평형과 탄소중립 전략, 전환기적 사고

기후변화는 현재 우리 세대가 직면하고 있는 문제이며 다음 세대와 그 이후 세대에게도 지속적으로 영향을 미칠 수 있는 대자연의 교란 상태이다. 기후변화로 인한 인간에 미치는 악영향을 최소화하고 지구 생태계를 보호하기 위해서는 기후변화의 특성을 정확히 이해하고 미래를 예측하여 적절히 대응하는 것이 중요하다. 특히, 기후가 변화해가는 경로를 미리 전망하여 잘 설계하고 부작용이 최소화될 수 있도록 수정하고 관리할 수 있다면 이것이 가장 최선의 대책이 될 것이다.

기후변화 경로란 기후 시스템과 인간의 사회·경제 활동 간에 서로 영향을 주면서 지구의 자연환경이 특정 시간 동안 어떻게 변화하는지를 의미한다. 이는 다양한 요소들에 영향을 받으며, 주로 대기 중의 온

---

3 이 글은 2021년 7월부터 12월까지 저자가 경상일보 지면을 통해 게재한 경상시론의 내용을 일부 수정 및 발췌하여 재구성한 내용이다.

실가스 농도, 인간 활동에 따른 온실가스 배출량, 기술 변화, 정책 변화, 자연적 변화 등이 해당한다. 또 하나 알아야 할 개념으로, 기후평형을 들 수 있는데, 이는 기후 시스템이 안정된 상태에 있음을 의미한다. 이는 들어오는 에너지와 나가는 에너지가 균형을 이루고, 기후 상태가 크게 변하지 않는 상태를 말한다. 그러나 현재 기후변화의 양상은 기후평형이 깨지면서 변화의 진폭이 점점 더 커지는 방향으로 진행되고 있다. 이에 따라 각종 극한 기후 현상들이 발생하며, 이는 생태계, 경제, 사회에 매우 부정적인 영향을 미치고 있다. 즉, 기후평형의 깨짐은 우리가 직면한 기후 위기의 심각성을 나타내 주는 리트머스 시험지와 같은 지표이다. 기후변화 경로와 기후평형은 서로 연관되어 있다. 기후변화 경로가 어떻게 전개되느냐에 따라 기후평형 상태가 영향을 받을 수 있으며, 기후평형이 깨짐으로 인해 새로운 평형 상태로 이동하는 과정에서 그 속도, 강도에 따라 기후 변화의 양상이 전혀 다르게 진행될 수 있다.

기후변화 경로에 대한 이해는 우리가 기후변화에 대응하고 적절한 조치를 취하는 데 매우 중요한 정보를 제공하는데, 전 세계의 과학자들은 다양한 시나리오를 모델링하여 기후변화 경로와 기후평형 상태를 예측하는 데 활용한다. 현재 과학자들이 사용하는 시나리오로는 대표농도경로 시나리오 (Representative Concentration Pathways; RCPs)나 공유사회경제경로 (Shared Socioeconomic Pathways; SSPs)와 같은 형태로 나타난다. 이러한 연구 결과는 정책 결정자와 과학자 간의 상호 소통 역할을 수행하는 기후변화에 관한 정부 간 협의체인 IPCC(Intergovernmental Panel on Climate Change)에 의해 취합되어 정기적으로 기후변화에 관한 보고서에 수록되어 발간된다. 그 중에서도 가장 최근 보고서는 2022년에 발간된 여섯 번째 평가 보고서(Assessment Report 6; AR6) 인데, 이 보고서는 기후변화의 연착륙 경로를 유도하기 위해, 즉 우리에게 중요한 목표인 기후변화로부터 위기를 최소화하기 위해 필수 불가결한 수단으로 2000~2100년대 중간 시점에 인류는 탄소중립을 이루어야 한다고 강조하고 있다.

기후 위기는 기후변화로 인한 부정적인 영향이 사람들의 삶과 환경에 심각한 문제를 초래할 때 사용되는 용어이다. 기후변화로 인해 빈번해지는 극한 기상 현상, 해수면 상승, 생태계 변화 등은 생명과 재산에 큰 피해를 주고, 식량 안보와 물 자원에도 영향을 미친다. 이러한 위기 상황, 기후 위기는 기후변화 경로가 바람직한 탄소평형 상태에서 벗어날수록 더욱 악화할 가능성이 크다. 따라서, 우리는 탄소 배출 감소와 같은 기후변화 완화 정책과 기술을 적극적으로 도입하고, 기후변화에 적응하는 전략을 개발하는 것이 중요하다. 탄소 배출 감소를 위해 재생에너지 사용 확대, 에너지 효율 향상, 탄소 포집 및 저장 기술 개발 등이 필요하다. 또한, 기후변화로 인한 피해를 최소화하기 위해 적응 전략을 개발하는 것도 중요하다. 이에는 해안 보호, 농업 관리 방법 변경, 기후변화에 강한 작물 개발 등이 포함된다.

바람직한 기후평형 상태로 미래의 기후변화 경로를 가져가는데 필수적인 탄소중립 전략은 우리가 지속 가능한 미래를 위해 꼭 이루어야 할 노력이다. 우리는 이러한 개념을 이해하고 관리하여 기후변화에 효과적으로 대응하고, 우리의 환경과 생태계를 보호할 수 있는 조치를 취해야 한다. 이는 우리의 삶과 향후 세대의 번영을 위해 절대적으로 필요한 일이다. 실패 없는 탄소중립 전략 및 기후변화 악영향을 미리 줄이는 대책은 향후 우리나라의 안정적인 지속가능 발전의 디딤돌이 될 것이다. 현재 생존과 미래 세대에 지속가능한 사회를 물려줘야 할 의무를 생각할 때, 이제 기후변화 대응을 위해 모든 것을 바꿀 수 있다는 자세, 전환기적 사고가 절실한 때이다.

기후변화-탄소중립, 미래를 보는 눈

우리는 현재를 살아가면서 과거를 되짚어 보는 것과 다가올 미래를 전망해야 하는 상황에 자주 직면한다. 과거를 다시 되돌려 보는 것은 결국 미래에 똑같은 실수를 반복하지 않으려고 또는 잘 해냈던 경험과 교훈을 기억해 내려는 인간의 지혜이다. 한편, 미래를 앞서 보려는 것은 무한 경쟁의 사회에서 한 발짝 앞서 나가 유리한 고지를 먼저 선점하고 예측되는 위험에서 벗어나려는 시도이다. 과거에 대한 정확한 복기는 시작과 끝은 이미 알고 있는 경우여서 최적화된 경로에 초점이 맞춰져 있다면 미래의 전망은 시작만 알고 끝은 잘 모른다는 차이점이 있다. 즉 끝에 대한 예측은 잘 모른다는 불안감을 미리 살펴 조금이라도 줄여보고자 하는 인간의 본능이다.

2021년 영국의 한 도시에서는 120여 명의 세계 정상이 모여 2주에 걸쳐 우리의 미래를 논의한 회의가 개최되었다. 제26차 유엔기후변화협약 당사국 총회 (COP 26)가 그것이다. 정상급 회의와는 별도로 미래의 주역인 청소년 기후운동가들은 유엔 사무총장에게 기후위기를 코로나-19에 준하는 위험 상황이라 보고 '3급 비상사태'를 선포하라고 요청하는 이벤트도 있었다. 당시 당사국 총회에서는 우리 지구공동체를 미래에 다가올 미증유의 위험으로부터 구출하기 위한 적잖은 성과가 있었다. 2015년 당사국 총회 이후 6년 만에 개최된 특별정상회의에서는 우리나라를 비롯하여 120개국 정상들이 모여 지구온도 1.5℃ 이내 상승 억제를 위한 범세계적 기후행동 강화를 약속했다. 특히, 우리나라 대통령은 기조연설에서 미래의 주역인 청년의 중요성을 강조하고 청년기후포럼을 연례 개최토록 주문하였고 우리측 제안이 반영되어 결정문에 포함되었다. 또한, 제26차 당사국 총회의 최대 성과 중 하나는 몇 년 동안 지난한 협상을 진행했던 파리협약의 세부 이행 지침이 완전히 타결된 것이다. 향후 온실가스 감축, 시장 메커니즘, 적응행동, 재원 등 파리협약의 실질적 이행에 반드시 필요한 17개 규칙이 완비됨에 따라 이제 각국의 실천만 남은 셈이다.

우리는 잘 해낼 수 있을까? 그러나 과거의 교훈을 새기고 미래를 예견하여 준비하는, 두 가지 모두를 썩 잘하지 못하는 것 같다. 앞서는 제26차 유엔기후변화 협약 당사국 총회에서 칭찬받을 만한 점만 나열했는데, 이제는 우리의 미래를 한 치 앞도 모르게 만들 수 있는 즉, 과거의 실수를 반복하는 결정에 관해서도 이야기해야 한다. 애초 기대했던 2030년까지 석탄 발전의 완전한 퇴출은 기후위기에서부터 우리를 지켜줄 가장 핵심이 되는 장치였는데, 일부 국가의 강력한 반발과 마지막 날 합의문 작성 시한에 쫓긴 나머지 "단계적 퇴출(phase out)"에서 "단계적 감축(phase down)"으로 크게 후퇴해 결국 부실한 합의로 종료되어 버렸다. 이에 당사국 총회 의장의 사과 성명과 기후환경단체의 분노로 당시 영국 글래스고의 주말은 그렇게 지나갔다. 안토니오 구테

흐스 유엔 사무총장은 "우리의 연약한 지구는 실타래에 걸려있다" 라고 아쉬움을 보였고 특히 "불행하게도 집단적인 정치적 의지는 미래의 모순을 극복하기 충분하지 않았다" 라고 말했다. 즉, 부적절한 정치, 경제, 외교적 이해관계가 미래에 다가올 위협과 모순을 해결하는 장애물, 여간해선 풀기 어려운 엉킨 실타래 같은 지금의 상황이 되었다는 것으로 현재 세대가 미래 세대에 짐을 떠맡기는 비겁 함에 자조적인 한탄이다.

과연 앞일을 예측하는 게 얼마나 쉬울까? 멀지 않은 과거에서부터 현재에 이르기까지 이미 닥친 또는 다가올 기후재앙의 경고가 얼마나 많았던가! 수만 년간 지켜온 지구를 산업혁명 이후 150년 만에 대재앙의 위기로 몰고 갔던 과거의 실수에 귀를 닫고, 과학자들에 의해 그나마 비교적 정확하게 볼 수 있게 된 불안한 미래 모습에도 눈을 감는다면, 인간의 역사는 우리가 기대하는 방향으로 절대로 흐르지 않을 것이다.

기후변화-탄소중립, '뉴노멀'의 시대

최근 세계기상기구(WMO)가 발간한 '2021 기후 상태보고서'를 살펴보면, "우리의 눈앞에서 변화하고 있는 세상을 목격하고 있다" 라고 말한다. 대기 중 온실가스 농도는 어김없이 최고치를 경신하고 있으며, 2015년부터 2021년까지 최근 7년간 지구 온도는 사상 최고치로 치솟았다. 보고서에서는 이러한 온도상승으로 인해 우리는 이제 "미지의 영역과 시간"으로 지구를 바라봐야 한다고 이야기하고 있다. 특히, 페테리 탈라스 WMO 사무총장은 "극단적 이상기후는 이제 '뉴노멀'이 됐다"라고 선언한다. 소위 '뉴노멀'의 시대를 우리가 사는 것이며, 자연을 잴 수 있는 눈금 자의 축적을 바꾸는 게 현명할지도 모른다.

탄소중립 시대에 온실가스 감축에 온통 우리의 관심이 집중되어 있지만, 냉정하게 이야기하면 오늘 우리가 배출하는 온실가스는 그 수명이 30~200년이어서 지구상에서 없어지는데 적어도 반세기 또는 더 긴 시간이 필요하다. 우리의 손자, 손녀가 장성해 호흡하는 공기에 현재 배출된 온실가스가 포함되어 있고, 바꿔 말하면 과거 100년 전에 배출되었던 온실가스를 우리가 호흡하고 있다는 말이다. 즉, 현재 온실가스 감축의 효과가 아무리 빨라도 30년 이후에나 온도 증가가 멈추는 형태로 보이게 될 것이다. 그러면 왜 우리는 지금부터 당장 온실가스를 줄여야 하느냐는 질문에 맞닥트리게 된다. 이는 미래에 대한 지속가능성과 현재 사회/경제 체제의 급속한 전환에 어떠한 입장을 가질 건가, 여기에 그 답이 있다. 전자는 우리의 후속 세대에 부담을 지우지 않고 황폐해진 자연을 물려주지 않고자 하는 우리 유전자에 새겨진 인류 존속의 본능이고, 후자는 현재 진행되는 혁명적 전환기에 국제 경쟁력에 뒤처지지 않도록 선제적으로 사회/경제 시스템을 신속히 바꿔 오히려 1,000년 만에 다시 올지 모르는 기회를 여느 다른 나라보다 선점하기 위한 공동체의 본능, 국가적 집단지성의 발로이다.

한편, 미래가 아닌 이미 현재 닥친 탄소위기 상황에서의 우리 삶과 자연의 부조화는 어떻게 해결해야 할까? 소위 '잘 계획된 적응'만이 살길이다. 이상기후 현상의 시/공간적 변화, 그 강도/빈도 변화에 순응하기에는 인간은 너무 연약한 생명체이다. 따라서 이에 적응하기 위해서는 별도의 '계획', 또한 불필요한 시행착오를 줄이기 위한 '잘 작성된 계획표'가 필요하다. 예측 불가능성이 더욱 커지는 기후재난/재해에 대비한 사회기반시설, 어린이, 노약자 등의 취약계층에게 제공할 맞춤형 보건/복지 서비스, 농/축/수산 등 1차 생산품의 피해 방지, 식수 등의 생활 필수 자원의 확보 등의 소위 '기후 취약성'을 미리미리 파악하여 그 피해를 최소화하는 정교한 계획이 그것이다. 또한, 이러한 계획을 이행하기 위한 국가 재원, 행정 시스템이 효과적으로 동원될 수 있도록 제도적 장치를 완비해야 한다. 개개인의 노력과 부담만으로는 절대 할 수 없는 일이다. 탄소중립이라는 국가적 아젠다를 설정하고 설계도를 만드는 이때 절대 놓쳐서는 안 될 또 한가지이다.

우리나라는 사계절이 뚜렷해 소위 스물네 개의 절기(節氣)로 나누어 일 년을 경영하는 지혜를 예로부터 가지고 있다. 춘/추분, 하/동지, 춘/추분 등의 계절을 나타내는 절기와 소/대서, 소/대한 등의 온도에 대한 것도 있다. 그러나, 자연의 시간이 흘러가면서 만나게 되는 이러한 이정표 들은 현대 사회에서 각자 짊어진 삶의 무게에 따라 다르게 느끼는 것은 당연할 진데, 여기에 더해 때가 되면 마땅히 보여야 하는 자연의 모습이 기후변화로 다르게 변해가고 있으니 일 년 일 년을 딱 구분하는 게 쉽지 않다. '뉴노멀'의 시대에 인간과 자연, 두 수레바퀴의 크기가 서로 달라 우리는 가고자 하는 목적지에 다다르지 못할지도 모른다는 우려가 앞선다.

기후변화-탄소중립, 세계 패권과 국가 경쟁력

기후변화는 현재 명백하게 일어나고 있으며 그 원인이 인간 활동에 기인한다는 점은 이제는 더 이상 논쟁의 대상이 아닌 상식이 되었다. 지난 2016년 발효된 파리협정에서는 인류가 감당해야 하는 불가역적인 피해, 즉 돌이킬 수 없는 악영향을 줄이기 위해 지구의 평균 온도 상승을 2도 아래에서 억제하고, 1.5도를 넘지 않도록 노력해야 한다고 명시하고 있다. 이러한 목표를 달성하기 위해 기후변화에 관한 정부간 협의체(IPCC)에서는 2030년까지 온실가스 배출량을 50~60% 감축, 2050~2060년에 이르러는 탄소 배출 제로(zero)를 달성해야 한다고 강조하고 있다.

미국, 유럽 및 중국 등 이미 이러한 상황을 위기로만 보기보다는 사회·경제·정치적인 패권 장악의 기회로 보는 것 같다. 새로운 비즈니스 발굴 및 신성장 동력으로 인식하고, 이에 맞게 경제·산업구조를 빠르게 전환시키고 있다. 이러한 과학적 전망과 국제적 흐름에 동참하기 위하여 우리나라 정부도 2050 탄소중립 계획을 발표하고 비용효과적인 이행방안 마련에 국가적 역량을 쏟아 붓고 있다. 국가 계획의 핵심

전략으로 친환경 에너지 전환, 수소 및 전기차, 탄소중립 건물, 폐기물 제로 순환경제 등이 제시되었다. 과거 우리는 정부의 많은 정책들이 선언적인 구호에 그쳐 각종 계획만 무성하고 세부 이행 과정에서 동력을 잃거나 정략적인 도구로 사용하면서 일몰되는 과정을 자주 지켜봐 왔다. 그러나 이번에는 국가 생존의 문제로 접근해야 할 것 같다. 만약 우리나라가 이러한 국제적 흐름에 뒤처지게 된다면 국가 및 기업 경쟁력 싸움에서 밀려날 것은 자명하다. 우리 산업·상업·가정 분야 등 경제. 사회 시스템을 탄소제로 체계로 신속히 전환시킬 수 있는 지혜와 사회적 합의가 절실하다.

그리고 앞 절에서 언급했지만 다시 한번 강조해야 할 것이 하나 더 있다. 전 세계 온실가스 배출량이 지금부터 향후 10~20년 내 최고치를 기록하고 그 이후 감소 추세로 바뀌어도 대기 중 온실가스 농도와 기온은 안정화되는 데는 100년이 넘게 걸린다. 해수면 높이는 해수의 열팽창만 고려해도 수백 년에서 천 년 넘게 상승할 것으로 예측되고 있다. 결국 과거-현재의 온실가스 배출로 인한 기후재난/재해의 피해가 현재 우리 세대는 물론이고 미래 자녀 세대까지 미치는 게 된다는 사실이다. 그 피해를 줄이기 위해서는 건강, 자연재난, 생태계 분야 등에서 기후변화에 따른 영향 강도를 예측하여 대책을 강구해 미연에 대비해야 한다. 온실가스의 배출 저감(mitigation) 대책은 전 세계적인 동참과 협력이 없이 개별 나라 만의 노력으로는 아무런 효과가 없다. 반면 기후변화 악영향을 사전에 줄이기 위한 적절한 행동 즉, 적응(adaptation) 대책은 다른 나라에서 절대로 대신해주지 않는 개별 당사국의 책임이다. 더욱이, 더 작은 단위인 지자체 차원에서 차별화된 전략을 가지고 각자의 실정에 맞게 추진해야 효과가 극대화된다. 예를 들어, 과거 몇 년 전 울산지역은 홍수로 인해 엄청난 인적, 물적 피해를 보았다. 이후, 이러한 기후재난 피해 방지를 위해 제도적, 재정적, 정책적 수단을 확보하는 책임은 전적으로 울산시의 역할이었다. 다른 시·도 또는 중앙정부에서 대신 신경 써주지 않는다는 말이다. 미래 온실가스 배출을 줄이기 위한 범국가적 노력과 더불어 현재의 기후 피해방지 대책만큼은 지방정부의 각별한 관심이 각별히 필요하다.

기후변화-탄소중립, 과학이 상식으로 되어가는 과정

이공계 분야의 세계적 권위를 가진 학술 DB인 네이처인덱스 (nature index)는 2020년 발간된 한국 '특집호'를 통해 우리나라 과학기술에 대해 비교적 객관적 평가를 발표하였다. 요지는 한국의 과학기술 미래 발전 전략이 과거 선진국을 따라잡기 위해 추격하는 단계에서 이제는 기초연구와 독창적인 연구개발 (R&D)에 투자하는 등 세계 최초, 최고가 되려는 전략으로 바뀌고 있으며 서서히 그 성과가 나타나고 있다는 것이다. 이러한 분석을 접하면 조금 위안이 되면서 우리는 노벨상에 대해 너무 조급한 것 아닌가 하는 생각도 든다. 우리나라가 벤치마킹하고 있는 유력 연구기관 중 하나가 1910년대에 설립되어 수십 명의 노벨상을 배출한 독일의 막스프랑크연구소와 3명의 수상자를 낸 일본의 이화학연구소이다. 100년 이상 꾸준히 투자한 선진국과 비교해, 우리나라는 최근 10년, 비로소 기초과학에 집중하고 있다. 좀 더 기다려 줄만 하다.

한편, 2021년 노벨 물리학상은 놀랍게도 기후변화 연구자에게 수여되었는데, 슈쿠로 마나베 미국 프린스턴대 교수, 클라우스 하셀만 독일 막스플랑크연구소 연구원, 조르지오 파리시 이탈리아 사피엔자대 교수가 선정되었다. 기후변화와 관련된 노벨상은 올해가 처음은 아니다. 지난 2007년 인간 활동과 지구 온난화 사이의 연관성에 대해 전세계적인 공감대를 형성하는 데 기여한 공로로 '기후변화에 관한 정부간 패널 (Intergovernmental Panel on Climate Change : IPCC)'과 앨고어 전 미국 부통령이 공동 수상하였다. 이때 노벨 과학상이 아니고 평화상이 수여된 것은 기후변화 문제가 단순한 환경적 문제라기보다는 인류의 안보를 위협하는 국제적 아젠다로 자리매김을 촉구한 상징적 의미 부여라는 평가였다. 2018년에는 기후변화의 경제적 효과를 연구한 윌리엄 노드하우스 미국 예일대 교수 등에게 노벨 경제학상이 돌아갔다. 해당 연구 결과는 현재 탄소중립 정책과 같은 기후변화 방지 정책 수립 및 평가에 필수적으로 활용되는 정량적 모델을 고안한 공로를 인정한 것이다. 불과 몇 년 전인 2021, 전 세계가 기후변화로 운명공동체가 되고 있는 이 시점에서 대기순환과 기후변화 구조를 예측할 수 있는 기후모델링이라는 강력한 과학적 도구를 개척해 관련 연구의 근본적 토대를 마련한 공로를 인정하여 물리학상까지 수여한 것이다. 기초과학적 성과, 경제사회적 효과 그리고 세계 안녕에 대한 기여 등 모두 각각의 가치가 인정된 것이다.

기후변화의 과학적 증거를 기록하고 그 과학적 메커니즘을 이해하려는 노력은 과거 수십 년 동안의 성공과 실패를 반복한 놀랄만한 진보의 역사이다. 실제로 1970년대 중반까지는 지구 냉각화에 대한 다수의 기사가 대중 매체에 게재되었다. 1940년대부터 1970년대까지 북반구 평균 기온이 하강하는 관측 치와 함께 1600년에서 1900년까지의 혹한기인 이른바 '소빙기 (little ice age)' 시대로 회기 할 것이라는 주장도 소개되었다. 그러나 이러한 주장은 1970년대 중반부터 지구의 온도가 다시 높아지기 시작하고, 과학자들에 의한 놀랄 만큼 집요한 연구 결과와 엄밀한 과학적 증거에 의해 빗나간 예측이 되고 만다. 이들의 연구에서 확인된 지속적인 이산화탄소 농도 증가와 온도 상승 메커니즘은 오늘날 정치, 경제 그리고 국제협상 등 외교의 중요한 의사결정마다 결정적 과학적 근거로 받아들여지고 있다.

우리나라 노벨상 수상 가능성은 이미 여러 언론 지상에서 많은 이야기가 회자되고 대중의 관심이다. 다만, 정작 노벨상이 갖는 의미를 해석해 잘 살펴봄으로써 미래에 대한 시야를 넓히는 지혜도 같이 필요하다. 특히, 물리, 화학 등 노벨 과학상은 인간 최고의 지성의 한계를 극복한 세계적으로 가장 빛나는 도전적 업적에 그리고 동시에 인류 공영과 복지에 공헌한 연구 작업과 결과물에 수여된다. 그리고 관련된 과학적 지식은 매우 어려운 이론에도 불구하고 웬만한 교육 수준을 갖추면 이해할 수 있는 수준으로 다시 재해석되어 유통된다. 기후변화와 같이 매우 복잡한 과학적 메커니즘과 사회·경제·정치·외교적 파급 효과에 대해 초등학교 학생으로부터 각 나라의 정상까지 공통된 이해를 공유하는데 세 번의 노벨상은 일종의 책임보험의 역할을 한다. 사회 구성원들의 공통된 이해와 관심은 불필요한 그리고 소모적 논쟁 없이 당면한 문제 해결에 집중하게 만든다. 즉, 과학이 상식으로 되어가는 과정이다.

2. 기후변화와 한반도

차동현, 박창용 (UNIST)

(1) 한반도의 기후변화

우리나라는 지리적, 기상학적 요인으로 인해 태풍, 집중호우 등의 풍수해가 매년 반복적으로 발생해 천문학적인 재산 피해를 초래한다. 예로 남한에서 발생한 자연재해의 재산피해액을 분석했을 때, 90% 이상의 피해가 태풍, 집중호우, 폭설에 의한 것이었고, 이외에도 온열질환자와 같은 인명피해를 초래하는 폭염과 열대야 또한 최근 우리나라에서 빈번하게 발생하고 있다. 이처럼 우리나라에서는 기후변화와 관련해 다양한 극한기상현상이 발생하고 있기 때문에 효율적인 기후변화 대응 정책을 수립하기 위해 미래 한반도 극한기상현상의 변화 전망 정보를 확보해 적절히 활용해야 할 것이다. 또한, 탄소중립 정책이 적절히 이행되었을 경우 기후변화로 인한 극한기상현상이 완화될 가능성이 있는지를 예상하는 것도 필요하다. 본 절에서는 기후변화로 인한 미래 한반도 극한기상현상의 변화와 탄소중립정책이 효과적으로 이행될 경우 한반도 기후변화에 대한 영향에 대해 분석하였다.

기후변화에 관한 정부간 협의체(Intergovernmental Panel on Climate Change, IPCC)는 기후변화 정도를 과학적으로 분석 및 전망하고, 이에 대한 정보를 활용해 적합한 적응 및 완화 대응 체계를 수립하기 위해 약 7년마다 기후변화 평가보고서를 출간하고 있다. 2007년 출간된 IPCC 4차 기후변화 평가보고서는 노벨평화상을 수상할 정도로 전인류의 기후변화 대응에 기여했고, 가장 최근에는 2021년 6차 기후변화 평가보고서(Assessment Report 6, AR6)가 출간되었다(IPCC, 2021). AR6에는 세계 기후 연구 프로그램(World Climate Research Program, WCRP)이 추진하는 접합모델 상호 비교 프로젝트(Coupled Model Intercomparison Project, CMIP)에 참여한 다양한 전지구 기후모델의 결과들을 종합해 과학적으로 산출된 기후변화 전망 정보가 포함되어 있다. 또한 한반도와 동아시아를 포함한 전세계 14개 상세 지역에 대해 지역기후모델로 역학적 상세화를 수행하는 Coordinated Regional Climate Downscaling Experiment(CORDEX) 프로젝트의 결과도 수록되어 있어 지역 별 상세 기후변화 전망 정보도 포함되어 있다. 본 절에서는 효율적인 기후변화 대응 계획 수립에 기여하기 위해 IPCC 평가보고서 기반 상세 기후변화 시나리오에서 전망된 한반도 지역기후의 변화를 분석하였고, 특히 극한기상현상의 미래 변화를 중점적으로 분석하였다.

상세 기후변화 시나리오 산출 방법

IPCC는 미래 기후변화 예측 정보를 산출하기 위하여 세계 유수기관에서 수치모델과 슈퍼컴퓨터를 활용해 생산된 시나리오 결과들을 기반으로 미래 변화 전망치를 제시하고 있다(IPCC, 2021). 생산된 기후변화 시나리오를 기반으로 IPCC Working Group 1(WG1)에서 전지구 및 지역 기후변화 특성과 미래 전망을 과학적으로 분석하고 있다. 우리나라에서는 기상청과 국립기상과학원이 기후변화 과학 연구를 주도적으로 담당하고 있는데, 국내 대학들과 협업하여 관측자료 기반의 기후변화 근거를 분석하는 한편, 역학적/통계적 방법을 기반으로 한반도 상세 기후변화 전망도 산출해 제공하고 있다.

　기후변화 시나리오는 그림 1과 같이 여러 단계를 거쳐 산출된다. 우선 다양한 기후변화 대응 정책과 기후기술을 가정해 지구온난화의 주원인인 온실가스의 미래 배출량 변화에 대한 여러 종류의 시나리오를 산출한다. 이후 산출된 배출 시나리오를 전지구 기후모델의 복사강제력으로 설정한 후 현재부터 미래까지 장기간의 모델 적분을 통해 전지구 기후변화 시나리오를 산출한다. 하지만 IPCC에 참여하는 대부분의 전지구 기후모델은 100km 이상의 수평해상도를 갖기 때문에 기후변화 응용 연구를 수행하기에는 해상도가 너무 낮아 이를 보완할 수 있는 고해상도 기후변화 시나리오가 필요하다. 따라서 다음 단계로 기후변화 시나리오의 해상도를 높이기 위해 역학적/통계적 상세화 기법이 적용된다. 전지구 기후모델 결과를 대규모 강제자료로 활용한 지역기후모델로 역학적 상세화를 수행해 동아시아 지역과 한반도 지역에 대한 수십 킬로미터 이내 수평해상도의 기후변화 시나리오를 생산한다. 이후 관측 자료와 현재기후에 대한 지역기후모델 결과 사이의 통계적 관계를 이용해 1km 해상도의 남한지역 기후변화 시나리오를 산출한다. 즉, 역학적 상세화 결과를 다시 통계적으로 상세화하여 초고해상도 기후변화 시나리오를 산출한다. 전지구 기후모델 결과를 통계적 기법으로 바로 관측 지점으로 상세화하는 방법도 가능하지만, 전지구 기후모델과 통계적 기법만으로는 극단적인 재해기상 현상을 현실적으로 구현하는데 한계가 있다. 반면, 지역기후모델을 이용한 역학적 상세화는 태풍, 집중호우와 같은 극단적인 기상현상 모의에 유리하다는 장점을 가지고 있다고 일반적으로 알려져 있다.

미래 기후변화 전망 정보를 산출하기 위해 반드시 필요한 것이 온실가스 배출 시나리오이다. 온실가스가 미래에 어떻게 변할지를 가정하는 온실가스 배출 시나리오는 산업화 정도와 저감 정책 수준 등에 따라 다시 세부적으로 구분된다. 2021년에 출간된 IPCC 6차 기후변화 평가 보고서에서는 기존 5차 보고서의 대표농도경로 배출 시나리오에 사회경제적 정책 및 인간활동의 영향이 반영된 공통사회경제경로(Shared Socioeconomic Pathways, SSP) 배출 시나리오가 활용되고 있다(표 1). SSP 배출 시나리오 종류에 따라 2100년까지 배출될 온실가스의 양이 다르기 때문에 배출 정도에 따라 기후변화 정도를 예측하는 연구가 반드시 필요하다.

표1. 공통사회경제경로 배출 시나리오의 종류 및 특성

종류	의미	CO_2 농도 (2100년, ppm)
SSP1-2.6	재생에너지 기술 발달로 화석연료 사용이 최소화되고 친환경적으로 지속가능한 경제성장을 이룰 것으로 가정	445.6
SSP2-4.5	기후변화 완화 및 사회경제 발전 정도가 중간 단계를 가정	602.8
SSP3-7.0	온실가스 저기후변화 완화 정책에 소극적이며 기술 개발이 늦어 기후변화에 취약한 사회구조를 가정	867.2
SSP5-8.5	산업기술의 빠른 발전에 중심을 두어 화석연료 사용이 높고 도시 위주의 무분별한 개발이 확대될 것으로 가정	1135.2

온실가스 배출 시나리오가 결정되면 이를 이용하여 전지구 기후모델을 적분함으로써 기후변화 시나리오를 산출한다. 전지구 기후모델은 지구시스템을 구성하는 대기, 해양, 지면, 빙권, 생권 요소들에 대한 세부 모델들이 서로 상호작용하면서 장기 적분이 가능한 수치모델이다. 배출 시나리오에 따라 복사강제력을 변화시키고 이에 따른 각 지구시스템의 변화를 예측할 수 있기에 전지구 기후모델은 미래 기후변화 시나리오 산출 시 기본적으로 활용된다. 하지만 전지구 기후모델이 산출한 기후변화 시나리오는 계산 자원의 한계로 인하여 해상도가 높지 않다는 문제가 있다. 이를 극복하기 위하여 특정 관심 지역에 대해서만 지역기후모델을 이용해 전지구 기후변화 시나리오를 상세화하는 역학적 상세화 기법이 널리 활용되고 있다. 지역기후모델은 전구기후모델이 생산한 저해상도 기후정보에 내재될 수 있는 고해상도 기후정보를 역학적으로 계산하는 수치모델이다. 예를 들면 전지구 기후모델은 엘니뇨/라니냐의 변화에 따른 한반도 주변의 대규모 바람 변화를 모의할 수 있지만, 해상도의 한계로 인해 이에 따른 국지적인 기상요소(강수, 온도 등)의 변화를 직접 모의할 수 없는데 지역기후모델은 이를 역학적/물리적으로 모의해 부가정보(added values)를 산출할 수 있다. 하지만 막대한 계산자원이 요구되는 지역기후모델의 해상도를 계속해서 높일 수 없기 때문에 상대적으로 적은 계산자원이 필요한 통계적 상세화 기법을 추가적으로 적용할 수 있다.

우리나라에서는 기상청, 국립기상과학원, 국내대학들이 협업하여 3차 기후변화 평가보고서부터 기후변화 시나리오를 산출하고 있다. 6차 기후변화 평가보고서를 위해서 기상청과 국립기상과학원은 SSP 배

출 시나리오를 기반으로 한 UKESM 기후모델을 이용해 전지구 기후
변화 시나리오를 산출하였고(김도현 외, 2022), 이를 국내 대학과 함께
5개의 지역기후모델로 역학적 상세화하여 25km 수평해상도의 동아
시아 지역 기후변화 시나리오를 산출하였다(그림 1).

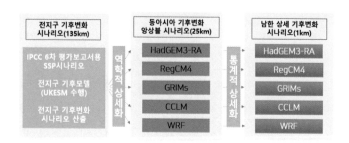

그림 1. IPCC 6차 평가 보고서의 기후변화 시나리오 산출 과정

한반도 기후변화 전망

IPCC 6차 기후변화 평가보고서 기반의 상세 기후변화 시나리오를
이용해 한반도의 지역 기후변화를 전망하였다. 특히 우리나라에 큰 피
해를 초래하는 폭염/열대야, 집중호우, 태풍 등의 극한 기상현상의 미
래 변화 전망이 저배출 시나리오(SSP1-2.6)와 고배출 시나리오(SSP5-
8.5)에서 어떻게 차이가 나는지를 중점적으로 분석하였다.

미래 기온 변화

미래 남한의 기온 변화를 예측하기 위해 AR6에 참여한 5개의 상세 기후변화 시나리오를 편의보정한 후에 앙상블 평균한 결과를 분석하였다. 그림 2는 상세 기후변화 시나리오 앙상블 평균의 1979년부터 2100년까지 남한 평균 기온 변화를 보이고 있다. 저배출 시나리오인 SSP1-2.6에서는 남한의 연평균 기온이 2100년까지 서서히 증가하고, 모델 간의 차이도 크지 않다. 반면 고배출 시나리오 SSP5-8.5에서는 기온이 현재에 비해 2100년까지 약 7℃ 증가하는 경향을 보이며, 2050년대 이후 모델 간의 변화 차이도 크다. 이는 21세기 후반으로 가면서 모델 민감도가 다소 증가하지만 탄소 배출량에 따라 기온 상승폭이 명확하게 커질 수 있다는 것을 의미한다.

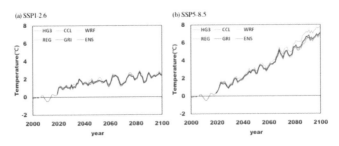

그림 2. 남한 지역에 대한 다중 지역기후모델의 연평균기온 변화

지역별 미래 기온 변화를 전망하기 위해 남한을 6개 지역으로 구분해 평균기온과 극한기온의 변화를 분석하였다(표 2). 저배출 시나

리오의 앙상블 평균에서 우리나라의 모든 지역의 온도는 지역별로 2.2~2.4°C 사이에서 상승한다. 고배출 시나리오의 경우 기온 상승 경향이 더 크고 지역별 차이도 더 뚜렷하다. 특히, 기온 상승폭은 내륙인 중부권에서 크고, 해양의 영향을 많이 받는 제주권에서는 상대적으로 작을 것으로 전망된다. 유사하게 극한기온의 경우도 미래 변화 경향이 배출 시나리오에 영향을 받는다. SSP1-2.6 시나리오에 비해 SSP5-8.5 시나리오에서 극한기온지수는 크게 증가할 것으로 전망되는데, 그 중 일최고기온과 관련된 극한기온지수(폭염일수, 연최고기온의 최고값)는 수도권, 충청권을 포함한 중부지방에서 증가폭이 클 것으로 전망되고, 일최저기온과 관련된 극한기온지수(열대야일수, 연최저온도의 최고값)는 수도권 및 제주도에서 가장 크게 증가할 것으로 예측된다. 이를 기반으로 미래 탄소배출을 저감하지 않을 경우 남한에서 폭염과 열대야로 인한 피해가 높은 확률로 증가할 수 있으리라는 것을 알 수 있다.

표2. 현재기후 대비 21세기 후반(2081~2100) 지역별 극한기온지수의 변화.

Variable	Scenario	수도권	강원도	충청도	전라도	경상도	제주도	남한
평균 기온 (°C)	SSP1-2.6	2.3	2.3	2.4	2.4	2.3	2.2	2.3
	SSP5-8.5	6.5	6.5	6.5	6.3	6.3	5.8	6.3
폭염일수 (days)	SSP1-2.6	17.2	10.4	19.5	18.2	16.3	8.1	15.4
	SSP5-8.5	78.6	56.4	80.4	77.1	70.9	58.5	70.7
연최고온도의 최고값(°C)	SSP1-2.6	3.0	3.9	3.8	3.1	3.9	1.6	3.2
	SSP5-8.5	8.2	9.4	9.5	7.9	9.1	5.5	8.3

열대야일수 (days)	SSP1-2.6	21.3	7.4	20.0	23.6	16.8	24.3	19.3
	SSP5-8.5	71.4	44.2	65.7	71.3	61.5	71.6	65.3
연최저 온도의 최고값(°C)	SSP1-2.6	3.1	2.9	3.3	2.7	2.9	1.7	2.7
	SSP5-8.5	7.4	7.0	7.3	6.5	6.7	5.3	6.6

미래 한반도 기온이 증가하는 이유는 크게 두가지로 나눌 수 있다. 첫번째는 온실가스 분포의 증가로 인한 전지구적인 온난화의 증가이고, 두번째는 온난화로 인한 기후요소의 대규모적인 변화로 인해 한반도의 기온 상승이 다른 지역보다 더 강할 수 있다는 것이다. 예로 우리나라 여름철 폭염과 연관이 큰 북서태평양 고기압의 미래 변화가 전지구적인 온난화로 한반도 쪽으로 더 확장될 경우 미래 폭염 발생 가능성은 더 높아질 수 있다.

미래 강수 변화

IPCC 6차 보고서에 참여한 5개의 상세 기후변화 시나리오 결과의 앙상블 평균을 이용해 미래 남한의 강수 변화를 전망하였다. 특히 표4와 같이 호우와 연관된 극한강수지수를 산출하였는데 다양한 극한강수지수 중 저강도와 고강도 강수지수로서 SDII와 RX1day를 각각 선택하였다.

표4. 극한강수지수의 정의

극한강수지수		설명
저강도	SDII	연강수량 / 일강수량 1mm 이상인 날 수(mm day-1)
고강도	RX1day	연중 1일 최대 강수량 (mm)

기후변화로 인한 강수 변화를 분석하기 위해 미래 80년을 근미래(2020~2049년), 중미래(2050~2079년), 원미래(2080~2099년)로 나눠 각 기간에 평균값과 현재기간(1979~2014년) 대비 변화율을 각각 산출하였다. 극한강수지수의 미래 변화를 전망하기 전에 평균 강수량의 변화를 확인하기 위해 미래 기간별 연강수량 평균의 변화를 분석하였다(그림 3). 미래 연강수량의 공간분포는 현재기후 특성과 크게 다르지 않다. 즉, 제주, 남해안과 중부지역의 강수량이 상대적으로 많고 경북지역은 적은 분포가 유지된다. 하지만 탄소배출 시나리오에 따라 미래 연강수량 변화 차이는 지역적으로 다르게 나타난다. 저배출 시나리오(SSP1-2.6)의 경우 근미래보다 중미래에서 남한전체 강수량이 약 6% 정도 증가하지만, 원미래에는 근미래 값과 비슷하게 감소한다. 반면, 고배출 시나리오(SSP5-8.5)에서는 근미래, 중미래, 원미래 순으로 남한 평균 연강수량이 약 10%씩 증가하게 된다. 이러한 결과를 토대로 저배출 시나리오를 달성할 경우 연강수량이 기후변화의 영향을 덜 받게 되지만, 탄소배출 완화에 실패한 고배출 시나리오를 따를 경우 연강수량이 기후변화의 영향을 받아 크게 증가한다는 것을 알 수 있다.

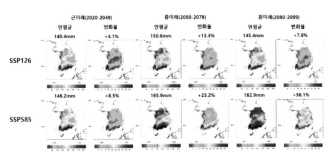

그림 3. 미래 기간 별 연평균 강수량(mm)과
현재기후(1979~2014년) 대비 변화율(%)

연강수량을 강수일수로 나눠서 계산한 SDII는 간단한 강수강도를 나타내기 때문에 저강도 극한강수지수로 활용된다. 미래 SDII의 변화를 기간별로 분석한 결과, 연강수량 변화와 비슷하게 저배출 시나리오에서는 기간별 변화량이 크지 않지만, 고배출 시나리오에서는 근미래에서 원미래로 갈수록 지속적으로 증가하게 된다(그림 4). 주목할 점은 연강수량 변화와 SDII 변화 차이가 크지 않다는 것인데 이는 SDII의 변화가 강수일수(일 강수량이 1mm 이상인 날 수)보다는 연강수량 변화에 더 큰 영향을 받았기 때문이다. 즉, 연강수량의 변화보다 강수일수의 미래 변화가 크지 않다는 것을 의미한다. 또한, 미래 SDII의 공간 변화에서 강수량이 많은 지역은 변화율이 크고, 강수량이 적은 지역은 변화율이 작다는 특징을 주목할 만하다.

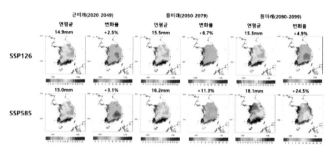

그림 4. 미래 기간 별 SDII 지수의 연평균값(mm)과
현재기후(1979~2014년) 대비 변화율(%)

극한강수지수 중 풍수해 피해에 큰 영향을 주는 것은 저강도보다
는 고강도 지수일 확률이 높다. 이는 설계기준을 넘는 고강도 호우가
발생할 경우 방재시설이 제 기능을 발휘하지 못해 극심한 재난 피해
를 초래하기 때문이다. 예로 2011년 수도권 집중호우의 경우 3일동안
500mm에 달하는 강수가 내려 배수 및 저류 시설 등의 방재시설 한계
를 넘게 되었고, 이로 인해 광화문 일대 침수, 우면산 산사태 등과 같은
막대한 호우 피해가 발생하였다. 따라서, 미래 기후변화 적응 전략을
효율적으로 수립하기 위해서는 고강도 극한강수지수의 변화 정보를
활용할 필요가 있다. 미래 고강도 극한강수지수의 변화를 확인하기 위
해서 연중 일 최대 강수량인 RX1day를 그림 5에서 분석하였다. 미래
모든 기간에서 RX1day는 남해안, 제주, 경기 북부 지역에서 높고, 경
북과 전라 서부 지역에서 비교적 낮은 분포를 갖는다. 저배출 시나리
오에서 RX1day는 원미래의 변화율이 중미래보다 낮은 특징을 갖는데
이는 저배출 시나리오를 달성할 경우 온난화로 인한 집중호우의 강도

증가가 저감될 수 있다는 것을 의미한다. 반면 고배출 시나리오에서는 RX1day가 미래에 지속적으로 증가하는 경향이 나타나며 10% 정도 증가율을 보인 다른 지수들에 비해 RX1day는 약 15%의 증가율을 갖는다. 이러한 급격한 증가 경향으로 인해 원미래 남해안 지역에서는 RX1day가 200mm가 넘는 곳이 나타날 것으로 전망되었다.

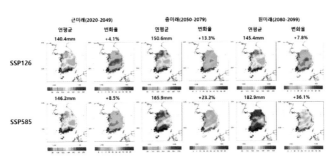

그림 5. 미래 기간 별 RX1day 지수의 연평균값(mm)과
현재기후(1979~2014년) 대비 변화율(%)

고배출 시나리오에서 미래 증가 경향이 가장 뚜렷한 RX1day의 미래 기간별 서울 지역 변화를 분석하였다(그림 6). 저배출 시나리오에서는 RX1day는 중미래에 다소 증가했다가 다시 감소하는 경향을 보이는데 이는 RX1day에 대한 자연변동성의 영향이 인간활동에 의한 영향보다 크다는 것을 암시한다. 반면 고배출 시나리오에서는 명확하게 서울 지역의 RX1day가 증가하는 경향을 보이는데 이는 인간활동에 의한 영향이 자연변동성의 영향을 뛰어 넘는다는 것을 의미한다.

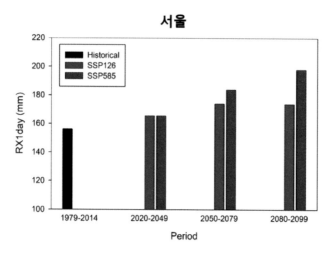

그림 6. 서울 지역의 배출 시나리오 별 미래 RX1day 지수 변화

연중 일 최대강수량인 RX1day가 고배출 시나리오일 경우 서울에서 증가하는 이유는 무엇일까? 그 원인을 찾기 위해 서울에서 RX1day가 나타난 날 만을 평균한 한반도 주변의 하층 바람과 수증기량(비습)의 미래 변화를 분석하였다(그림 7). 서울의 RX1day가 발생하는 날들은 대부분 여름철에 분포하고 있어 동아시아 여름철의 고유한 기후 현상인 몬순의 영향을 받게된다. 따라서 현재기후의 한반도 주변 하층에서는 동아시아 여름 몬순으로 인해 남서풍이 강하게 불게 되고, 이는 아열대 지역의 따뜻하고 습한 공기를 우리나라로 유입시켜 한반도 주변의 대기 불안정도를 높여 집중호우 발생 확률을 높인다. 미래에 몬순으로 인한 하층 남서풍이 강하게 될 경우 이러한 물리적 기작의 강화

로 인해 극한강수가 더 증가할 수 있다. 모든 배출 시나리오와 미래 기간에서 몬순에 의한 하층 바람은 더욱 강해지고, 수증기량은 증가하는 경향이 전망된다. 수증기량의 경우 저배출과 고배출 시나리오 모두 미래 점진적으로 증가하는 경향이 나타나는데 고배출 시나리오에서 그 경향이 더욱 뚜렷하다. 따라서 고배출 시나리오에서 원미래에 한반도 주변 하층에서 강화된 남서풍과 증가한 수증기량으로 인해 RX1day 지수와 연관된 집중호우 발생이 증가하게 되는 것이다. 한반도 주변의 하층 수증기량이 증가하는 이유는 우리나라 주변의 해수온 변화와 연관될 수 있다. 저배출 시나리오의 경우 한반도 북쪽의 차가운 해수 지역의 온도가 현저히 높아지는 경향이 있지만, 원래 따뜻했던 아열대 지역의 해수온 증가는 상대적으로 크지 않다. 반면 고배출 시나리오에서는 한반도 주변뿐만 아니라 아열대 지역의 해수면 온도도 뚜렷하게 상승한다. 이러한 아열대 지역의 해수온 증가는 하층 대기의 온도를 높일 뿐만 아니라 Clausius-Clapeyron 관계를 통해 수증기량도 증가시키게 된다. 따라서 고배출 시나리오에서는 하층 남서풍에 의한 온난이류와 습윤이류가 더 강화되어 서울의 RX1day가 더 증가하게 되는 것이다. 이러한 현상은 서울뿐만 아니라 중부지역인 대전, 남부지역인 부산에서도 유사하게 나타난다.

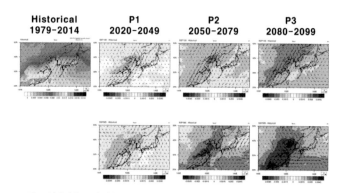

그림 7. 현재기후 동안 서울 지역의 RX1day 발생 날짜에 대한 850hPa 고도의 바람
(m s⁻¹, vector)과 비습(kg kg⁻¹, shading)의 합성장과 미래 기간별 현재기후 대비 변화.
SSP1-2.6 시나리오(위)와 SSP5-8.5 시나리오(아래).

미래 태풍 변화

우리나라를 포함하여 주변 해역을 5개 지역으로 구분한 후, AR6 기
반 상세 기후변화 시나리오의 각 지역을 지나가는 태풍진로밀도에 대
한 미래(2015~2100년) 변화를 분석하였다(그림 8). 한반도 영향 태풍
진로밀도는 불확실성이 매우 커지고 있어 더욱 예측이 어려워지고
있지만, 현재 기후 대비 전 기간에 대해 증가할 것으로 예상된다. 고
탄소 시나리오(SSP5-8.5)의 경우, 미래의 태풍진로밀도는 현재 기후
(1979~2014년) 대비 21세기(2015~2100년)에 최대 85%까지 증가할 것
으로 전망된다. 특히 한반도 주변 지역을 지나가는 태풍진로밀도는 현
재 기후 대비 적게는 12%, 많게는 85%까지 영향이 증가할 것으로 보
인다. 지역별로는 서해(지역 3, 85%), 내륙(지역 4, 78%), 남서해(지

역 1, 30%), 동해(지역 5, 25%), 남해(지역 2, 12%) 순으로 증가할 것으로 전망되었다. 저탄소 시나리오(SSP1-2.6)의 경우, 미래의 태풍진로 밀도는 현재 대비 21세기에 적게는 9%, 많게는 65%까지 증가할 것으로 전망된다. 지역별로는 서해(지역 3, 65%), 내륙(지역 4, 57%), 동해(지역 5, 29%), 남서해(지역 1, 27%), 남해(지역 2, 9%) 순으로 상승할 것으로 전망되었다. 주목할 점은 두 가지 탄소배출 시나리오에서 현재 대비 상승폭은 고위도(서해, 내륙, 동해) 지역에서 더 크게 나타난다는 점이다. 이처럼 고위도 지역에서 태풍활동이 활발해지는 이유는 온난화로 인한 연직바람쉬어의 감소, 고위도 지역의 상대적으로 더 높은 해수면 온도 상승 등이 원인이 될 수 있다. 미래 태풍 강도의 변화 또한 탄소배출 시나리오와 지역에 따라 분석하였다. 고탄소 시나리오에서는 한반도 인근 주변 해역 5개 지역에 대한 태풍의 중심기압을 현재 대비 더욱 낮게 전망하고 있으며, 현재보다 더욱 강한 태풍의 영향을 받을 것으로 전망된다. 태풍 중심 기압은 5개 지역에서 모두 현재 대비 적게 예상하고 있으며, 저탄소 시나리오에서보다 탄소 배출이 많은 고탄소 시나리오에서 더욱 감소폭이 크므로, 더욱 태풍이 강한 태풍이 빈번해질 것으로 전망된다.

태풍 진로 밀도 미래변화

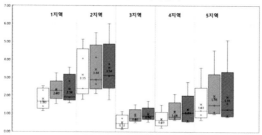

태풍 강도 미래변화

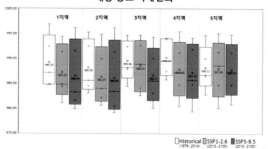

태풍 분석 지역

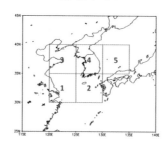

그림 8. 지역별 현재(1979~2014년) 대비 미래 태풍 진로밀도와
강도 전망 (이은정 외, 2023)

본 절에서는 IPCC의 AR6 기반 상세 기후변화 시나리오에서 전망된 미래 한반도의 지역 기후변화를 분석하였다. 기상청과 국립기상과학원이 산출한 전지구 기후변화 시나리오를 5개 지역기후모델로 역학적 상세화한 고해상도 (25km 수평해상도) 기후변화 시나리오의 미래 한반도 지역기후 변화를 조사하였다. 특히, 우리나라에 큰 피해를 초래하는 극한기상현상 중 폭염/열대야, 집중호우와 가뭄, 태풍의 미래 변화를 중점적으로 분석하였다.

한반도의 미래 기온은 고배출 시나리오에서 현재기후 대비 남한 평균 약 7℃까지 증가하게 된다. 이로 인해 일 최고온도와 최저온도의 최고값이 크게 상승하게 되고, 폭염과 열대야 발생일수가 현저히 증가하게 된다. 특히 기온의 상승은 해안지역보다 내륙지역에서, 남부지역보다 중부지역에서 두드러졌다. 반면, 저배출 시나리오에서는 남한 평균 기온이 2.5℃ 이내로 증가하고, 지역간의 차이가 상대적으로 크지 않았다. 미래 상세 기후변화 시나리오의 앙상블 평균을 분석한 결과, 호우와 연관된 고강도 극한강수지수가 고배출 시나리오에서 하층 대기의 열역학적인 요인의 변화로 인해 뚜렷하게 증가하게 예측되었고, 가뭄 발생의 경우 남한 평균적으로는 감소하나 동해안 지역에서는 발생가능성이 더 높아질 수 있을 수 있다고 전망되었다. 태풍의 경우, 최근 한반도 주변에서 가을철 태풍이 자연변동성과 인간활동에 의한 온난화의 영향을 증가하고 있다는 것을 확인했다. 또한, 모든 시나리오에서 북서태평양 전체적으로는 발생이 감소하였지만, 한반도가 위치한 중위도로 태풍이 북상할 확률이 미래 증가하고, 그 강도도 강화될 것으로 전망되었다. 이러한 태풍의 변화는 미래 한반도 주변의 해수면 온도 증가와 연직바람쉬어의 감소와 연관될 수 있다. 이처럼 AR6 기반의 상세 기후변화 시나리오를 활용해 동아시아의 지역 기후변화를 분석한 결과, 한반도에서 발생하는 극한기상현상의 대부분은 저배출 시나리오 보다 고배출 시나리오에서 발생빈도가 더 잦아지고 강도도 더 강화될 가능성이 크다고 전망되었다. 이러한 결과를 통해 극한기상현상으로 인한 피해를 어느 정도 저감시키기 위해서는 탄소중립 정책의 이행이 필요하다는 것을 알 수 있다. 특히 미래 지역 기후변화 정보를 적극적으로 활용해 보다 효율적이고 신뢰할 수 있는 기후변화 적응 및 완화 중장기 정책을 수립하고 이행할 필요가 있다.

(2) 기후변화와 재생에너지

온실기체(Greenhouse gases, GHGs)는 지구온난화의 주요 동인이며 산업화 이후 대기 중으로 배출되는 온실기체의 대부분은 화석연료 사용으로 인해 발생했다 (IPCC, 2013). 2020년 전지구 CO_2 배출량은 COVID-19의 영향으로 전년대비 감소하였음에 불구하고 1990년 대비 63% 증가하였다 (Friedlingstein et al., 2022, Global Carbon Project, 2022) (그림 1).

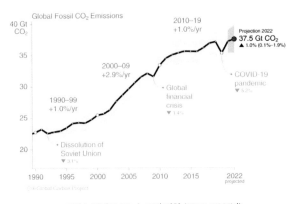

그림 1. 전지구 CO_2 농도의 변화 (1990~2021년)

출처: Global Carbon Project (2022)

이를 국가별 순위로 살펴보면, 중국이 2위인 미국보다 두 배가량의 CO_2를 배출함으로서 1위를 차지하고 있으며, 인도, 러시아, 일본이 뒤를 잇고 있다 (그림 2). 우리나라는 10위에 랭크됨으로서 CO_2 고배출 국가로 자리매김했다. 10위권에 아시아 국가들이 5개나 랭크되어 있고 2위 미국과의 현격한 차이를 보이면서 배출량 1위를 차지한 중국이 포함되어 있으므로 동아시아는 CO_2의 최대 배출 지역이 되었다 (https://globalcarbonatlas.org/) (그림 3). 이는 최대규모의 인구와 도시화, 산업지대의 밀집도에 기인한다. 동아시아는 2000년대를 기점으로 하여 CO_2 배출량이 급격하게 증가하였으며, 전통적인 산업지역인 북미와 유럽은 2000년대 중반 이후로 감소하고 있다. 도시는 전기 소비, 교통, 주거 및 상업용 건물에서 화석연료에 기인한 상당한 CO_2를 배출하는 지구 탄소 순환에서의 핫스팟이다 (그림 4). 전 세계 도시에서 소비되는 에너지와 관련한 CO_2 배출량은 연간 8.8에서 14.3 Gt CO_2 이며, 이는 전 세계의 에너지 사용으로 인한 CO_2 배출량의 53 %에서 87 %에 달한다 (https://globalcarbonatlas.org/emissions/city-emissions/). 동아시아에서는 중국이 최대 CO_2 배출 국가이지만, 도시 규모에서 살펴보면, 우리나라의 인천광역시가 동아시아 중 1인당 CO_2 배출량 최대 도시로 랭크되었다 (Nangini, et al., 2017; 2019, https://globalcarbonatlas.org/emissions/city-emissions/city-emissions-dataviz/).

그림 2. 2020년 국가별 이산화탄소 배출 순위

출처: https://globalcarbonatlas.org

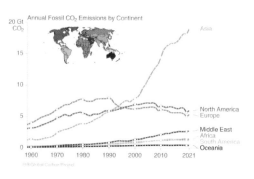

그림 3. 대륙별 CO_2 배출량 추이

출처: https://globalcarbonatlas.org

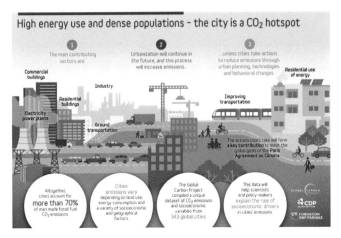

그림 4. 도시 내 다양한 CO_2 배출원

아직까지 연별 에너지원 소비량의 변화에 따르면 전통적인 에너지원인 석유, 석탄, 가스 등의 화석연료는 지배적인 에너지원으로 유지되고 있으며 전반적으로 증가하고 있는 상황이다 (Global Carbon Project, 2021; BP, 2021) (그림 5). 뿐만 아니라 풍력, 태양광 등 재생에너지원의 소비량도 증가하고 있다. 하지만 모든 재생에너지원 소비량을 다 합쳐도 아직까지 화석연료 중 가장 소비량이 낮은 가스의 소비량에는 미치지 못하고 있으며 증가율 또한 재생에너지는 화석연료보다 훨씬 작다.

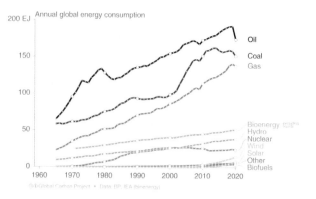

그림 5. 전지구 연별 에너지 소비량 (1965~2020)

출처: Global Carbon Project (2021)

그림 6은 2021년 2월의 주요 국가별 생산 전력에 대한 에너지원을 나타낸 그림이다 (Global Carbon Project, 2021). 주요국 중 생산 전력 에너지원 중 재생에너지 비율이 가장 높은 국가는 아이슬란드로서 99.98%에 달하며 OECD 평균은 31.60%이다. 반면에 우리나라는 7.17%로서 OECD 평균에도 미치지 못하고 있으며 조사대상 주요국 중 가장 비율이 낮다. 우리나라는 그림에 제시된 국가 중 여전히 석탄의 비중이 가장 높고 원자력의 비중도 상당히 높음을 알 수 있다.

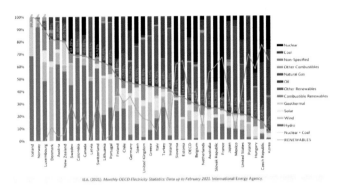

그림 6. 주요 국가별 생산 전력에 대한 에너지원 (2021년 2월)

출처: Global Carbon Project (2021)

　현재, 화석연료 사용을 줄이고 발전에 재생에너지를 활용하는 방향으로 전환하기 위한 전 세계적 노력이 이루어지고 있다. 2030년까지 달성을 위한 2015년 출범한 유엔 지속가능발전목표(United Nations Sustainable Development Goals, UNSDGs)에 따르면 탈탄소화의 가속화와 기후탄력적 전환은 인류사회의 지속가능한 발전과 직결된다고 제시하였다 (UN, 2020). 뿐만 아니라 재생에너지는 저렴하고 신뢰할 수 있으며 유엔지속가능발전 목표 7을 달성하기 위한 핵심 부문으로 간주된다 (UN, 2015; 2018; Feron et al., 2021) (그림 7).

그림 7. 유엔 지속가능발전목표의 주요 내용

RE100 (Renewable Energy 100)은 국가간 구속력 있는 국제협약
은 아니지만 기업이 자발적으로 재생에너지 사용을 늘리도록 유도하
기 위해 설립된 이니셔티브로서 2050년까지 기업이 사용하는 전력
의 100%를 태양광과 풍력 같은 재생에너지로 공급하는 것을 목적으
로 하는 민간기구이다. 2022년 7월까지 414개 글로벌 기업이 참여하
고 있으며 이중 우리나라는 삼성전자, 현대자동차그룹, SK하이닉스
등 34개 기업이 속해있다. 이들 기업은 제조업뿐만 아니라 금융, IT,
인천국제공항공사와 같은 공기업 등 다양한 부문으로 확대되고 있다
(RE100, 2023; https://there100.org).

상술한 바와 같이 우리나라가 속한 동아시아는 CO_2 최대 배출지역으로서 이를 저감하기 위해서는 이 지역의 에너지 생산과 산업 활동 모두에서 재생에너지의 비중을 획기적으로 높여야 한다. 2021년 중국은 대규모로 풍력 터빈을 설치 완료하여 전 세계 풍력 에너지 증가의 40%를 기여하였다 (BP, 2022). 우리나라 정부는 지자체, 관련기관 등 민관합동 의견 수렴과정을 통해 2017년 12월 「재생에너지 3020 이행계획」을 발표하고 이를 반영한 제4차 기본계획을 통해 1차 에너지 대비 재생에너지 비중을 2020년 6.5%, 2025년 10.3%, 2030년 14.3%까지 확대하기로 하였다 (산업통상자원부·한국에너지공단, 2020). 또한 동아시아 3개국 (중국, 일본, 대한민국)의 여러 기업의 RE100 가입이 확대되고 있으며 전체 가입 기업의 29%를 차지하고 있다. 그러나 이러한 노력은 여전히 미흡하며 이를 해결하기 위해 RE100은 동아시아 지역에서의 재생에너지 생산을 장려하고 기업에 재생에너지 사용을 늘리도록 촉구하고 있다 (RE100, 2023). RE100의 2022년 연간보고서는 우리나라를 재생에너지에 의하여 생산된 전력의 비율이 전세계 최하위 그룹으로 분류함에 따라 RE100은 우리나라의 재생에너지 생산 및 활용의 가속화를 촉구하고 재생에너지에 의한 전력의 활용으로 완전히 전환하는 것에 대한 지원을 아끼지 말아야 한다는 내용으로 이를 RE100 홈페이지의 메인화면에 두 차례나 보도자료로 게시하였다. 특히 2050년의 총 생산 전력 중 재생에너지에 의한 생산 목표를 30%에서 21.6%로 줄이는 것은 상당한 후퇴이며 이를 통해 다른 선진국에 비해 다양한 방면에서 뒤처질 위험에 처하게 될 것이라 경고하였으며, 글로벌 기업들이 100% 재생에너지 전력을 달성하려는 상황에서 재생에너지 확대를 위한 시급하고 단호한 조치를 취하지 않는 것은 한국의 경제적 잠재력을 저해할 것이라 지적하였다 (https://www.
there100.org/our-work/press/south-korean-localised-policy-mes-
sages; https://www.there100.org/our-work/news/re100-business-
es-call-accelerated-action-renewable-energy-republic-korea).

기존의 전통적인 화력 및 원자력 발전시스템은 대규모의 중앙집중
형의 단방향 체계를 갖추고 있다. 따라서 전력생산주체와 소비자와
의 거리가 멀기 때문에 송·배전에서 전력의 손실이 불가피하며, 아직
까지 혐오시설로 여겨지고 있는 대규모 발전소와 송전선로 건설과 관
련한 사회적 갈등의 발생이 불가피하다. 최근 들어 DRE (Distributed
Renewable Energy)로 알려진 분산형 에너지 시스템이 주목을 받고
있다. 대규모 발전소와 광범위한 송전선로가 필요한 기존의 중앙집중
식 에너지 시스템과 달리 DRE의 특징은 발전 설비를 에너지 소비 지
점에 가깝게 배치한 점이다. 따라서 이 방식은 송전 및 배전의 비효율
성과 관련 경제 및 환경 비용을 줄일 수 있는 상당한 잠재성을 가진다
고 평가된다. 재생에너지를 이용한 발전은 이러한 분산형 에너지 시스
템의 개념에 가장 잘 부합한다. 예를 들어, 연안에 위치한 산업단지에
서는 인근 해상풍력단지에서 생산된 전기를 활용하고, 가정에서는 주
택 지붕에 설치된 태양광패널을 통해 생산된 전기를 활용하는 것이다.
따라서 분산형 에너지 시스템에 재생에너지를 통합하면 환경적, 사
회적, 경제적으로 지속 가능한 에너지를 제공할 수 있는 장점이 있다
(Vezzoli et al., 2018).

탈탄소화의 가속화와 인류사회의 지속가능한 발전을 위하여 재생
에너지 생산 및 활용의 확대는 이제 미룰 수 없는 현실이 되었다. 하

지만 대표적인 재생에너지인 풍력과 태양광은 기상 및 기후의 영향을 직접적으로 받기 때문에 기상 및 기후상태를 무시하고 재생에너지 발전 시스템을 지역에 상관없이 많이 설치하게 된다면 효율성이나 경제성의 제약이 따르게 된다. 태양광의 경우 지표면 하향단파복사 (Surface-downwelling shortwave radiation)가 전력 생산에 가장 직접적인 영향을 미치고, 지상기온과 지상풍속이 태양광 패널의 효율성에 영향을 미친다 (Jerez et al., 2015; Park et al., 2022). 따라서 이들 기후변수들을 활용하여 태양광에너지 생산 잠재력을 계산할 수 있다. 그림 8은 1979~2018년의 지표면 하향단파복사, 지상기온, 지상풍속 기후자료와 지역기후모델의 미래 시나리오 자료를 이용하여 우리나라의 계절별 태양광에너지 생산 잠재력의 과거 40년 평균과 최근 변화 (%), 21세기 말의 미래전망 (%)을 나타낸 것이다. 1979~2018년 40년 동안의 우리나라 태양광에너지 생산 잠재력의 크기는 봄>여름>가을>겨울의 순으로 나타났다. 1999~2018년 평균과 1979~1998년 평균의 차이를 백분율로 나타낸 태양광에너지 생산 잠재력의 최근 변화를 살펴보면, 가을을 제외한 계절에서 증가한 지역들이 많았지만, 그 크기는 +5% 미만으로 그리 큰 증가는 보이지 않았다. 가을철은 전라 서부와 경기 남부를 제외한 지역에서 약간의 감소를 보였으며 겨울철은 동해안 일부지역에서 감소를 보였다. 고배출 탄소 시나리오인 RCP8.5 시나리오에서 21세기 말의 우리나라 태양광에너지 생산 잠재력 전망을 살펴보면, 여름을 제외한 봄, 가을, 겨울에 현재보다 감소할 것으로 전망되었다. 특히 겨울철 서부 지역에서는 최대 10%의 감소를 보일 것으로 전망되었다. 반면에 여름철에는 동해안에 인접한 지역과 경상

남·북도에서 태양광에너지 생산 잠재력이 증가할 것으로 예측되었다.

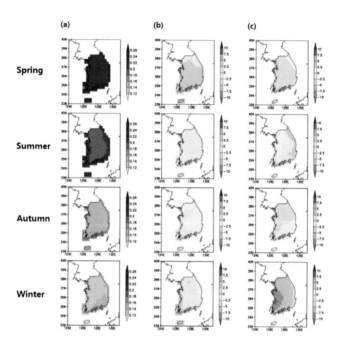

그림 8. (a) 1979~2018년 평균 태양광에너지 잠재력, (b) 1999~2018년 평균과
1979~1998년 평균의 차이 (%), (c) RCP8.5 시나리오에서 태양광에너지 잠재력의
2070~2099년 미래전망 (%)

풍력의 경우 풍속 단일의 변수가 전력생산에 영향을 미친다. 풍력터
빈은 지상으로부터 약 60~100m에 위치하고 있으므로 지상풍속을 터
빈의 고도에 맞추는 경정(更正)의 과정이 먼저 필요하다 (Manwell et
al., 2009). 풍력발전은 풍속이 강하다고 하여 발전량이 증가하는 것

은 아니다 (Mathew, 2006). 이는 풍속구간별로 생산되는 전력량이 다르게 나타난다. 일반적으로 0~3.5ms^{-1} 구간에서는 전력이 생산되지 않고, 3.5 ms^{-1}~12 ms^{-1}구간은 풍속이 증가함에 따라 생산되는 전력도 증가한다. 12 ms^{-1}~25 ms^{-1} 구간은 일정한 양으로 최대의 전력이 발생하는 풍속이다. 풍속이 25 ms^{-1}을 초과하여 터빈이 계속 구동되면 로터가 고장날 수 있으므로 이 경우에는 발전을 제한하기 위해 블레이드를 강제로 멈추게 해야한다 (Tobin et al., 2016). 이와 같이 경정된 풍속자료를 이용하여 각 풍속구간별로 풍력에너지 생산 잠재력을 고려하여 계산해야 한다.

그림 9는 1979~2018년의 지상풍속 기후자료와 지역기후모델의 미래 시나리오 자료를 이용하여 우리나라의 계절별 풍력에너지 생산 잠재력의 과거 40년 평균과 최근 변화 (%), 21세기 말의 미래전망 (%)을 나타낸 것이다. 1979~2018년 40년 동안의 우리나라 풍력에너지 생산 잠재력의 크기는 계절별 큰 차이는 없으나 겨울>봄>가을>여름의 순으로 나타났으며 전반적으로 해안지역이 내륙보다 더 큰 잠재력을 나타냈다. 1999~2018년 평균과 1979~1998년 평균의 차이를 백분율로 나타낸 풍력에너지 생산 잠재력의 최근 변화를 살펴보면, 봄과 여름철은 모든 지역에서 각각 증가와 감소를 보여주었다. 가을철은 전반적으로 감소하였지만 남해안 지역에서는 증가하였고, 겨울철에는 동해안 지역은 감소, 그 외의 지역은 증가하였다. RCP8.5 시나리오에서 21세기 말의 우리나라 풍력에너지 생산 잠재력 전망을 살펴보면, 전반적으로 현재대비 큰 변화는 없을 것이나 가을철에는 대부분의 지역에서 현재보다 감소할 것으로 전망되었다.

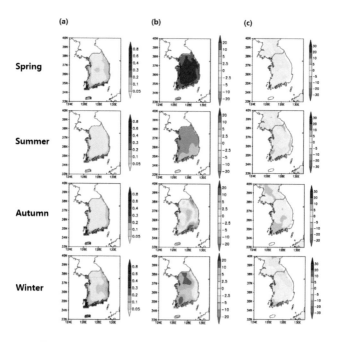

그림 9. (a) 1979~2018년 평균 풍력에너지 잠재력, (b) 1999~2018년 평균과
1979~1998년 평균의 차이 (%), (c) RCP8.5 시나리오에서 풍력에너지 잠재력의
2075~2099년 미래전망 (%)

　　해양에서 생산되는 재생에너지는 오늘날 전 세계 전력 수요의 20
배 이상을 충족시킬 수 있는 잠재력을 갖고 있다. 2021년 10월 이탈리
아 로마에서 열린 G20 정상회의에서는 에너지 전환과 탄력적이고 지
속 가능한 에너지 시스템 구축의 가속화를 목적으로 해양 재생에너지
의 활성화에 대한 의제가 주요 의제로 채택되어 논의되었다 (IRENA,
2021). 2020년의 전 세계 해상 풍력에너지 생산의 99.3%와 거의 모든

해양 에너지 생산시설은 G20 국가들이 차지하고 있다. 따라서 그 동안 육상에서 기인한 재생에너지보다 등한시되었던 해양의 재생에너지가 최근에 관심이 높아지고 있다. 동아시아 국가들은 해양과 인접하여 해양 풍력자원 활용에 유리한 조건을 갖추고 있다. 2020년 중국은 해양 풍력발전에서 3GW 이상의 역대 최대 용량을 달성했다. 향후 중국은 2050년까지 해양 풍력발전의 총 설비용량이 200GW에 도달할 것으로 예상된다 (Wang et al., 2011). 그림 10은 2000~2020년의 주요 국가 별 해양 풍력발전 설비용량을 나타낸 것이다 (IRENA, 2021). 2000년에 0에 가까웠던 발전용량이 점차 증가하여 2010년대 중반 이후 급격하게 늘어난 결과, 2020년에는 전 세계 해상 풍력발전 용량은 34GW에 이르렀다. 이러한 증가는 주로 유럽연합과 영국이 이끌었으며 중국의 증가세도 무시할 수 없을 만큼 커졌다. 하지만 삼면이 해양으로 둘러싸인 우리나라는 2020년 전 세계 해상 풍력발전 용량에서 1%도 되지 않을 만큼 아직까지 해양의 재생에너지 개발에서 다소 미흡한 면을 보여주고 있다. 하지만 우리나라는 새만금 방조제 인근에 300MW 규모의 해양 풍력발전 단지의 개발을 목표로 하고 있으며, 울산 연안에 위치한 총 설치 용량이 1.5GW인 부유식 풍력 발전 단지를 계획하고 있다. 뿐만 아니라 2030년까지 전라남도 신안군에 48조 5,000억원을 들여 8.2GW 용량의 세계 최대 해양 풍력발전 단지에 대한 계획을 발표했다. 이러한 대규모 해양 풍력발전 단지는 사람이 거주하지 않는 곳이므로 사회적 저항이 적고, 풍력자원이 육상보다 더 풍부하며 예측이 더 쉽고, 건설 공간의 제약이 적어 상당한 장점을 가지고 있다 (UN.ESCAP, 2012). 특히 국내 최대규모의 공업단지가 입지한 울산의 경우 각 공장에서 인근의 해상 풍력발전 단지에서 전력을 조달받을 수 있으므로 장거리의 송·배전을 통해 발생하는 전력의 손실을 줄일 수 있으며, 각 산업체에서 이를 이용하여 RE100에 효과적으로 대응할 수 있으므로 수출경쟁력도 증대될 수 있다.

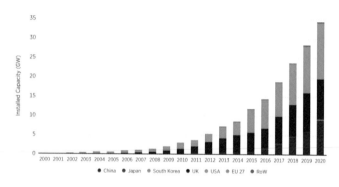

그림 10. 2000~2020년의 주요 국가 별 해양 풍력발전 설비용량

출처: IRENA (2021)

전지구온난화를 산업화 이전 수준보다 2℃ 보다 낮은 수준으로 유지하고, 이를 1.5℃ 이하로 기온 상승을 제한하도록 노력한다는 목표를 가진 2015년에 채택된 파리 협정 (Paris Agreement)의 준수와 (IPCC, 2018), 2050년까지 온난화를 1.5℃ 로 제한하는 IPCC 특별보고서 (IPCC, 2022)의 이행을 위해서는 전지구적인 재생에너지 생산 증가가 요구된다. IRENA (2023)에 따르면 2050년에 1.5℃ 시나리오를 달성하기 위하여는 전지구 전기 소비량 중 재생에너지의 비율이 2020년의 28 %에서 2050년에는 91%까지 증가해야 한다고 밝혔다 (그림 11).

또한 1.5℃ 시나리오 수준에서는 총 에너지 공급에서 재생에너지의 비율이 2020년에 16%에서 2050년에는 77%로 늘려야 하며, 반면에 화석연료는 2020년 79%에서 2050년에는 16% 이하로 감소해야 한다고 제시하였다 (그림 12).

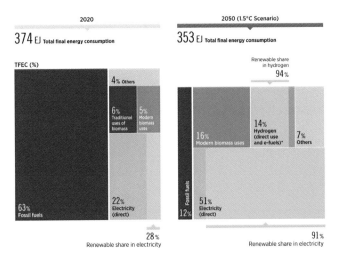

그림 11. 1.5℃ 제한 시나리오에서 2020년과
2050년의 총 에너지 소비량 중 각 부문별 비율

출처: IRENA (2023)

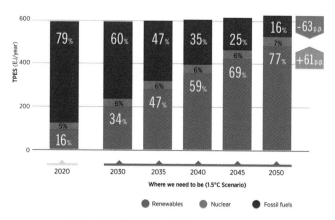

그림 12. 1.5℃ 제한 시나리오에서 시기별 총 에너지 공급 중
재생에너지, 원자력, 화석연료의 비율

출처: IRENA (2023)

무한한 자원인 신재생에너지는 탄소배출을 저감하고 기후변화 대응에 필수적인 분야이다. 상술한대로, 우리나라는 세계 10대 경제대국이자 선진국임에 불구하고 재생에너지의 생산 및 활용은 미약한 실정이다. RE100 이니셔티브에 근거하여 상품에 재생에너지 사용이 미흡하다면 앞으로 수출경쟁력이 악화될 수 있다. 향후 기후변화 대응뿐만 아니라 미래 우리나라의 경제적인 대응까지 고려해볼 때 재생에너지의 생산과 활용의 증가는 매우 중요하다.

제3장

탄소중립의 경제학

▽ 제3장 탄소중립의 경제학

3. 탄소중립과 ESG 경영

류종기 (Ernst & Young)

지난 몇년간 ESG(환경·사회·지배구조) 경영을 실천하는 기업이 급증했다. 기후변화 위험에 대한 인식이 높아짐에 따라 기업의 핵심 이해관계자인 정부와 투자자, 고객 등이 기업에 더 높은 수준의 ESG경영을 요구해왔기 때문이다. 그린컨슈머 같은 소비자의 행동 변화, 공급망 관리에 대한 책임 확대, 강화되는 규제 등 기업의 외부환경 변화도 ESG 경영을 자극하는 요소다. ESG를 환경, 사회, 지배구조의 세 가지 하위 요소로 나눠 살펴보면, 먼저 환경(E)에서 가장 핵심적인 사안은 기후변화와 탄소배출 관련 이슈이다.

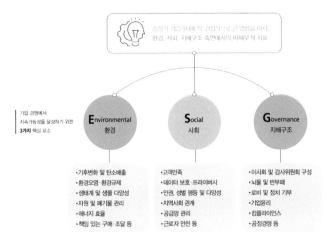

그림 1. ESG 구성요소와 개념

출처: 중소·중견기업 CEO를 위한 알기 쉬운 ESG, 대한상공회의소 esg.korcham.net

전 세계 인류의 지속가능성과 생존을 위해 앞으로 기업은 과감한 탄소배출 절감, 한발 더 나아가 탄소 제로화를 추구해야만 하는 상황에 직면하고 있다. 이와 함께 환경오염 완화를 위한 자원 및 폐기물 관리, 더 적은 에너지와 자원을 소모하는 에너지 효율화도 중요한 이슈로 떠오르고 있다.

사회(S) 측면에서는 기업이 인권 보장과 데이터 보호, 다양성의 고려, 공급망 및 지역사회와의 협력관계 구축에 힘써야 한다. 그리고 지배구조(G) 측면에서는 이러한 환경과 사회 가치를 기업이 실현할 수 있도록 뒷받침하는 투명하고 신뢰도 높은 이사회 구성과 감사위원회 구축이 필요하다. 또한 뇌물이나 부패를 방지하고, 로비 및 정치 기부금 활동에서 기업윤리를 준수함으로써 높은 지배구조 가치를 확보할 수 있다.

ESG, '하면 좋고'가 아닌 '꼭 해야 하는'

ESG 경영이란 ESG 전략 수립과 정보 공시를 통해 기업가치를 창출하고 증대하는 활동이며, 이 중 ESG 전략 수립은 기업의 비전과 목표를 ESG 관점에서 설정하고 이러한 목표를 달성할 수 있는 전략과 과제, 실행 체계 등을 구축해 일관되게 추진하는 것이다. 또한 ESG 정보 공시는 기업이 ESG 성과와 관련 정보를 지속가능경영 보고서에 효과적으로 반영하고, 자본시장에 공시하는 것을 말한다.

그러나 최근 기업 투자결정에서 ESG요소를 고려하는 것을 부정적으로 보는 의견도 크게 늘고 있다. 그간 상당한 진전을 이룬 ESG투자에 대한 관심과 자본 할당이 수년간 증가해온 가운데, 특히 지난 2022년은 이를 다시 돌아보는 반성과 성찰의 시점이 되었다. 이러한 비난의 물결 뒤에는 몇 가지 동인들이 있는데, 러시아의 우크라이나 침공 영향과 인플레이션, 세계 각지에서 부상하는 포퓰리즘 등이 복합적으로 작용해 거시경제와 지정학적 상황이 변해 투자자들의 판단에 영향을 미치고 있다.

[참고] 이중 중대성(double materiality) 개념:기업과 환경·사회 사이의 2가지 방향성

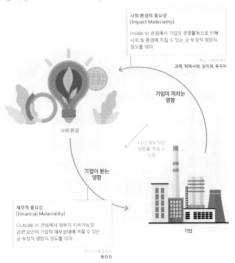

이중 중대성은 기업 재무 상태에 영향을 미치는 외부의 지속가능성 관련 환경, 사회적 요인과 더불어 기업의 경영활동이 외부에 미치는 영향, 즉 내부적 관점과 외부적 관점을 모두 고려하여야 한다는 개념이다. 이를 통해 기업은 이해관계자의 우려 사항과 기대를 명확히 이해하고, 이를 경영 전략에 반영함으로써 비즈니스 성과 개선을 기대할 수 있으며, 동시에 기업 활동 전반에 걸쳐 환경, 사회적 가치를 보다 긴밀히 반영할 수 있다. 하지만 ESG 공시 기준인 IFRS와 SEC(미국 증권거래위원회)는 투자자 관점에서 재무적 중요성을 기준으로 삼고 있고 유럽 기준인 ESRS는 이중 중대성을 채택하고 있는 등 제도화, 의무화 방향에도 차이가 존재하고 있다.

출처: ESG 정보 – 중대성 평가 (신한금융지주 홈페이지)

또한 녹색 투자, 사회적 책임 투자(SRI) 및 지속 가능한 포트폴리오 같은 ESG 관련 용어가 너무 많아지고 이러한 다양한 투자 상품에 ESG 라벨이 붙어 투자해야 하는 것과 투자해서는 안 되는 것에 대해 혼란을 야기한다. 미국에서는 기후 리스크 보고 의무화와 화석 연료 자산의 투자회수에 대한 열띤 이념 논쟁이 ESG 비판에 기름을 붓고 있는 상황이다.

스코프 3 탄소배출량, 기업의 탄소중립과 ESG

그린 택소노미, 탄소국경조정제도, 공급망 실사 등 ESG와 관련한 글로벌 규제가 밀려오고 있는 가운데 2023년 하반기 현재 유럽과 미국은 이미 ESG 정보 공시 의무화 시간표를 확정하고 준비를 시작했다. 기업의 ESG 활동과 데이터 관리, 각종 규제 대응은 긴밀하게 연동되고 결국 공시로 표현된다. 글로벌 공급망에서 배제되지 않으려면 공시 의무화를 서둘러야 한다는 의견과 기업 현실을 고려한 속도 조절이 필요하다는 의견이 첨예하게 대립하고 있는 것 역시 현실이다.

특히 ESG(환경·사회·지배구조) 공시 의무화와 관련해 주목받는 것이 바로 스코프 3 배출량이다. 스코프 3는 기업의 가치사슬 전반을 포괄해 산정하기가 까다롭고 복잡한데, 부품을 생산하는 협력사의 배출량, 임직원 출장 시 이용한 항공기 배출량, 소비자가 제품 구매, 사용 과정에서 발생한 배출량 등이 모두 포함된다. 여기에 금융회사의 경우는 대출, 투자한 기업에서 발생하는 스코프 1(직접 배출)과 스코프 2(전기, 동력 구매로 간접배출)이 금융 기관의 스코프 3, 즉 금융배출

(Financed Emission)에 해당된다.

No.	항목	설명
업스트림(Upstream)		
카테고리 1	구매한 제품 및 서비스	구매 혹은 취득한 제품이나 서비스의 추출, 생산, 운송
카테고리 2	자본재	구매 혹은 취득한 자본재의 추출, 생산, 운송
카테고리 3	연료 및 에너지 관련 활동 중 Scope 1, 2에 포함되지 않는 활동	구매 혹은 취득한 연료 및 에너지의 추출, 생산, 운송 구매한 연료 및 전력의 업스트림 배출량 최종 소비처에 보고된 송배전 손실량 유틸리티 기업 혹은 에너지 소매 기업에서 보고된 최종 소비처로 판매된 구매 발전량
카테고리 4	업스트림 운송 및 물류	구매 혹은 취득한 제품, 서비스의 운송 및 유통 구매한 제품의 Tier 1 공급자와 기업 간의 운송 및 유통 구매한 서비스의 운송 및 유통(인/아웃바운드 물류 및 기업의 시설 내 운송)
카테고리 5	운영과정에서 발생한 폐기물	운영상 발생하는 폐기물의 폐기 및 처리
카테고리 6	출장	근로자의 업무 관련 이동
카테고리 7	직원 출퇴근	근로자의 통근 관련 이동
카테고리 8	업스트림 임차자산	임대한 자산의 운영
다운스트림(Downstream)		
카테고리 9	다운스트림 운송 및 물류	판매한 제품에 대하여 기업과 최종 소비자 간의 운송 및 유통 (소매 및 저장 포함)
카테고리 10	판매된 제품의 가공	다운스트림 기업의 제품 처리
카테고리 11	판매된 제품의 사용	판매한 제품 및 서비스의 이용
카테고리 12	판매된 제품의 폐기	판매한 제품의 수명 종료에 따른 폐기 및 처리
카테고리 13	다운스트림 임대자산	소유한 자산의 임차인에 의한 운영
카테고리 14	프랜차이즈	프랜차이즈의 운영
카테고리 15	투자	진행된 투자(지분 및 채권투자, 프로젝트 파이낸스 포함)

그림 2. Scope 3 카테고리 분류

출처: GHG Protocol - A Corporate Accounting and Reporting Standard,
금융회사 탄소배출량 산정 및 탄소중립 목표수립 매뉴얼 (은행연합회), esgfinancehub.or.kr

기타 온실가스 간접 배출을 의미하는 스코프 3은 기업의 탄소중립 활동을 구체적으로 드러낸다. 제품과 서비스의 생산부터 판매, 유통, 재활용까지 모든 경로의 탄소 정보가 담기기 때문이다. 나아가 스코프

3 측정은 탄소 누출을 막고 제품의 경쟁력을 드러내며 탄소 회계를 위한 기초 정보로 주목받고 있다.

하지만 현재 스코프 3 배출량 정보를 공개하는 기업은 드물다. 온실가스·에너지 목표 관리제 대상 기업이 환경부에 배출량을 보고할 때도 현재는 스코프 1과 2만 하면 된다. 하지만 기후 위험이 투자자산에 미치는 영향을 알고 싶어 하는 투자자들이 기업에 스코프 3 공개를 강하게 요구하고 있다. ESG 공시 기준을 만드는 EU와 미국 증권거래위원회(SEC), 국제지속가능성 표준 위원회(ISSB)는 스코프 3를 모두 공시 대상에 포함했다. 일부 중앙은행도 기후 스트레스 테스트에 스코프 3를 포함하고 있는 등 기업 입장에서는 좋든 싫든 스코프 3 산정과 관리에 나서야 하는 상황이다.

스코프 3를 세부적으로 이해하기 위해서는 공급망(supply chain)과 탄소중립, 회계와 공시, 그리고 브랜드와 그린워싱 및 경쟁력 등 다양한 관점에서 바라봐야 한다. 먼저, 공급망(Supply Chain) 및 탄소 중립 관점에서 보면 글로벌 기업의 경우, 온실가스 관리를 스코프 3를 빼고는 불가능하고, 스코프 3를 측정, 관리해야 탄소 누출을 막을 수 있다. 애플사의 경우 스코프 3가 전체 배출량의 99%를 차지하며, 스코프 1·2 배출량은 1%에 불과한데, 이는 제품의 80%를 중국에서 제조하는 등 공급망 관리 전략을 통해 생산을 외주화 한 결과다. 애플은 환경 보고서, CDP 공시 등을 통해 스코프 3 배출량을 공개하고 있는데 제품 제조 과정에서 71%가 배출되고 있다. 한국을 포함한 전 세계 협력사에 애플사는 재생에너지 사용을 요구하고 있다. 협력사의 재생에너지 사용과 에너지 절감을 위한 지원 프로그램도 운영하는데 결국 스코프 3

배출량 감축을 위해서다. 2021년 기준 100곳 이상 협력업체가 2000개 이상 관련 프로젝트를 애플과 함께 진행하고 있다. 이처럼 스코프 3 배출량 관리는 글로벌 기업의 탄소 누출을 방지하고 전체 온실가스 배출량을 줄이는 중요한 수단이다.

15가지의 Scope 3 카테고리 분류에서 볼 수 있는 것처럼 스코프 3는 제품과 서비스 생산까지 과정에 해당하는 업스트림 배출과 제품과 서비스 소유권을 이전한 후 발생하는 온실가스 간접배출을 말하는 다운스트림 배출로 구성되고, 공급망에 속한 기업 배출 대부분이 업스트림에 포함된다. 업스트림은 주로 대금을 지급해야 하는 협력사가 포함되므로 계약으로 묶여 있어 다운스트림보다 관리가 용이하다. 이에 따라 규제당국은 주로 공급망 배출 관리에 주력하고 있다. 투자자나 규제기관의 스코프 3 감축 요구도 주로 공급망에 쏠려 있는데, 유럽을 포함한 주요 국가가 시멘트, 화학, 철강, 석유, 가스 등을 중심으로 공급망 온실가스 감축을 강조하는 것도 이러한 배경이며, 따라서 기업 입장에서는 업스트림 관리에 더욱 신경 써야 하는 상황이다.

다음은 회계와 공시 관점인데, 우선 스코프 3는 탄소회계(carbon accounting) 개념을 기반으로 지분투자, 채권투자, 프로젝트 파이낸싱 등 다양한 금융 투자와 서비스에서 발생하는 배출량을 스코프 3 15개 카테고리 중 마지막인 15번 '투자'에 포함시키고 있다. 투자 자산의 배출량 산정은 탈탄소 시대에 좌초자산으로 분류될 수 있는 산업과 투자상품을 구분할 수 있게 한다. 금융당국이 스코프 3 정보 공시 의무화를 추진하고 있는 핵심적 이유다. 앞에서 언급한 것과 같이 투자 카테고리에 해당하는 스코프 3 배출량은 '금융 배출량'으로도 불리는데, 금융

기관은 금융 배출량을 토대로 고탄소 산업과 저탄소 산업을 구분해 향후 해당 산업의 탄소비용을 계산해 투자 의사결정을 하고 있다. 특정 산업에 속한 기업의 탄소배출 효율성도 비교, 검증한다. 탄소회계금융협의체 (PCAF)는 전 세계 주요 금융기관과 함께 금융 배출량을 정교하게 측정하는 방법을 연구, 공표하여 de facto 스탠다드가 되고 있으며, 금융 배출량은 스코프 3에서도 이미 측정 방법과 공시 방법이 고도화된 영역으로 자리잡고 있다.

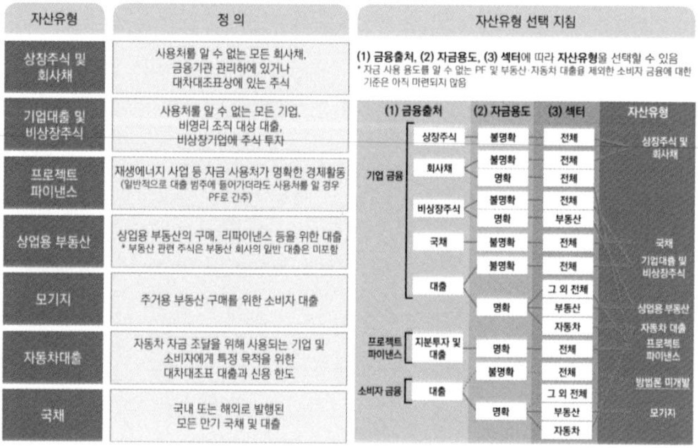
자산유형
정 의
자산유형 선택 지침
상장주식 및 회사채
사용처를 알 수 없는 모든 회사채, 금융기관 관리하에 있거나 대차대조표상에 있는 주식
기업대출 및 비상장주식
사용처를 알 수 없는 모든 기업, 비영리 조직 대상 대출, 비상장기업에 주식 투자
프로젝트 파이낸스
재생에너지 사업 등 자금 사용처가 명확한 경제활동 (일반적으로 대출 범주에 들어가더라도 사용처를 알 경우 PF로 간주)
상업용 부동산
상업용 부동산의 구매, 리파이낸스 등을 위한 대출
* 부동산 관련 주식은 부동산 회사의 일반 대출은 미포함
모기지
주거용 부동산 구매를 위한 소비자 대출
자동차대출
자동차 자금 조달을 위해 사용되는 기업 및 소비자에게 특정 목적을 위한 대차대조표 대출과 신용 한도
국채
국내 또는 해외로 발행된 모든 만기 국채 및 대출
(1) 금융출처, (2) 자금용도, (3) 섹터에 따라 자산유형을 선택할 수 있음
* 자금 사용 용도를 알 수 없는 PF 및 부동산·자동차 대출을 제외한 소비자 금융에 대한 기준은 아직 마련되지 않음
(1) 금융출처
(2) 자금용도
(3) 섹터
자산유형
기업 금융
상장주식
회사채
비상장주식
국채
대출
프로젝트 파이낸스
지분투자 및 대출
소비자 금융
대출
불명확
명확
전체
부동산
그 외 전체
자동차
상장주식 및 회사채
국채
기업대출 및 비상장주식
상업용 부동산
자동차 대출
프로젝트 파이낸스
방법론 미개발
모기지

그림 3. 금융배출량 자산유형 및 선택 지침

출처: 금융기관의 Scope 3 - PCAF 측정표준, 손해보험협회

물론 스코프 3 공시는 국내에서는 아직 의무 사항이 아니다. 스코프 3 배출량을 공시할 경우 15개 카테고리를 모두 산출할 필요는 없으며, GHG 프로토콜은 15개 카테고리 중 기업 스스로 불필요하다고 판단하

는 것은 합리적 이유가 있는 경우 산정 제외를 허용한다. 사실 구조적으로 측정이 불가능한 경우도 있는데, 최종재를 판매하는 기업은 제품의 가공 배출량을 산출할 수 없다. 또한 기업은 스코프 3 15개 카테고리 배출원 중 배출량이 많고, 영향력 크며, 기업에 리스크로 작용하는 것을 선택해 보고 경계에 포함할 수 있다. 모든 배출원 정보를 수집한다는 것은 현실적으로 어렵기에 배출량 산정 과정에서 직접 정보가 아닌 산업별 배출 계수, 제품 판매, 전력 사용 등 간접 데이터를 사용하는 것도 가능하다. 전체 배출량 정보 중 일부는 합리적 설명이 가능하다면 예측치로 산출해도 된다.

하지만 중요한 것은 스코프 3 측정은 통제력을 벗어난 부분에서 발생하는 배출량을 측정해야 하므로 데이터 확보 자체가 어렵고 시간도 오래 걸린다는 점이며, 앞으로 공시 권고 수준이 아니라 의무화하는 속도가 빨라지고 있어 빠른 대응을 시작해야 하는 시점이다. EU는 유럽 지속가능성 공시기준(ESRS)을 통해 스코프 3 배출원별 배출량과 목표를 공시하도록 의무화할 예정이다. SEC는 상장기업의 기후 정보 공시 규정 개정을 앞두고 스코프 3 공시 의무화를 검토하고 있다. ISSB는 2023년 6월 26일 지속가능성 공시 첫 번째 기준서를 발표했으며, 2026년부터 스코프 3 공시를 의무화할 예정이기 때문이다.

[참고] 탈탄소 경영을 위한 고려사항과 탄소중립 로드맵

지구 환경, 사업 존속, 그리고 경영 혁신의 세가지 관점에서 균형 있게 대처하고, 환경과 경제의 상생을 목표로 해 나가는 것이 탈탄소 경영의 목표가 되어야 할 것이다.

첫째로 지구 환경의 시점에서 실시하는 탈탄소 경영은 CO_2의 배출 감축을 목표로 한다. 목표는 2030년에 40% 감축, 2050년에는 순배출량 0(넷제로)를 달성하는 것이다. 그 구체적인 활동으로 제조 프로세스에서의 에너지 절약이나 에너지원의 전환, 제조 프로세스 자체의 변경, 수송·배송의 재검토, 사업장에서의 에너지 절약 등일 것이다. 지구 환경의 시점에서 실시하는 탈탄소는, 지하 자원으로부터 유래하는 다양한 폐기물(특히 플라스틱류)의 삭감도 목표로 한다.또한 LCA(전과정평가)를 실시하여 제품 자체의 탈플라스틱화도 전력 추구해야 한다.

둘째로 사업 존속의 관점에서 실시하는 탈탄소 경영은 사업에 있어서 화석연료의 사용 절감을 목표로 한다. 왜냐하면 화석연료는 머지않아 고갈될 것으로 예측되어 그에 의존하는 사업의 존속을 확실히 어렵게 할 것이기 때문이고, 화석연료의 사용 절감은 결과적으로 이산화탄소 배출 감소로도 이어진다. 동시에 탈탄소 경영은 화석연료를 사용하여 채취, 생산되고 있는 천연 자원이나 생물 자원의 사용 절감도 목표로 한다. 왜냐하면 화석연료의 가격 급등은 그에 의존하여 채취 생산되고 있는 자원의 가격 급등이나 입수난에서 기인하기 때문이다.

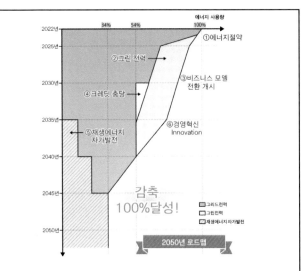

그림 4. 2050년 탈탄소 로드맵 (예시)

현재의 사업 활동의 연장으로 발생되는 지구 환경이나 사업 존속을 위한 대처는, 언젠가는 반드시 한계에 부딪히게 될 것이다. 따라서 회사는 사업의 부가가치와 생산성 침체라는 과제를 진지하게 마주하면서 진정한 경영혁신을 성공시켜야 한다. 이것이 탈탄소 경영에 있어서의 경영 혁신의 관점이다. 회사의 구조나 비즈니스 모델을 근본적으로 다시 검토하면서, 일하는 방식을 크게 바꾸어야 할 수도 있다. 경영 혁신에 의한 비약적인 생산성 향상이 성공하지 못하면 치열한 비즈니스 경쟁에 실패하여 폐업에 이를 수 있다.

[그림 4]를 참고하여 탈탄소 경영의 실천을 생각해보자. 물론 점진적이고 누적된 에너지 절약 만으로는 2050년 탄소배출 제로에 도달할 수는 없다. 그렇다고 하더라도 실제 행동의 첫걸음으로써 먼저 ①에너지

절약은 중요한 활동이다. 현재의 비즈니스 모델이나 생산 프로세스를 크게 변경할 필요가 없고, 가까운 것부터 실시할 수 있는 장점이 있다.

②그린 전력(재생에너지 등으로 발전된 전력)의 발전 사업자와 전력 소비자를 송전망을 통해서 연결하는 계약으로, 그린 전력 증서(수력, 풍력, 바이오매스 등 자연에너지로 발전한 전기의 환경 부가가치를 증서 형태로 거래하는 것으로 일본에서는 활발히 거래)를 구입하여 국내 전원의 재생 에너지화에 경제적으로 기여할 수 있다. 이러한 의미에서 그린 전력 증서의 이용은 CO_2감소에 기여하는 동시에 재생 에너지 자원 개발에도 공헌할 수 있어 화석연료 고갈에 대한 대비가 된다. 기업 입장에서는 즉시 CO_2 배출 감소 효과를 낼 수 있고, 설비 투자 등이 불필요하다는 장점이 있지만 미래에 그린 전력 증서 가격 급등 위험이 존재하거나 공급 중단의 위험이 있다.

신기술 개발에 어느 정도 기대한다고 하더라도 2050년의 에너지 부족은 상당히 심각할 것으로 예상된다. 화석연료는 고갈되어 가격이 급등하고, 재생에너지 자원량도 한정되어 있다. '에너지=경제'이기 때문에 극단적인 경우 사회 전체의 에너지 공급량이 3분의 1이 된다면 3분의 2 사업이 사라질 위험도 배제할 수 없다. 에너지당 생산성을 크게 개선시키고 비용 효과적인 측면에서 ③비즈니스 모델 전환 실천은 경제와 환경을 양립시키는 길이며 경제사회나 사업활동의 생존을 도모할 수 있다.

다음은 ④(탄소배출량) 크레딧 충당인데, 크레딧을 이용하는 장단점은 그린 전력 증서와 비슷하다. CO_2배출 감축 관점에서는 공급자, 이용자 쌍방에게 이점이 있지만 연료 고갈 대책의 관점에서는 이용자가 상당히 불리해진다. 왜냐하면 크레딧 공급자는 받은 대금으로 재생에너지 전환을 추진할 수 있는 한편 대금을 지불하는 이용자에게는 본래 자신의 사업구조 전환이나 재생에너지 확보에 투입해야 할 자금이 외부로 유출되기 때문이다. 처음부터 크레딧 만 믿고 비즈니스 모델 전환을 미루면 2050년 탄소중립, 탈탄소 경영에 큰 차질을 볼 수 있다. 크레딧이나 그린 전력 증서를 활용하면서도, 이와 병행해 재생에너지를 이용한 자체 발전의 도입을 계획적으로 추진해 에너지 자급을 목표로 탈탄소경영을 준비해 나갈 필요가 있다.

재생에너지에는 태양광, 태양열, 바이오매스, 풍력, 소수력 (하천수 낙차를 이용하여 전력 생산), 지열 등이 있다. 기업의 사업장 부지 내에 설치 장소가 없으면 그리드를 경유하여 송전하는 것도 ⑤재생에너지 자가 발전 도입 관점에서 가능한 전략이다. 아쉽게도 현재 비즈니스 상황의 연장으로는 2050 탄소중립 달성은 절대 불가능하다. 따라서 여기에는 많은 혁신과 발상의 전환, 즉 ⑥경영 혁신은 꼭 필요하다. 자원 부족에 어떻게 대처할 것인가 하는 위기의식이 혁신의 동기가 될 수 있다.

출처: 탈탄소경영을 위한 기업 실천 전략 (리스크 인텔리전스 경영연구원 2023.12(출간예정),
원서『解入門ビジネス 最新 炭素 の基本と仕組みがよ～くわかる本』)

그리고 빼놓아서는 안 되는 관점은 브랜드와 경쟁력 측면이다. 스코프 3는 강력한 친환경 브랜드 구축에도 역시 도움이 되는데, 애플사의 경우, 아이폰의 탄소발자국을 측정하는 데 제품의 사용 연한과 사용자가 해당 기간 기기를 충전하는 데 소모한 전력, 모바일 데이터를 사용하는 과정에서 데이터센터에서 배출한 온실가스를 모두 포함해 스코프 3 배출량을 산정한다. 애플은 이러한 정보 획득을 위해 소비자에게 개인정보 사용에 대한 동의를 받는 것으로 업계에 알려져 있고, 애플은 통신망 이용 환경에 따른 배출량 등까지 스코프 3 측정 범주에 포함하며, 전체 제품 라인업의 친환경성을 끊임없이 개선하고 있다. 의류 브랜드들도 스코프 3가 포함된 탄소발자국을 측정하는데, 친환경 의류 제품을 생산하는 것으로 유명한 파타고니아는 원사를 만들기 위해 농작물을 재배하는 과정에서 배출하는 탄소부터 직물을 바느질해 의류를 만들고, 완성된 옷을 창고에 보내고 상점에서 판매하기까지 모든 과정을 측정한다고 한다. 판매 이후에는 '원웨어(Worn Wear)'라는 캠페인을 통해 스코프 3 배출량을 줄이는데, 이는 자사 브랜드라면 무상으로 옷을 수선해주는 캠페인으로, 제품의 수명 연장을 통해 환경에 미치는 영향을 줄이고 스코프 3 배출량을 관리한다. 파타고니아는 전체 배출량의 97% 이상이 스코프 3에서 배출되는 만큼 업스트림과 다운스트림의 동시 관리를 통해 친환경 브랜드로서 입지를 강화하고 있다.

하지만 스코프 3를 정교하게 측정하고 검증하지 않으면 관련 논란에 휘말릴 수 있는 '그린 워싱' 이슈도 반드시 고려해야 한다. 미국 증권거래위원회(SEC)는 지난해 5월 ESG와 친환경 표현의 남용을 막기 위해 ESG 투자상품 공시 규정안을 ESG 펀드로 확대하는 규칙을 개정했다. 스코프 3 금융 배출량에 대한 측정과 검증 없이 '녹색', '지속가능성' 등 용어를 사용해 금융상품을 판매하면 그린 워싱으로 취급하겠다는 취지이다. 유럽연합(EU)도 지난 3월 역내 모든 기업에 적용되는 자발적 친환경 표시 지침 초안을 공개했다. 제품 생산과 사용, 수명종료 등 가치사슬 전반에 걸친 온실가스 배출 측정과 환경영향 평가 없이 '에코', '그린', '친환경' 같은 단어를 홍보 과정에서 사용하면 처벌 대상이 된다고 한다.

최종적으로 기업은 스코프 3가 제품 및 서비스 경쟁력에 미치는 영향을 바라봐야 한다. 제품 가공과 사용, 폐기가 포함된 스코프 3는 제품과 서비스의 친환경성을 비교하도록 도와주는데, 물을 데우지 않고도 저온에서 사용할 수 있는 세제, 에너지 효율이 탁월한 세탁기, 수명이 긴 타이어, 탄소감축 철강 등은 다른 제품을 사용할 때보다 온실가스 배출을 줄일 수 있기 때문이다. 이러한 친환경성이 우수한 제품 사용 결과로 줄어드는 배출량을 스코프 4라고 한다. 기존 스코프 1~3에는 나타나지 않은 개념으로 '제품 수명 주기 또는 가치사슬 외부에서 발생하지만, 해당 제품의 사용 결과로 발생하는 배출 감소'로도 정의된다. 스코프 4는 회피 된 배출(avoided emissions)로 불리기도 하는데 아직 측정 방식은 정립되지 않았으나 스코프 3 배출량 정보를 토대로 계산해보는 것은 가능하기 때문에 기업은 향후 이 부분까지도 고려해보는 것이 바람직하다.

기후변화 대응! 기후 시나리오 분석과 ESG 리스크관리

기후변화가 가져올 위험과 기회를 파악하려면 먼저 기후 시나리오 분석이 필요하다. 일반적으로 시나리오 분석의 핵심은 예측 가능한 미래를 검토하고, 그 미래가 기업에 어떤 의미인지 탐색하며, 발생 가능한 사건의 영향을 최소화하기 위한 전략을 개발하는 것이다. 기업의 탄소중립 전략과 기후 리스크 대응의 기준점을 제시해온 기후변화 관련 재무정보공개 협의체(TCFD) 가이드라인에서는 기업의 기후 관련 위험과 기회에 대한 투명성을 개선하기 위해 기후 시나리오 분석을 권장하고 있다. 기후 대응의 맥락에서 시나리오 분석은 기후변화를 탐구하고, 그것을 관리하는 다양한 방법을 평가하며, 행동과 영향 측면에서 가능한 방안을 고려하게 하는 특별한 가치를 지닌다.

기후 리스크에 대한 정의는 여러 국제기준 별, 산업, 분야 관점 별로 조금씩 차이는 있지만 경제, 금융시스템에 미치는 영향을 중심으로 보는 관점에서는 기상이변에 따른 물리적 피해나 저탄소 경제로의 전환 과정에서 발생하는 경영악화 등이 경제, 금융 부문으로 파급될 위험으로 정의할 수 있다.

수요 및 공급	분야	물리적리스크		이행리스크
		급성·만성		온실가스 배출 규제
수요 측면	소비	재산 피해 →부(-)의 자산효과		가격상승→구매력 저하 (탄소집약적 제품 가격상승)
	투자	자산 감소, 불확실성 확대		생산비용 상승
	수출	공급망 교란, 경쟁력 약화, 불확실성 확대		교역조건 악화
공급 측면	노동 공급	노동생산성 하락 (단위 생산 비용 증가)		-
	투입요소	농작물 생산량 감소 (투입 요소 가격 상승)		-
	자본금	물적자본파괴 → 자본 생산 여력 하락		좌초자산 증가에 따른 생산성 하락

그림 5. 기후변화가 거시경제에 미치는 부정적 영향 파급 경로

출처: 금융회사를 위한 기후리스크 관리 안내서 (은행연합회, 2023.11.07)

먼저, 물리적 리스크(physical risk)는 급격한 기후변화나 기후패턴

의 점진적인 변화를 통해 야기될 수 있는데, 예를 들어, 거주지역에 홍수로 인한 손해 발생의 가능성이 높아지는 경우 이는 해당 거주지역에 소재한 부동산의 담보가치 하락으로 이어지고 은행이 해당 부동산을 담보로 실행한 대출의 회수가능성에 부정적인 영향을 미치게 된다.

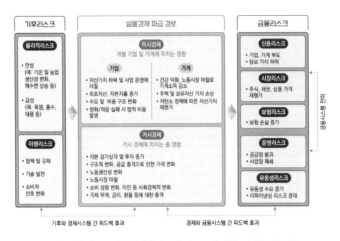

그림 6. 기후리스크가 실물경제와 금융리스크에 미치는 영향 파급 경로

출처: 금융회사를 위한 기후리스크 관리 안내서 (은행연합회, 2023.11.07)

이행 리스크(transition risk)는 기후리스크를 경감하기 위한 정책이나 기술의 진보 등으로 인해 기존 산업을 지양하는 과정에서 발생할 수 있다. 예를 들어 탄소세나 탄소배출권의 거래 등은 녹색산업이 아닌 환경에 부정적인 영향을 미칠 수 있는 다른 산업(고탄소배출 업종)의 재무적 가치나 신용 등의 평가에 부정적인 영향을 미칠 수 있다. 이러한 경우 유의산업에 이미 투자를 하였거나 신용공여를 실행한 금

융회사는 해당 익스포저에 대한 신용리스크나 시장리스크 등의 증가가 수반될 수 있다. 결국은 물리적, 이행 리스크를 포함하는 기후 리스크로 인해 기업은 물론 금융기관은 신용리스크, 시장리스크, 보험리스크, 운영리스크 등 기존의 리스크 항목 전반에 영향을 받을 수 있다.

그림에서처럼 기후 시나리오 분석을 위해서는 기업은 다양한 이해관계자와 연결 고리를 고려해야 한다. 예를 들면, 금융 규제 기관은 기후 위험과 기회가 어떻게 경제 체제에 혼란을 일으키는지 파악하고자 한다. 마찬가지로 대출기관은 기업이 기후 위험과 기회에 대한 전략과 재무계획을 어떻게 운영할 것인지 알고자 하고, 기업의 협력사들은 기후변화가 공급망과 고객에게 어떤 영향을 미치는지 이해해야 한다.

이렇게 기후 시나리오 분석은 유용하지만, 사실 대다수 기업은 경험이 거의 없으며 기후 변화 관련 리스크의 특징을 이해하고 있지도 못하다. ([그림 기 참조) 기후 시나리오 분석을 수행한 기업 대부분은 1~2년 동안의 단기 경험만 누적했다. 이런 상황에서 기후 분야의 복잡한 특성을 전략 그리고 재무계획과 연결하는 것은 어려운 일일 수밖에 없지만 기후 리스크의 파급효과, 위험에 대한 식별을 위해서는 필수적이다.

〈 기후 변화 관련 리스크의 특징 〉[2]

구 분		특 징
1	지리적 및 활동에 따른 다양한 효과	Different effects based on geography and activities : 기후 변화와 기후 관련 리스크의 영향은 장소에 국한하지 않으며 특정 지역에서 광역, 글로벌 규모에까지 영향을 미치며, 관련한 기업, 제품 및 서비스, 시장, 운영 및 가치 사슬에 서로 다른 다양한 영향을 미칠 수 있음
2	상대적으로 장기 시간 범위, 오래 지속되는 효과	Longer time horizons and long-lived effects : 일부 기후 관련 리스크는 기존의 비즈니스 계획 및 투자 주기를 넘어서는 장기간의 시간 범위에 걸쳐 발생하며, 이러한 위험과 관련 영향은 단기, 중기 및 장기적으로 기후 관련 물리적 또는 전환 위험 변화를 초래하는 수십 년간의 추진력 변화(예: 대기 중 온실가스 농도)의 결과로 발생할 수 있음
3	새로운, 그리고 불확실한 특성	Novel and uncertain nature : 기후 변화의 영향 중 다수가 전례가 없어, 과거 자료에 기초한 통계 및 추세 분석을 적용하는 효과를 제한함. 기후 변화는 역동적이고 불확실성이 큰 현상으로 가용한 완화 대응 방안 또한 복잡하며, 시장 및 소비자 행동의 변화뿐만 아니라 중요한 기술의 개발 및 배치와 적용 전략과 같은 많은 미지수가 있음
4	변화하는 규모 및 비선형 역학	Changing magnitude and nonlinear dynamics : 기후 관련 위험은 시간이 지남에 따라 심각성과 영향 범위가 증가힘에 따라 다양한 규모로 나타날 수 있음. 기후 시스템은 크고, 장기적이고, 갑작스럽고, 돌이킬 수 없는 변화를 초래하는 한계/임계점과 티밍 포인트(균형을 이루던 것이 깨어지고 급속도로 특정 현상이 퍼지거나 우세하게 되는 것을 의미)를 나타낼 수 있음. 생태계와 사회뿐만 아니라 물리적 기후 시스템의 티밍 포인트의 민감성을 이해하는 것은 기후와 관련된 위험을 이해하는 데 필수적임
5	복잡한 관계 및 전체에 미치는 파급효과	Complex relationships and systemic effects : 기후 변화와 관련된 위험은 사회경제적 및 금융 시스템에 걸쳐 상호 연관되어 있음. 이러한 상호 연결된 위험은 총종 연쇄 반응 효과와 전체 시스템으로의 파급 효과로 특징지어지며, 기업에 대한 단기, 중기 및 장기 영향을 평가하기 위해 다차원적 관점을 필요로 함

그림 7. 기후 변화 관련 리스크의 특징

출처: Characteristics of Climate-Related Risks - TCFD Guidance, Risk Management Integration and Disclosure, 2020

    이를 위해 기업은 먼저 관련한 잠재적 기후 관련 이슈를 취합하고, 분석이 필요한 기후 시나리오를 정의해야 한다. 다양한 분야의 이슈를 취합한 뒤 시나리오에 구애받지 않는 개략적 수준으로 비즈니스와 관련한 물리적 및 전환 기후 위험과 기회를 파악하고, 기업 내·외부 모든 측면의 범위에서 개략적 목록을 취합하는 것도 좋은 출발점이다. ([표 1] 참조) 기존 발생 가능성과 영향의 심각성을 바탕으로 한 기업의 위험 요소 기록부가 있다면 활용 가능하다. 약 20~30개의 물리적 및 전환 기후 위험 항목을 취합하면 좋다.

구분			기후 관련 위험 및 기회의 예시	잠재적 재무 영향 예시
위험	이행 리스크	정책 및 법률	소송에 대한 노출	벌금 등으로 인한 비용 증가 및 제품과 서비스에 대한 수요 감소
		기술	저탄소 기술로 전환하는 비용	신기술 및 대체기술에 대한 연구개발 지출
		시장	고객 행동 변화	소비자 선호도의 변화로 인한 상품과 서비스의 수요 감소
		평판	이해관계자 우려 증가	외부자금 활용 가능성 저하
	물리적 리스크	급성	태풍이나 홍수와 같은 극단적 기상 사건의 심각성 증가	인력 및 홍수 발생에 대한 부정적 영향으로 인해 매출감소 및 비용증가
		만성	평균 온도 및 해수면 상승	운영 비용 및 자본 비용 증가
기회		자원 효율성	보다 효율적인 생산 및 유통 프로세스 사용	운영 비용 절감
		에너지 자원	저배출 에너지원 사용	미래 화석연료 가격 상승에 대한 노출 감소
		제품 및 서비스	저배출 상품 및 서비스의 개발	변화하는 소비자 선호도를 반영하여 경쟁력 강화 및 매출 증대
		시장	새로운 시장 접근	신규 및 신흥 시장에 대한 접근을 통해 매출 증대
		회복 탄력성	자원의 대체 및 다각화	공급망의 신뢰성 및 다양한 조건에서의 운영 능력 향상

표 1. 기후 관련 위험 및 기회의 예시

출처: 금융회사를 위한 기후리스크 관리 안내서 (은행연합회, 2023.11.07)

이슈 목록을 취합했다면 기업 상황에 적합한 시나리오 정의와 모범 사례 확보하여 정의하는 것이 필요하다. 시나리오들은 각각 다른 기후 예측에서 다르게 전개되는 비즈니스의 변화 부문에서 의미를 지니며, 준비된 시나리오는 회사가 추진하는 가장 관련성 높은 사업과 함께 매핑해야 한다.

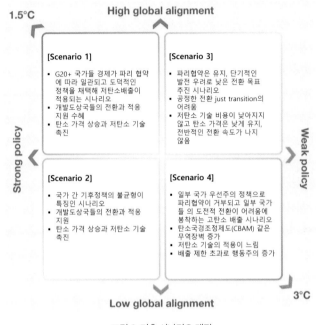

그림 8. 기후 시나리오 매핑

출처: Scenario Mapping - A Better Blueprint for Corporate Climate Scenario Analysis, ERM

상세한 기후대응 시나리오 가이드 등 실무에 도움이 되는 문헌은 다음을 참고
The Use of Scenario Analysis in Disclosure of Climate-related Risks and Opportunities
https://www.tcfdhub.org/scenario-analysis/

```
┌─────────────────────────────────────────────────────────────┐
│          [참고] 시나리오 구성 시 고려해야 하는 요소            │
│                                                               │
│  • 사회, 정치, 규제 동향 (예. 사회적 행동주의, 여론, 정치적 변화 │
│    및 소송)                                                    │
│  • 정책, 기술 및 시장 동향 (예. 고객 행동, 제품 수요, 탄소 가격, 기 │
│    술 개발)                                                    │
│  • 금융 부문 동향 (예. 기후 위험을 리스크 관리 프레임워크와 대  │
│    출 규정에 포함시키거나 넷제로 목표를 요구)                  │
│  • 물리적 기후 동향 (예. 이상 기후, 기후변화의 '티핑 포인트' 또는 │
│    기후변화 적응)                                              │
│                                                               │
│              출처: Potential narratives to focus on when building scenarios - │
│              A Better Blueprint for Corporate Climate Scenario Analysis, ERM │
└─────────────────────────────────────────────────────────────┘
```

탄소중립, 기후변화 대응 관점에서 분명한 건 ESG 리스크는 이제
기업이 직면한 가장 큰 위협이 되고 있으며, 신규 자본 조달 능력을
포함하여 장기적인 성과와 수익성에 상당한 영향을 미칠 수 있다. 최
근 경기침체에도 불구하고 ESG는 점점 더 규제화, 제도화, 법제화되
고 있어 기업, 조직은 매우 핵심적인 수준에서 이를 준수해야 한다.

[참고] ESG 리스크 관리를 위한 프레임워크

거버넌스와
기업문화

리스크
관리 실행

커뮤니케이션,
보고 및 정보공개

전략 및
목표 설정

검토 및
개선

1. 거버넌스와 기업문화

① 우선적으로 이사회의 리스크 관리 감독이 필요하다.

　(이사회를 운영하고 있지 않은 경우에는 경영진)

② 리스크 관리에 필요한 운영체계를 수립한다.

③ ESG를 기업의 조직문화로 인식하고 내재화 방안을 만든다.

④ ESG를 기업의 핵심가치로 선언한다.

⑤ 비즈니스 연속성을 위해 좋은 인재를 고용, 교육하고 역량을
　개발하며 유지하는 활동을 한다.

2. 전략 및 목표 설정

① ESG 리스크를 고려한 사업현황을 분석한다.

　(이를 위해 재무(금융)·제조·인적·사회적·자연·지적자본을
　어떻게 활용하고 있는지 고려)

② 기업이 가지고 있는 리스크에 대한 선호도를 정의한다.

③ 우리 기업이 대응 가능한 대체전략을 검토한다.

④ 사업 목표를 구체적으로 설정한다.

3. 실행 및 성과 달성

① ESG가 우리 기업에 어떤 기회요인 혹은 리스크가 되는지 식별한다.

② 리스크의 발생가능성과 영향도 등을 통해 리스크의 중요도를
  평가한다.

③ 중점관리 대상으로 우선순위화할 리스크를 선정한다.

④ 해당 리스크에 대해 대응할 수 있는 방안을 구현한다.

⑤ 다양한 툴을 통해 리스크 포트폴리오를 평가한다.

4. 검토 및 개선

① 실행된 리스크 관리가 기업에 미친 실질적 변화를 평가하고
  측정한다.

② 현재 하고 있거나 앞으로 할 리스크 관리가 어떤 성과를
  낼 수 있는지 검토한다.

③ 리스크 관리체계가 지속적으로 개선될 수 있는 방안을 준비한다.

5. 커뮤니케이션, 보고 및 정보공개

① ERP와 같은 IT시스템을 활용하여 효과적이고
  정확한 정보를 추출한다.

② 기업 내부 및 외부의 이해관계자들에게 관리된 리스크 정보를
  어떻게 커뮤니케이션하고 공개할 것인지 고려한다.

③ GRI, TCFD, SASB와 같은 공시 표준들을 활용하여 ESG 리스크
관련 성과를 보고한다.

리스크 관리의 장점과 효과로는 발생할 수 있는 사건사고에 대한 회복탄력성의 강화, ESG 리스크 관리를 위한 통일된 정의나 용어 사용, 효과적인 자원 투입 개선, ESG와 관련된 기회 창출 강화, 비즈니스에서의 운영 효율성, ESG 활동에 대한 정보공개 및 투명성 개선을 들 수 있다.

출처: ESG 경영과 기업 리스크관리, 지속가능경영을 위한 기업 가이드 ESG A to Z, 대한상공회의소, Guidance on Risk Management Integration and Disclosure_TCFD Applying Enterprise Risk Management to ESG-related Risks_COSO, WBCSD

기업이 주주만이 아닌 모든 이해관계자, 그리고 단기보다는 장기에 초점을 맞춰야 한다라는 당연한 논리에 글로벌 자본 흐름이 보조를 맞춰 실행되어야 하며, 이렇게 하는 것은 환경과 사회에 이로울 뿐만 아니라 비즈니스 적으로도 의미가 있다. 심지어 가장 기회주의적인 주주들조차도 의욕적인 인재 확보, 긍정적 기업 문화, 신뢰할 수 있고 법과 규제를 잘 준수하는 공급망과 협력업체, 그리고 규제 당국과 생산적인 관계를 유지하는 것이 그들과 기업의 이익에 부합한다는 것을 잘 알고 있다. 이는 중요한 리스크를 잘 관리하고 건전한 비즈니스를 만드는 것이며 지속가능성에 관한 것이기도 하다.

4. 탄소국경조정제도(CBAM)

조봉경 (UNIST)

2023년 여름, 유럽 대륙은 40도를 훌쩍 넘기면서 폭염에 시달리고 있다. 최근 30년 동안 유럽의 기온은 세계 평균보다 2배 이상 증가한 것으로 나타나며, 이는 세계 어느 대륙보다 높은 수치다. 실제 연구에 따르면 유럽이 지구에서 가장 빠르게 온난화가 진행되는 대륙 중 하나로 꼽히고 있다 (WMO, 2023). 유럽연합(EU)은 기후변화의 심각성을 일찍이 인지하고, 강력하게 대응해왔다. 1990년대부터 온실가스 배출을 줄이기 위한 조치를 취하기 시작했으며, 1997년에는 온실가스 배출을 줄이기 위한 교토의정서에 가장 먼저 가입했다. 2007년에는 1990년 수준 대비 2020년까지 배출량을 20%줄이겠다는 목표를 세웠고, 2014년에는 1990년 수준 대비 2030년까지 배출량을 40%이상 줄이겠다는 목표를 제시했다. 2019년에는 2030년까지 이산화탄소 배출량을 1990년의 50억톤 대비 55%를 감축하고, 2050년에는 1990년대비 100%로 줄이겠다고 목표를 상향 조정했다.

뿐만 아니라, EU는 재생에너지에도 투자를 아끼지 않고 있다. 2009년에는 재생 에너지 지침을 채택하여 2020년까지 에너지의 20%를 재생 에너지로 공급하겠다고 목표를 세웠고, 2018년에는 2030년까지 32%까지 재생에너지 비중을 늘리기로 결정했다. EU는 에너지 효율성을 개선하기 위해서도 노력하고 있다. 2012년에는 에너지 효율 지침을 채택하여 2020년까지 에너지 소비량을 예측치 대비 20%감축한다는 목표를 설정했고, 2018년 2030년까지 32.5%이상 개선한다는 새로운 목표를 설정했다. 뿐만 아니라 EU는 배출권거래제(Emission Trading System, ETS)라는 탄소 가격책정 시스템을 시행하고 있다. 뒤에서 더 자세히 살펴보겠지만 EU ETS시장은 가장 활발하게 이루어지고 있고 EU는 이 제도를 통해 기업이 배출량을 줄이도록 인센티브를 제공하고 있다.

이처럼 EU는 기후목표를 높게 설정하고, 재생에너지 사용을 촉진하며, 온실가스를 배출하는 화석연료 기반 산업에 대해 강력한 규제를 시행하는 등 기후변화 대응에 앞장서고 있다. 그러나 EU의 야심찬 기후변화 목표에 비해 기후행동은 적극적이지 않다는 비판도 존재한다. 기후변화에 소극적인 유럽 국가들을 대상으로 유럽 시민들이 소송을 제기하기도 했다. 탄소중립으로 향하는 쉽지 않은 여정은 EU 국가만이 아니라 전세계 국가의 참여와 협력이 필수적이다.

배출권거래제도(Emission Trading System, ETS)

탄소 배출량을 줄이기 위해 배출되는 탄소에 가격을 부과하는 것을 '탄소가격제(Carbon pricing)'라고 한다. 탄소가격제는 크게 정부가 일정 가격을 부과하는 탄소세(Carbon tax)와 시장에서 가격이 결정되는 배출권거래제(Emission Trading System, ETS)가 있다. 배출권거래제는 온실가스의 배출 권리를 사고 팔 수 있으며, 이 제도는 배출총량거래(Cap and Trade)를 원칙으로 운영된다. 정부가 배출하는 기업들에 대한 배출허용총량(Cap)을 설정하면, 기업은 설정된 배출허용

범위 내에서만 배출할 수 있는 '배출권'을 부여받는다. 배출권은 정부로부터 할당 받거나 구매할 수 있고, 기업체 간에 거래(Trade)를 할 수 있는데 이를 배출총량거래(cap and trade)라고 부른다. ETS는 기업이 온실가스 배출을 줄이면서, 동시에 수익을 창출할 수 있는 방법이다. 기업이 배출권을 사고파는 배출권 거래 시장이 형성되고, 기업들은 온실가스를 감축하기 위한 인센티브를 얻게 된다. 오염시킬 권리를 사고판다는 것이 언뜻 이해가 되지 않지만, 공해에 가격을 매김으로써 기업의 저공해 생산을 장려하고, 기후변화에 대응하는 것이다. 2005년 교토의정서 발효에 맞춰 EU가 처음으로 도입하였으며, 현재 중국, 미국, 일본 등 세계 40여개국에서 운영 중이고, 한국도 2015년부터 시행 중이다.

　일부 기업은 배출권을 구매하는 것 외에도 무상으로 배출권을 할당받을 수 있다. 이를 무상할당제(free allowance)라고 한다. 오염자 부담 원칙에 따라 개별 기업이 사업장별로 배출권 시장에서 배출권을 구입하는 유상할당이 기본이다. 그러나 온실가스를 많이 배출하는 산업(정유, 시멘트, 철강, 세라믹, 제지 등)의 경우 규제가 약한 국가의 기업들과 경쟁하는 데 어려움을 겪을 수 있기 때문에 무상할당을 제공한다. 예를 들어, EU 역내에서 철강을 생산하는 회사는 EU ETS의 높은 가격을 지불해야 하기 때문에 중국이나 한국의 철강회사와 가격 경쟁에서 불리할 수 있다. 따라서 기업의 글로벌 경쟁력을 해치지 않으면서 새로운 기후변화 규제에 적응하도록 하기 위해 무상할당을 하고 있으나, 무상할당 비율을 서서히 줄여 나가고 있다.

유럽의 산업경쟁력을 약화시키는
'탄소누출(Carbon Leakage)'

탄소국경조정제도가 도입된 배경을 이해하기 위해서 '탄소누출 (Carbon Leakage)' 개념을 이해할 필요가 있다. 탄소누출은 현행 ETS 기반에서 규제가 강화될 때 발생하는 문제다. 점점 국가의 온실가스 감축목표가 높아지게 되면, 배출총량(Cap)이 감소하게 되고, 무상할 당량도 감소하게 된다. 그러면 기업이 지불해야 할 탄소비용은 증가하고, 탄소를 많이 배출하는 산업은 배출량 감축 규제가 강한 국가에서 상대적으로 규제가 약한 국가로 탄소배출원이 이전하게 되는데, 이를 '탄소누출'이라고 한다. 특정지역 내 온실가스 감축 정책으로 외부의 온실가스 배출량이 증가하는 일종의 외부효과를 의미한다.

특히, EU와 같이 강력한 규제를 시행하고 있는 국가에서 제품을 생산하는 기업은 수입상품과 경쟁에서 어려움을 겪을 수밖에 없다. 수출을 할 경우에도 강력한 규제 하에 생산된 제품은 규제가 약한 국가에서 생산한 제품보다 경쟁력이 떨어진다(정인교 외, 2021). 온실가스를 많이 배출하는 기업 혹은 산업은 탄소배출을 줄이기 위해 노력하지 않고, 배출 규제가 덜한 국가로 이전하여 계속해서 탄소를 배출하게 된다. 이렇게 되면 지구 전체적으로 봤을 때, 탄소배출 감축은 미미해지는 부작용이 발생한다. 즉, EU는 탄소 누출 위험에 놓인 EU 역내 산업을 보호하고, 환경규제가 느슨한 EU 외 국가 제품을 대상으로 역내외 기업이 동일한 조건에서 공평하게 경쟁하기 위해(level the playing field) 탄소국경조정제도(CBAM)를 도입하는 것이다.

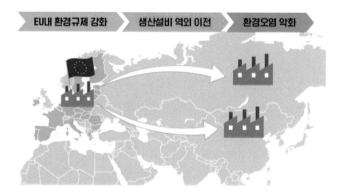

그림 1. 탄소 누출의 일반적 경로

출처 : SOVAC, https://socialvalueconnect.com/contents/1308.do

탄소국경제도(CBAM) 대상과 운영방식

EU는 야심찬 기후 목표를 전세계 다른 국가들과 함께 달성하기 위해 탄소국경제도(Carbon Border Adjustment Mechanism, CBAM)를 도입하기로 했다. CBAM은 EU 역외국이 EU로 제품을 수출할 때, CBAM 대상품목의 수출품에 내재된 탄소배출량에 대해 EU 생산품과 동일한 수준의 탄소비용을 부과하는 제도이다. 수입업자가 수입품에 내재된 배출량 1톤당 인증서(certificate) 1개를 구매하여 제출하도록 의무화하는 것이다. CBAM 대상품목은 생산하는 과정에서 탄소배출이 많은 제품으로 철강, 전력, 비료, 알루미늄, 시멘트 5개 품목이며, 최근 수소를 추가했다.

CBAM은 EU의 온실가스 배출권 거래제(ETS)와 연계된 규제다.

CBAM이 적용되면 수입업자는 EU역외에서 상대적으로 탄소에 대한 규제없이 저렴하게 생산된 제품을 수입할 때 EU 기업이 부담하고 있는 정도의 탄소감축 비용을 추가로 부담하게 된다. 수입업자는 제품별 내재된 탄소에 상응하는 CBAM 인증서를 구입해야 하는데, 인증서 가격은 EU ETS 거래시장에서 형성된 주별 평균 경매가격과 연동한다(KIEP, 2021). ETS와 CBAM을 운영하기 위해서는 탄소 배출량을 산정할 수 있어야 한다. 이를 위해 탄소량을 측정(Monitoring), 보고(Reporting), 검증(Verification)하는 MRV 시스템을 운영하고 있다. ETS의 MRV 시스템과 CBAM의 MRV 시스템은 유사하게 운영된다.

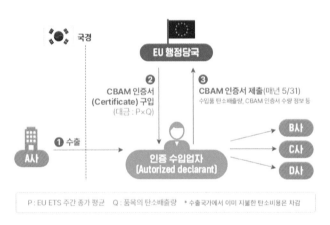

그림 2. 탄소국경제도 운영방식

출처 : SOVAC, https://socialvalueconnect.com/contents/1308.do

탄소국경조정제도에 대한 논의와 진행일정

EU에서 법률안을 채택하기 위해서는 집행위(Commission)가 발의한 법률안에 대해서 이사회(Council)와 의회(Parliament)의 합치된 의견과 표결이 필요하다. 탄소국경조정제도는 2018년 UNPRI 보고서에서 탄소 누출 문제와 탄소정책의 국제적 불평등을 해결하기 위한 개념으로 처음 등장했다. 2019년 12월 11일 그린딜(Green Deal)을 발표하면서 탄소국경조정제도를 최초로 제시했다. 2021년 7월, EU 집행위는 2030년까지 유럽의 온실가스 55%감축을 위한 "Fit for 55" 입법안의 초안(proposal)을 발표했다. 동 법안에서 CBAM의 도입이 구체화되었는데, 이 때 대상품목은 철강, 알루미늄, 시멘트, 비료, 전기 등 5개 품목이며, 직접 배출만 과세 대상으로 삼았다.

2021년 12월 의회 수정안이 공개되었다. 의회 수정안은 집행위 초기안보다 더 급진적이다. 의회는 앞선 5개 품목에 유기화학품과 플라스틱, 수소, 암모니아도 포함하고 있으며, 도입시기도 1년 앞당겨 발표했다. 배출범위도 의회 수정안에서는 간접 배출까지 포함하고 있다. 2022년 7월부터 10월까지 이해관계자들로부터 의견 청취와 공공협의 및 집행위, 이사회, 의회 간 3자 협의에 착수했다. 2022년 12월 집행위와 의회, 이사회는 탄소국경조정제도 법률에 대해 잠정 합의(provisional agreement)하였다. 최종안은 철강, 시멘트, 알루미늄, 비료, 전기, 수소 6개 품목이다. 직접 배출량*만 과세 대상이나, 간접 배출량*도 추후 추진할 예정이라고 발표했다.

CBAM은 2023년 10월부터 전환기간(Transitional Period)이 시작되

는데, 이 때는 배출량 보고 의무만 존재한다. 수입량, 온실가스 직간접 배출량, 원산지 지불 탄소가격 등 정보를 제공해야 한다. 2026년 1월부터 전환기가 끝나고 CBAM이 본격 시행되면, CBAM 인증서를 구입하여 제출해야 한다. 2026년부터 매년 10%씩 무상할당량이 축소되고, 2034년에 폐지된다. 2035년부터는 무상할당 없이 배출량 100%에 한하는 가격을 지불해야 한다.

> 직접배출(direct emissions)은 제품을 생산하는 과정에서 배출되는 온실가스이며, 공정배출과 연소에 의한 배출을 의미한다. 간접배출(indirect emissions)은 제품 생산 과정에 투입되는 중간재에 포함된 온실가스로, 예를 들어 철강 생산과정에서 사용하는 전기로 인한 온실가스 배출을 말한다.

탄소국경조정제도가 한국 산업에 미치는 영향

CBAM은 수출품에 내재된 탄소배출량에 대해 EU 생산품과 동일한 수준의 탄소비용을 부과한다. CBAM으로 인해 한국 산업이 받을 타격, 즉 지불해야 할 CBAM 인증서 비용은 한국 ETS(K-ETS)가격과 EU ETS 가격 차이다. 무상할당이 완전히 폐지되기 전까지 K-ETS의 무상할당량도 CBAM인증서 비용에 직결된 문제다. EU는 우리나라보다 10년 앞서 2005년 ETS를 도입했고, 세계 최대 규모의 가장 성공적인 배출권 거래제로 평가받고 있다(이정은 외, 2015). 2021년부터 EU는 ETS 4기, 한국은 3기에 들어섰다. 언뜻 보면 큰 차이가 나지 않는 것

같지만, 실제 무상할당량과 ETS의 가격 차이는 상당하다. EU는 1기에 95% 무상할당에서, 2기 90%, 3기부터는 유상할당을 57%까지 상향 조정하고 있고, 4기에는 100% 유상할당을 목표로 하여 유상할당량을 늘려가고 있다. 한국은 1기에서 100% 무상할당이었으며, 2기는 97% 현재 3기에도 90% 이상 무상할당권을 배분하고 있다.

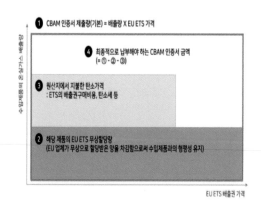

그림 3. CBAM 작동원리와 비용부담 수준

출처 : 국회입법조사처

한국 ETS 시장은 EU 다음으로 활성화되어 있고, ETS제도가 상당히 유사하므로 제도의 동등성을 인정받을 수 있는 가능성이 존재할 것이라 예상했으나, 그렇지 않았다. EU는 스위스와 같이 EU ETS와 자국의 배출권거래 시스템이 완전히 연계된 국가들에 한해서만 CBAM을 적용하지 않기로 결정했다. 한국의 경우 무상할당량도 많고, 직접적으로 EU ETS와 연계하여 제도를 시행하는 것은 아니므로 면제대상이 아니다. 탄소국경조정제도 비적용 국가는 아이슬란드, 리히텐슈타인, 노르

웨이, 스위스 4개국 등이다.

　CBAM이 도입될 경우 어떤 국가의 어떤 산업이 특히 취약할지 파악해야 한다. 탄소집약도가 높은 철강, 시멘트, 알루미늄, 비료, 전기, 수소 등이 CBAM의 우선 적용 대상 산업이며, 이들의 중간재와 최종재를 EU로 수출하는 모든 국가에 적용된다. UN COMTRADE는 CBAM 대상품목을 EU 시장에 가장 많이 수출하는 국가는 러시아, 중국, 터키, 영국, 우크라이나 순이며, 한국은 6위권이라고 보고하고 있다(그림 4). 이 국가들 가운데 러시아, 영국 등은 비료, 전기를 수출하는 반면 한국은 철강 제품을 중심으로 수출하고 있다.

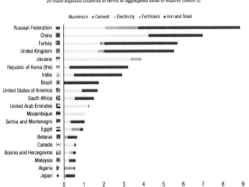

그림 4. CBAM 대상품목에 가장 많이 영향을 받는 20개 국가

출처 : UN COMTRADE

대상 세부품목의 무역통계(2018~2020년 평균)를 활용하여 한국에서 EU로 수출하는 품목과 CBAM 적용 국가를 대상으로 한 EU 27의 수입품목 현황을 조사하였다(김동구 외, 2021). 한국의 대 EU CBAM 품목 수출액(2018~2020년 평균)은 29억 5,200만 달러로, 한국의 대 EU 총 수출액(468억 9,000만 달러)의 6.3%이다. 주요 품목별 수출액은 철강 27억 6,300만 달러(전체 대 EU 수출의 93.6%), 알루미늄 1억 8,900만 달러(6.4%), 비료 79만 달러(0.03%), 시멘트 1만 5,000달러(0.0005%)로 철강이 절대 다수를 차지한다. 이들 품목의 수출액이 크고, 추후 플라스틱, 유기화학품 등 탄소 다배출 업종들로 적용 품목이 더 확대될 가능성이 있으며, 간접배출량까지 확대될 수 있기 때문에 CBAM은 한국 산업에 큰 타격을 줄 수 있다.

탄소배출량 측정과 전과정평가(LCA)

CBAM을 적용하기 위해서는 정책 실행 측면에서 커다란 장애물들을 넘어야 한다. 첫째, EU는 수출국에서 해당 상품에 부과되는 탄소 가격을 알아야 한다. 둘째, EU는 해당 상품을 생산할 때 배출된 탄소량을 알아야 한다(Wolf, 2021). 여기서 두번째 이슈가 문제가 된다. EU 입장에서는 역외 생산을 모니터링 해야 하기 때문에 쉽지 않을 것이고, 3국의 입장에서는 제품의 내재된 탄소 배출량을 측정하고 계산하는 일이 복잡하게 느껴질 것이다. 제품에 내재된 배출량은 단일재의 경우 수입품의 단위당 귀속배출량으로, 복합재는 수입 최종재의 단위당 귀속배출량과 중간투입물 각각의 배출량을 합산하여 산정한다.

- 단순재(simple goods: 투입원료나 연료 내 내재배출량이 전무)
  에 내재된 탄소 배출량은 상품 G의 단위당 배출량으로 산정

$$SEE_g = \frac{AttrEm_g}{AL_g}$$

  - 상품 G의 귀속배출량은 직접배출량만을 고려하여 선정

$$AttrEm_g = DirEm$$

SEE_g : 상품 G의 고유(specific)탄소배출량

$AttrEm_g$: 상품 G의 귀속 배출량

귀속배출량 : 사업장(installation)의 조직경계(System Boundary) 내에서의 배출량

AL_g : 보고기간 동안 상품 G의 생산량

$DirEm$
: 조직경계 내 생산과정에서 직접적으로 발생한 온실가스 배출량

- 복합재(complex goods : 다른 단순재 투입원료를 생산절차에서
  사용)는 상품 G의 단위당 귀속배출량과 G생산에 투입된 모든
  중간재들의 배출량을 모두 합산하여 산정

$$SEE_g = \frac{AttrEm_g + EE_{inpMat}}{AL_g}$$

  - 투입물의 총 배출량은 수입상품의 생산과정에 투입된
    재화 'i'의 양(Mass)과 고유 탄소배출량을 곱하여 계산하
    고, 투입물들의 배출량을 합산하여 산정.

$$EE_{impMat} = \sum_{i=1}^{n} M_i \times SEE_i$$

출처 : EU Commission, Proposal for a Regulation of the European Parliament and of the Council establishing a carbon border adjustment mechanism, Annex Ⅱ

제품 내재된 탄소배출량은 원칙적으로 실제 배출량 데이터를 사용해야 하지만, 그러지 못할 경우, 고정값(Default Value)을 적용하여 산정하도록 규정하고 있다. 고정값은 대상 품목별 수출국의 평균 배출량을 바탕으로 산정하거나, 국가별 수치를 파악할 수 없을 경우 동일 품목의 EU 역내 배출량 상위 10%의 평균치를 적용하게 된다. 국가별 수치를 파악하는 기술이 발달하지 않은 개발도상국의 경우 고정값을 적용 받게 될 수 있다. 고정값은 EU 배출량의 상위 10%의 평균치이므로, 이를 적용할 경우 자국 산업에 불리한 추정(adverse inference)이 될 수 밖에 없다. 따라서 자국 산업을 보호하기 위해서는 배출량 산정이 우선시될 필요가 있다.

한국은 ETS를 도입하여 탄소량을 산정하고 있지만, 이는 사업장 단위에서 시행하고 있다. CBAM이 적용되면 수출 기업들은 EU에 수출하는 제품의 탄소 배출량을 정확히 보고하고 검증받아야 한다. 그러나 한국의 기업 중 상당수는 자체적으로 보고하고 검증하는 시스템이 마련되어 있지 않다. CBAM은 점진적으로 대상품목을 확대하고, 간접 배출량도 포함할 가능성이 높기 때문에, 기업들은 원재료부터 제품 제

조에 걸친 전과정 평가(Life Cycle Assessment, LCA)*시스템을 구축
해야 한다.

*전과정 평가(Life Cycle Assessment, LCA)란 제품 또는 시스템
의 원료 채취, 가공, 조립, 수송, 사용, 폐기 단계 모든 과정에 걸쳐
에너지와 광물의 자원 사용과 이로 인한 대기, 수계, 토양으로의 환
경 부하량을 정량화하고 환경에 미치는 영향을 평가해 이를 저감
하고 개선하는 기법이다.

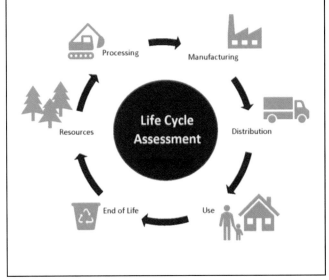

보호무역주의? 선진국의 사다리 걷어차기?

EU가 CBAM을 도입하는 배경이 단순히 기후변화에 대한 선제적 대응이 아니라, 관세를 통해 직접적으로 무역을 통제하여 타국 상품과의 경쟁을 막는 '보호무역주의' 시각도 존재한다. 이러한 시각은 친환경 기술을 개발할 수 있는 선진국들보다 기술개발과 탄소 측정이 어려운 개발도상국들이 더 많은 부담을 져야 한다는 점에서 비롯된다. 국가의 기후정책에 국가별 경제발전 단계가 고려되어야 한다는 입장도 있다. 가장 영향을 많이 받는 수출국은 러시아와 중국이다. EU 입장에서 중국과 러시아에 대한 견제이며, 무역 분쟁으로 번질 수 있다는 의견도 제기되고 있다.

CBAM이 탄소 누출을 방지하고 기후변화에 대응하기 위한 정책 수단이지만, 무역조치의 성격을 갖고 있으므로 국제통상규범과 합치하는지 여부를 두고 논란도 있다. CBAM은 동종상품을 내재된 탄소 수준에 따라 다른 비용을 부과하고, 국내품과 수입품에 적용되는 탄소세 규제 수준이 상이하기 때문에 WTO 내국민대우(NT)와 최혜국대우(MFN)를 위반할 가능성이 높다(정인교 외, 2021). 내국민대우의무는 역내상품과 수입상품이 동종상품인 한 차별하지 말라는 의무인데, 수출국의 기업이 온실가스 배출량 산정, 보고, 검증을 위한 기술과 역량 재원이 부족하여, 배출량을 입증하지 못할 경우 앞서 언급한 것처럼 불리한 추정을 받게 된다. 이는 EU 역내 기업에는 적용되지 않기 때문에 내국민대우의무를 위반할 소지가 있다(이천기 외, 2021). 최혜국대우는 국가가 무역파트너를 차별해서는 안된다는 원칙이다. 한 회원국이 다른 회원국에서 부여하는 모든 혜택과 특권, 면제 조건은 다른 모든 회원국에게도 즉각적이고, 무조건적으로 부여되어야 한다. 그러나 CBAM은 특정 국가와 수입품을 차별하는 경우 최혜국대우에 위배될 가능성이 있다.

EU는 WTO의 '인간의 생명 보호와 천연 자원의 보존'과 관련한 예외 규정을 근거로 CBAM을 추진하고 있지만, CBAM이 이러한 예외의 경우인지에 대해서는 의견이 엇갈리고 있다. 국내 산업 보호를 목적으로 불리한 시장경쟁 조건을 변경하지 않는 전제에서 이러한 예외가 적용 가능하다고 주장하지만 (정민정, 2017, 이중교, 2018), 탄소를 기준으로 차별적 조치를 취하는 것은 탄소집약도가 높은 수입자와 그렇지 않은 국내 생산자를 차별하는 조치이기 때문에 일반적 예외와 부합하지 않는다는 주장도 있다(Mehling et al., 2019).

CBAM의 복잡성으로 인해 EU 수입업체와 다른 국가의 수출업체 모두 행정적 부담이 상당할 것으로 예상되며, 이는 곧 잠재적 비용증가로 이어질 수 있다(Clora et al., 2023). 그러나 일부 학자들은 EU 내 생산자에게 유리하게 적용되고, 개발도상국 관점에서 보면 선진국의 '사다리 걷어차기'라고 비판하고 있다. CBAM의 영향력이 불균등하게 분산되어 있고, 특히 선진국 보다는 개발도상국에 피해가 집중될 것이라는 점이다. CBAM 대상품목의 주요 수출국인 러시아, 터키 등 신흥국과 탄소배출량 측정과 관련한 제도가 마련되어 있지 않은 개발도상국에 부담이 편중될 것으로 예상한다. CBAM이 기후변화를 막을 수 있을 지 모르지만, 무역 비용을 상승시키고 무역 시장을 왜곡하면서, 세계 경제가 무역 보복의 악순환에 직면할 수 있다고 경고한다(Lim et al., 2021). 특히 중국, 러시아, 인도가 가장 많은 부담을 갖게 되면서 CBAM으로 인해 무역 질서의 긴장을 가져올 수 있다는 우려가 있다 (Zhong & Pei, 2022).

5. 기후변화와 산업:
기업의 인식과 탄소 생산성

정하일 (서울과학기술대학교)

기후변화는 오늘날 우리의 사회와 경제에 지대한 영향을 미치는 중대한 문제이다. 온실가스의 배출과 자원 소모는 기후 변화의 직접적인 원인이 되어 지구 온난화와 자연재해의 증가와 같은 심각한 문제를 야기하고 있다. 특히 기후변화는 사회적으로도 중요한 문제이지만, 동시에 기업들 역시 큰 영향을 받고 있는 것이 사실이다. 따라서 이러한 문제들에 직면한 기업들은 더 이상 기후변화를 무시할 수 없으며, 반드시 그에 대한 적극적인 대응과 적응이 필요하다.

기후변화는 기업 활동의 전 영역에 걸쳐 많은 영향을 미치고 있다. 그 예를 간략하게 살펴보면, 먼저, 기후변화는 기업의 생산성과 비용 구조에 많은 영향을 미친다. 기업들은 기후변화로 인해 생산과정에 변화를 줄 필요가 있으며, 그에 따른 비용 부담을 겪게 된다. 생산 중단, 재고 손실, 인프라 파괴 등은 기업의 생산성과 경영 성과에 부정적인 영향을 미칠 수 있다. 또한, 기업은 정부의 규제와 제재에 직접적인 영향을 받는다. 기후변화 문제로 인해 많은 국가들이 탄소배출 등 환경적 책임에 대한 규제를 강화하고 있다. 이러한 규제는 기업의 운영 방식과 비즈니스 모델에 변화를 요구하며, 그에 따른 적응과 조치가 필요하다. 예를 들어, 화석 연료 산업은 탄소배출 감소를 위한 정부의 규제와 제재로 인해 기업의 경쟁력과 수익성에 부정적인 영향을 미치고 있다.

하지만, 기후변화가 기업에게 부정적인 영향만을 주는 것은 아니다. 동시에 기후변화 문제는 비즈니스 기회를 제공하기도 한다. 신재생 에너지, 친환경 제품 및 서비스, 탄소배출 감소 기술 등에 투자하는 기업들은 환경 책임과 사회적 가치 제고를 통해 새로운 수익원을 창출할 수 있다. 예를 들어, 전기차와 재생에너지 기술을 개발하는 기업들은 기후변화 대응의 중요한 주역으로 인식되며, 성장과 발전의 동력을 제공하기도 하는 것이다.

기후변화 효과는 기업별로 또는 산업별로 다르므로, 기업들의 의사결정권자들이 기후변화를 어떻게 인지하는지, 그리고 기업들이 탄소배출량을 감소하려는 행위들이 어떤 효과를 유발하는지에 대해서 살펴보는 것이 가장 중요하다.

첫째, 기업의 CEO (Chief Executive Officer; 기업의 최고 의사결정권자)의 생각과 판단이 기후변화를 대하는 그 어떤 요소보다 중요하다. 기업의 CEO들은 이러한 기후변화와 관련된 영향을 파악하고 대응하는 데 매우 중요한 역할을 한다. CEO들은 기업의 비전과 전략을 결정하고, 환경과 사회적 책임을 고려한 경영 결정을 내리는 주체이다. 그들의 리더십과 비전은 기업의 기후변화 대응 전략과 성과에 큰 영향을 미친다. CEO들은 기업 내부에서 기후변화 문제에 대한 인식과 조직문화를 형성하고, 외부에선 이를 투자자, 이해관계자들과 공유하여 기업의 이미지와 신뢰성을 높일 수 있다. 또한, CEO들은 기업의 기후변화 대응에 관한 정보를 투자자와 이해관계자들에게 전달하는 역할을 한다. 기업의 기후변화에 대한 대응 전략과 성과는 투자자들의 투자 결정에 영향을 미치며, 이해관계자들의 신뢰와 지지를 받기 위해서는 기업의 기후변화 대응에 대한 투명성과 효과적인 커뮤니케이션이 필요하다. CEO들은 이러한 정보 공개와 커뮤니케이션을 통해 기업의 기후변화 관련 위험과 기회를 이해관계자들과 함께 공유할 수 있다.

둘째, 탄소생산성 관리가 그 어느 때보다 중요하다. 기후변화에 대응하기 위해 많은 국가와 지역에서는 기업의 탄소배출을 제한하는 법적 규제가 점차 강화되고 있다. 탄소세 부과, 탄소배출 규제 및 인증제도 등이 시행되는 경우가 많다. 하지만, 기업으로서 탄소배출량은 생산성과 직접적인 상관관계가 있다. 따라서 기업들은 여러 규제에 대응하기 위해 탄소배출량을 줄이면서, 동시에 규제를 준수하기 위해 탄소 생산성 (탄소배출량 당 매출)을 극대화할 필요가 있다. 따라서, 탄소 생산성 관리는 기업입장에서 더욱 중요해지고 있다. 탄소 배출은 대개 에너지 소비와 관련되어 있으며, 에너지 비용이 상당 부분을 차지한다. 탄소생산성을 높이면 에너지 효율성이 향상되므로, 이는 비용 절감에 기여할 수 있다. 에너지 효율성 개선은 생산 과정에서 발생하는 낭비를 줄이고, 경영 비용을 감소시킬 수 있다. 또한, 기업들은 탄소 생산성 관리를 통해 기업의 경쟁력을 강화할 수 있다. 기후변화에 대한 적극적인 대응은 시장에서의 경쟁 우위를 가져다줄 수 있으며, 환경에 대한 책임감을 가진 기업은 소비자들에게 긍정적인 지속 가능한 (Sustainable) 이미지를 형성할 수 있다.

이번 챕터에서는 기후변화에 대한 의사결정권자들의 인식과 기업의 탄소생산성이 금융시장에 미치는 영향에 대한 논문들을 다룰 계획이다.

기업경영 관점에서 바라본 "ESG"

ESG (Environmental, Social, Governance)는 지금까지 있었던 친환경, 친안전, 사회적 책임 등의 패러다임과는 달리 전 세계가 동시다발적으로 중요한 이슈로 바라보고 있다. 이는 ESG가 기업과 사회에 미치는 영향이 크기도 하고, 대부분 선진국들의 금융기관들이 해당 내용에 대해 의무적으로 공시를 요구하기도 때문이다. 예를 들어, 미국, EU, 한국 등의 금융감독기관이 ESG와 관련된 요구사항을 보고 상장기업의 공시 의무 사항으로 채택하였다. 금융감독기관의 개입은 진정성 있는 ESG에 대한 자발적 참여의 장점을 약화시킬 수 있지만, 전 세계의 다양한 기업들이 이윤 추구와 상반될 수 있는 ESG 참여를 선언한 후, 실천과 행동으로 옮기는 속도가 느린 상황에서 교착 상황을 극복하기 위한 해결책을 제시할 것으로 예상된다. 따라서 ESG 관리는 기업 재무 관점에서 단순한 유행으로 끝나지 않고, 그 영향력이 계속해서 증가할 것으로 예상된다.

ESG를 구성하는 가장 큰 3가지 지표인 환경, 사회, 거버넌스 중 환경의 중요성이 점점 강조되고 있다. 당연히 기업이 탄소 배출량이 적은 신규 설비에 투자하고, 신 공정 기법을 적용하고, 정밀한 배출량 측정 등을 하기 위해서는 기업 입장에서는 단기적으로는 비용이 들 수 있다. 이는 기업의 이윤추구 목적과는 사뭇 상반되게 보일 수 있다. 특히, 신규공정기법이나 신규 설비를 도입하면 감가상각비가 자연스럽게 증가할 것이고, 원가가 상승하여 제품의 시장가격에 영향을 미칠 수밖에 없다. 이는 시장 점유율 감소로 연결될 수도 있다. 하지만, ESG의 중요성이 점점 더 전 세계적으로 부각되면서, 일반 대중들이 착한 소비를 하기 시작한다면 (가격이 높더라도 친환경 제품 구매를 선호하는 소비 패턴) 이런 불리함은 어느정도 상쇄될 수 있을 것으로 많은 기업들이 판단하고 있다. 즉, 기업의 환경 개선 투자 활동은 중장기적인 이윤 추구 관점에서는 유의미한 투자이고 행동이라고 할 수 있다.

한편, 사회 (Social)와 거버넌스 (Governance)는 기업의 사회적 활동, 기업의 이미지, 임원진들의 활동 등 정량적으로 표현하기 힘든 요소들을 측정하는 것이기 때문에, 주로 인터뷰를 통한 체크리스트에 의존하거나, 또는 주관적인 성격을 지닌 지표를 점검하거나 신사업의 성공 여부를 확인하기까지 시간이 오래 걸린다. 이로 인해, "S"와 "G"를 정량적으로 평가하고 판단하기에는 어려운 면이 있다.

반면에, 환경 (Environment)은 물리적인 배출량이나 경제적인 투자요소들을 정량적으로 측정함으로써 객관성을 담보할 수 있으며, 온실가스 감축을 위한 투자 및 실행 결과에 대한 핵심 지표도 동시에 제시할 수 있다. 또한, 국내 기업 입장에서도 E가 상대적으로 더 중요할 수밖에 없다. 그 이유는 최근 EU등 선진국들을 중심으로 환경 관련 규제들이 늘어나고 있기 때문이다. 한국 기업들은 수출의존도가 높기 때문에, EU나 미국이 입법을 추진하고 있는 탄소국경조정제도 (Carbon Border Adjustment Mechanism; CBAM)나 수명주기평가 (Life Cycle Assessment; LCA) 등의 규제가 빠르면 2023년도부터 국내 기업들에게 영향을 줄 것으로 예상되고 있다. 따라서, 기업 임원진들은 더욱 적극적으로 환경과 관련된 이슈에 대해서 철저한 계획을 수립하려는 노력이 필요하다. 아울러 기후변화에 대한 경영진들의 인식에 대한 금융

시장의 반응과 기업의 환경개선 활동에 대하여 면밀하게 살펴볼 필요가 있다.

기후변화에 대한 경영자의 인식이 금융시장에 미치는 효과

전례 없는 기후변화는 우리의 건강뿐 아니라, 경제와 금융 시스템에도 중대한 위험 요소이다. 파리 협정에서 제안한 대로 지구 온도 상승을 1.5°C 이하로 제한하는 것은 금융 경제에 큰 영향을 미친다. 기후변화로 인한 지구온난화와 해수면 상승 등 물리적 기후변화는 기업의 생산성을 직접적으로 감소시킬 수 있다. 기후변화는 배출권 거래제와 같은 정부의 제재와 규제로 인해 간접적으로 기업의 비용에도 영향을 미칠 수 있고, 동시에 일부 기업은 기후변화 문제를 기회로 전략적으로 활용하기도 한다. 예를 들어, 전기 자동차, 재생에너지, 배출 감소 기술, 친환경 제품과 관련된 기업들은 기후변화의 위험을 이용하여 이익을 창출 할 수 있다. 기후변화의 위험은 기업들에 일방적으로 영향을 미치지 않기 때문에, 기업과 경영자들이 기후변화의 영향을 어떻게 인식하는지 이해하는 것이 중요한다. 특히 기업 경영자들의 기후변화 문제에 대한 인식은 시장 참여자들이 가격 결정과 자원 배분을 하는 것에 있어서 중요한 역할을 한다. 그렇다면, 왜 기업 경영진들의 인식이 중요하며, 우리는 왜 그것에 관심을 가지는 것일까?

기후변화에서 기업의 CEO들은 매우 중요한 역할을 수행한다. CEO는 기업의 최고경영자로서 조직의 비전과 전략을 결정하고 이행하는 주요 책임을 가지는 사람이다. CEO는 다양한 역할을 수행한다. 첫 번째로, 비전 제시라는 역할을 수행한다. CEO는 기업의 비전과 목표를 제시하고 이를 실현하기 위한 리더십을 발휘해야 한다. 기후변화 관점에서 바라보면, 기후변화에 대한 대응은 기업의 비전과 가치에 따라 결정되며, CEO는 이를 정의하고 구현하기 위한 방향을 제시해야 한다. 이러한 비전을 제시했다면, 두 번째로, 그것에 맞는 전략과 구체적인 실행방안을 제시해야 한다. 예를 들어, 탄소배출량을 감소시킬 수 있을 재생에너지 도입, 에너지 효율성 개선 등의 조치를 포함할 수 있다. CEO는 이러한 전략을 통찰력과 결단력을 가지고 조직 전체에 전파하고, 실제로 실행되도록 직원들과 투자자들에게 정보를 공개해야 할 의무가 있다. 세 번째로, CEO는 지속적으로 리스크를 관리하면서, 기회를 발굴해야 한다. 그리고 기업의 기후변화 관련 리스크를 평가하고 적절한 대응책을 마련해야 한다. 동시에, CEO는 기업이 기후변화로부터 발생하는 새로운 비즈니스 기회를 발굴하고 추구해야 한다. 네 번째로, 이해관계자와의 관계 구축에 힘써야 한다. CEO는 기업의 이해관계자들과의 긴밀한 관계를 유지하고 발전시켜야 한다. 이는 투자자, 고객, 사회단체, 정부기관 등과의 협력을 통해 기업의 기후변화 대응을 강화하고, 사회적 책임과 지속가능성을 강조하는 것을 의미한다.

마지막으로, CEO에게 가장 중요한 것은 꾸준히 내외부 이해관계자들과 소통하며, 정보의 비대칭(Information asymmetry)을 줄여야 한다. 정보의 비대칭이란, 경제학에서 사용되는 개념으로, 기업의 임직원이 가진정보가 외부 투자자들과 같이 외부사람들에 비해 더 많거나 더 정확한 경우를 가리킨다. 즉, 한 측이 상대방보다 더 많은 정보를 가지고 있거나 정보의 질이 더 뛰어나다는 것을 의미한다. 정보의 비대칭은 주로 판매자와 구매자, 신용 기관과 대출 신청자, 회사의 경영진과 주주들 간의 관계에서 발생할 수 있다. 예를 들어, 중고차 판매자가 차량의 하자나 사고 내역을 알고 있지만, 구매자는 이에 대해 정보를 가지지 못하는 경우 정보의 비대칭이 발생한다. 이럴 때 한 측은 정보를 이용하여 상대방을 불리하게 하거나 이익을 얻을 수 있다. 그렇기 때문에, 정보의 비대칭은 시장의 비효율성을 초래할 수 있다. 완전한 정보가 없는 상황에서는 거래 당사자들이 정보의 부족으로 인해 합리적인 판단이 어렵고, 정보 부족에 따른 위험을 고려하여 거래 조건을 협상하게 된다. 이로 인해 거래 비용이 증가하거나 부적절한 거래가 이루어질 수 있다. 정보의 비대칭을 해소하고, 기업들이 기후변화에 대한 정보를 적절하게 제공하는 것은 지속 가능한 비즈니스 운영과 사회적 가치 창출을 위해 중요한 요소이다. 이런 정보의 비대칭은 대개 정보의 공유와 투명성 증진을 통해 극복될 수 있다. 또한, 정보의 비대칭을 최소화하기 위해 거래 당사자들은 세부적인 정보 조사와 평가, 전문가의 도움을 받는 등의 노력을 기울여야 한다.

기후변화에 대한 기업-투자자 간 정보의 비대칭은 중요한 문제이다. 위에 사전적 정의에서 알 수 있듯, 이는 기업들이 기후변화와 관련된 정보를 제공하는 데에 있어서 어떤 기업은 다른 기업보다 더 많은 정보를 가지거나, 정보를 공개하지 않거나, 정보의 질이 부족하다는 것을 의미한다. 기후변화는 전 세계적으로 심각한 문제로 인식되고 있으며, 기업들이 기후변화에 대한 적절한 대응을 취하는 것은 지속 가능한 비즈니스 운영과 사회적 책임을 충족시키는 데에 중요한 역할을 한다. 그러나 기업들 사이에 정보의 비대칭이 존재할 경우, 투자 결정의 부정확성의 문제가 생길 수 있다. 투자자들은 기업의 기후변화 대응 전략과 성과에 대한 정보가 제한적일 경우, 투자 시기 및 규모를 결정하기 어려워진다. 정보의 비대칭은 투자 결정에 대한 불확실성을 증가시키고, 투자 환경을 불안정하게 할 수 있다. 또한, 이러한 정보의 비대칭은 기업의 거버넌스와 투명성에도 영향을 미친다. 기업이 기후변화 관련 정보를 충분히 제공하지 않으면, 이해관계자들이 기업의 업무 수행과 사회적 책임을 평가하기 어려워진다. 기업의 신뢰도와 사회적 지위에 미치는 영향은 기후 변화와 관련된 정보의 비대칭으로 인해 손상될 수 있다. 따라서 이러한 기후변화 관련 정보의 비대칭은 기업에 부정적인 영향을 미칠 수 있는데, 예를 들어, 기업 간 기후변화 대응 능력의 차이가 있다면, 정보를 더 효과적으로 활용하고 적절한 전략을 채택하는 기업이 경쟁력을 확보할 수 있을 것이다. 따라서, 정보의 비대칭은 지속 가능한 경쟁력 확보에 어려움을 가져올 수 있다.

CEO는 기업의 최고경영자로서 기업의 방향과 전략을 결정하고, 기업의 이해관계자들과의 관계를 조율하며, 조직의 성과를 책임지는 임무를 수행한다. 기후변화와 관련하여 CEO는 이러한 역할을 통해 기업의 기후변화 대응을 주도하고 성공적으로 이끌어가는 역할을 한다. 그렇다면, CEO들이 기후변화에 대해 가지는 인식과 정보 공유 활동을 어떻게 수치적으로 계산할 수 있을까?

사실 예전에는 이런 인식에 대한 계산에 많은 한계가 있었다. 가장 큰 이유로는 신뢰할 수 있고 분석할 수 있는 수준의 데이터 양이 부재하다는 점이었다. 또한, 이런 데이터를 분석할 도구도 부족했었다. 하지만, 기술의 발전으로 다양한 분석이 가능해졌다. 우선, 기후변화와 관련된 데이터의 수집과 분석 기술이 향상되었다. 과거에는 기후변화와 관련된 데이터가 수치적인 데이터에 (예를 들어, 배출량, 에너지 사용량) 국한되었다면 현재는 기후변화에 영향을 미치는 다양한 요인들뿐 아니라, 기업 임원진들의 회의록, 질의응답 내용 등 임원진들의 인식을 직접적으로 느낄 수 있는 텍스트 데이터 (Textual information)가 많이 수집되고 있다. 이런 다양한 데이터들은 기후변화에 대한 분석과 예측을 수행하는 데 도움을 준다. 또한, 머신러닝과 자연어 처리 (Natural Language Processing; NLP) 기술의 발전도 중요한 역할을 하고 있다. CEO의 발언 데이터를 토픽 모델링 알고리즘에 적용하여 특정 주제나 관심사에 대한 CEO의 관점을 파악할 수 있다. 이를 통해 CEO의 관심 영역이나 전략적인 우선 순위가 무엇인지를 이해하고, 기업의 방향성과 목표에 대한 통찰력을 얻을 수 있다. 그 후 NLP 기술을 사용하여 CEO의 발언 데이터에서 중요한 정보를 추출할 수 있다. 예를 들어, 기업의 기후변화 인식이나 전략 등과 관련된 핵심 단어나 수치들을 식별하여 기업의 현재 상태와 전략을 이해하고, 의사 결정에 활용할 수 있다. 또한, 다양한 딥러닝 알고리즘들을 사용하여 CEO의 발언이나 인터뷰 등의 텍스트 데이터에서 긍정적인지, 부정적인지, 중립적인지 등의 감성을 분석할 수 있다. 이를 통해 CEO의 태도와 감정을 파악하고, 기업의 상황과 전망에 대한 인사이트를 얻을 수 있다.

Sautner 외 (2020)는 기업의 실적발표회의 대본을 기반으로 한 새로운 기업 차원의 기후변화 관점 변수를 제안했었다. 그들은 앞서 소개한 딥러닝 방법론을 활용하여 기업 차원의 변동적인 기후변화의 측정치들을 계산하고 구축하였다. 이 측정치는 실적 발표회 대본에서 특정 기후변화 관련 단어의 빈도를 계산하고 대본 내 전체 단어 수로 나누어 얻는다. 비슷하게 정하일 외 (2023)는 계산된 기업들의 기후변화 인식을 토대로 기업과 금융 시장 사이의 정보 비대칭을 분석하였다.

진행된 연구를 이해하기에 앞서, 실적발표회는 어떤 행사이며, 왜 실적발표회의 임원들의 대본을 중요하게 활용하는지를 살펴볼 필요가 있다. 실적발표회는 기업이나 조직이 주주, 투자자, 재무 기관 등에게 정기적으로 기업의 경제적 실적과 성과에 대해 보고를 하는 행사이다. 이 행사에서 기업은 재무제표, 손익계산서, 현금 흐름표 등을 통해, 지난 기간의 수익, 비용, 이익 등의 정보를 제공한다. 실적발표회는 투자자와 주주에게 기업의 경제적인 건강상태와 재무 성과에 대한 투명성을 제공한다. 투자자와 주주는 기업의 실적을 평가하여 향후 투자 결정을 내리는 데 도움을 받을 수 있다. 또한, 실적발표회는 기업의 책임과 투명성을 강화하는 도구이다. 기업은 재무정보를 공개하여 외부 이해관계자들에게 기업의 경영 상황을 알리고, 공정한 보고를 통해 신뢰를 구축할 수 있다. 그리고 본 행사를 통해 경영진에게 기업의 성과를 평가하고 개선할 기회를 제공한다. 경영진은 실적을 분석하고 문제점을 파악하여 전략을 조정하고, 향후 성장 방향을 결정할 수 있다. 그리고 실적발표회는 재무기관과 규제 기관에 대한 감독과 규제 준수를 위한 필수적인 요소이다. 기업은 재무정보를 제출하여 법적 규정을 준수하고, 재무기관 및 규제 기관의 감독을 받을 수 있다. 이런 공식적인 행사에서 기업들은 기후변화와 같은 사회적인 이슈에 대해서 기업의 생각, 전략 등에 대해서도 종종 언급한다. 예를 들면, 미국의 Fuel cell energy라는 기업은 지난 2019년 실적발표회에서 "다른 계약은 우리가 앞으로 장기적인 목표로 하고 있는 메가와트급 고체 산화물 연료전지 발전소를 석탄 유도 합성가스로 가득 채워 온실가스 배출량을 최대 90%까지 줄이는 방향으로 진행 중이다."라는 내용의 발표를 CEO가 했었고, 미국의 Advanced Battery Technologies는 실적 발표회 자리에서 "2009년을 통해 전진하는 동안, 우리의 주요 계획은 중국과 전 세계적으로 전기 자동차에 대한 관심이 증가함에 따라 이에 혜택을 받을 수 있도록 조정하는 것이다. 특히 중국에서는 정부의 계획이 유의미한 장려금을 제공할 것이다. 또한, 현재의 리더십을 활용하여 새로운 계약을 확보하는 것이 주요한 목표이다. 특히 대규모 충전식 폴리머 리튬이온 배터리 판매에 초점을 맞추어 매출 구성의 변화를 이끌어 높은 마진의 판매를 반영하도록 한다. 또한, 고급 배터리와 우시 제이큐 업체의 운영 효율을 지속적으로 개선하는 것을 보장한다." 라는 내용의 언급을 실적 발표회 중 하는 등 몇몇 기업들은 기후변화와 관련된 회사의 현주소, 앞으로의 정책 및 방향에 대해 적극적으로 대응하고 있다. 하지만, 많은 기업들은 아직까지 기후변화에 대해 소극적으로 대응하고 있다. 대다수의 기업들의 CEO들은 실적 발표회 자리에서 기후변화와 관련된 언급을 거의 하지 않거나, 아예 언급하지 않는다. 이처럼, 기업간 기후변화와 대한 인식과 언급이 상이하기 때문에, 이런 차이가 과연 금융시장에서 어떻게 받아들여질지에 대해 면밀하고 실증적으로 살펴볼 필요가 있다.

본 연구는 기업 경영자들의 기후변화에 대한 인식의 효과를 이해하기 위해 신호 이론을 활용하였다. 신호 이론은 정보의 비대칭성 상황에서 기업이 의도적으로 금융시장에 특정 신호를 보내어 정보를 전달하고 의사소통을 강화하는 경제 이론이다. 기업들이 긍정적인 신호를 보내면, 이를 금융시장이 긍정적인 신호로 해석하고 반응하는 현상을 설명하는 데에 쓰인다. 이 이론은 정보의 불완전성과 불확실성이 존재하는 경제 상황에서 관련된 주체들 사이의 의사소통과 정보전달을 분석한다. 기업은 자신들의 내재적인 가치와 성과를 외부에 알리기 위해 다양한 신호를 사용하고, 이러한 신호는 기업의 경영정책, 투자계획, 신제품 출시 등과 관련된 정보를 전달하는 데 사용된다. 긍정적인 신호는 기업의 성과나 잠재력에 대한 긍정적인 정보를 의미하며, 이는 투자자들에게 높은 이익을 기대할 수 있는 기업임을 시사하고, 궁극적으로 주식가격이 상승하거나 투자자들의 관심을 끌게 된다. 일반적으로 기업이 긍정적인 신호를 보내면 시장 참가자들은 기업에 대한 평가를 개선하고, 투자 결정을 한다.

이런 긍정적인 신호는 다양한 형태로 나타날 수 있다. 대표적으로, 기업실적발표회, 투자 계획 발표, 재무정보의 공시 등이 있다. 또한, 신호 이론은 정보의 비대칭성이 존재하는 상황에서 기업들이 어떻게 정보를 전달하고 받는지를 이해하는 데 중요한 도구이다. 이는 기업의 금융시장에서의 평가와 투자자들의 의사결정에 영향을 미치는 요인을 분석하는 데 활용된다.

이 이론을 바탕으로 살펴보자면, 기업 임원진들의 친환경 정책과 관련된 신호들이 시장에 긍정적인 신호를 전달할 수 있다고 볼 수 있을 것이다. 그들의 환경과 기후변화에 관한 관심과 정보의 공유는 기업과 시장 사이의 정보 비대칭을 줄이는 것에 기여한다. 기업은 실적발표회와 같은 공식적인 이벤트를 통해 기후변화와 관련된 기업의 철학과 방향을 투자자들에게 제시할 수 있으며, 이런 활동들이 즉각적인 투자로 연결되지는 않더라도, 장기적으로 정보의 비대칭을 줄여 다양한 이점들을 제공해줄 수 있을 것으로 기대하고 있다. 본 연구는 기업의 기후변화 관점이 주식 시장에서의 평가에 어떻게 영향을 미치는지를 검증하였다. 이는 기업들이 기후변화 관련 정보를 실적발표회를 통해 전략적으로 공개함으로써, 긍정적인 신호를 전달할 수 있다는 것을 보여준다. 이러한 결과들은 기업 경영자들이 기후변화에 대한 인식을 고려하여 기업의 환경 책임과 재무 안정성을 향상시키고, 주주 가치를 보호하고, 가격 하락 위험을 감소시킬 수 있다는 것을 보여준다. 이는 기업의 경영자들이 기후변화에 대한 대응을 고려할 때 중요한 결정 요인이 될 수 있다.

정보의 비대칭을 측정할 수 있는 다양한 대체 변수들(Proxy measures)이 존재한다. 이는, 직접적으로 정보 비대칭을 측정하기에는 한계가 있기 때문이다. 본 연구에서는 총 3가지 변수들을 계산하여 기업 임원진들의 기후변화 인식과 정보 비대칭 사이의 역학관계에 대해서 살펴봤다. 본 연구에서 사용한 변수들은 NCSKEW(Negative coefficient of skewness), DUVOL(Down-to-up volatility)와 CRASH이다. 이 세 가지 변수들 모두 정보 비대칭을 설명하는 변수들이다. 예를 들어, NCSKEW는 주식 가격의 비대칭도를 기반으로 산출되는 지표로, 정보의 비대칭이 커지면, 주식 가격의 분포가 음 또는 양의 방향으로 비대칭도가 심해진다는 아이디어에서 착안된 지표이다. NCSKEW는 각 연도와 각 기업별로 주간 수익률의 표준편차를 세제곱한 값으로 나눈 것의 세 번째 모멘트의 음수로 계산된다. DUVOL은 주식 가격의 변동성의 변화를 측정하는 지표로, 주식 가격이 얼마나 급격하게 변할수록 정보 비대칭이 높아진다. DUVOL의 계산방법은 기업별 주간 수익률의 표준편차를 연간 평균 이하인 기업별 수익률이 발생한 주(하락주)와 연간 평균 이상인 기업별 수익률이 발생한 주(상승 주) 간의 비율의 자연로그이다. 마지막으로, CRASH는 주식 가격이 특정 기간 동안 얼마나 많이 하락하는지 측정하는 지표로, 주식 가격이 충돌할 위험이 높을수록 CRASH 값이 높아진다. 앞서 이야기한 바대로, 정보 비대칭은 투자자 간에 정보의 불균형을 의미한다. 정보 비대칭이 존재하면 투자자는 주식 가격에 대한 정확한 정보를 가지고 있지 못하기 때문에 투자 결정을 내리기 어렵다. 이로 인해 투자자는 손실을 입을 위험이 높아진다. NCSKEW, DUVOL, CRASH는 모두 정보 비대칭을 측정하는 지표이기 때문에, 이러한 변수들의 값이 높을수록 투자자는 주식 가격에 대한 정확한 정보를 가지고 있지 못하기 때문에 투자 결정을 내리기 어렵고, 이로 인해 투자자는 손실을 입을 위험이 높아진다.

위 변수들과 기업의 임원진들이 기후변화에 가지는 인식과 함께 연구해본 결과, 아래 그림 15에서 알 수 있듯, 기업들이 적극적으로 기후변화와 관련된 정보를 금융시장에 제공할수록, 기업과 금융시장 사이의 정보 비대칭이 감소하는 걸 볼 수 있다. 그림의 Y축은 앞서 언급한 기업과 금융시장 사이의 정보 비대칭을 측정하는 CRASH, NCSKEW 그리고 DUVOL 변수들이다. X축은 기업들의 실적보고회 중 기후변화와 관련된 언급의 비율을 나타내며, 우측으로 갈 수록 실적보고회 중 기후변화와 관련된 언급율이 높아진다. 추가적으로 진행한 다양한 다변량 모델링에서도 그림 15와 같이 기후변화 인식과 정보 비대칭 사이의 음의 상관관계를 확인할 수 있었으며, 그 관계는 통계적으로도 유의미하였다. 즉, 기업들의 적극적이 기후변화 대응이 금융시장에서는 긍정적인 신호(Signal)로 받아들인다는 것이다.

기후변화는 기업에게 지속적인 도전과 기회를 제공하는 복잡한 문제이다. 사회적, 경제적, 환경적인 측면에서 기업의 생산성, 경영 성과, 규제 등에 영향을 미치며, 기업의 CEO들은 이러한 영향을 이해하고 대응하기 위한 중요한 역할을 한다. 기업은 기후변화 문제에 대한 적극적인 대응과 혁신을 통해 비즈니스 기회를 모색할 수 있으며, CEO들은 기업의 비전과 리더십을 통해 이를 이끌어 나갈 수 있다. 이에 따라, 기업의 CEO들은 기후변화에 대한 인식과 조직문화를 형성하고, 기업의 기후변화 대응 전략과 성과를 투자자들과 이해관계자들과 공유하는 역할을 적극적으로 해야 한다. CEO들의 지속적인 관심과 노력을 통해 기업은 기후변화에 대한 도전을 극복하고, 새로운 비즈니스 기회를 창출할 수 있을 것이다. 또한, CEO들은 기후변화에 대한 본인들의 정책과 기업의 전략에 관한 정보를 공개할 수 있는 범위 내에서 투명하게 제공하고, 기업의 기후변화 관련 성과와 대응 전략을 공개해야 한다. 이는 투자자와 이해관계자들이 기업을 평가하고 결정을 내릴 수 있는 근거를 마련해준다. 마지막으로, 정부와 금융기관들은 투자자들을 위해 기후변화 관련 정보의 보고 기준과 방법을 통일하여 비교 가능한 정보를 제공해야 한다. 이는 기업 간의 비교성을 확보하고, 정보의 비대칭을 줄여줍니다. 추가적으로, 외부 감사와 인증 기관의 도움을 받아 기업의 기후변화 정보가 신뢰성 있고, 검증된 정보임을 입증할 수 있도록 해야 할 것이다.

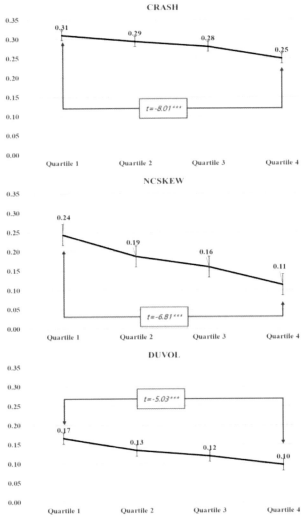

그림 1. 기업 임원진들의 기후변화 관련 언급도와 정보 비대칭의 관계

출처: Jung and Song, 2023

탄소생산성이 금융시장에 미치는 영향

기후변화는 지구 온난화, 극단적인 기상 현상, 자연재해의 증가 등과 같은 글로벌 문제로 부상하고 있다. 이러한 문제는 전 세계적인 경제, 사회 및 환경에 심각한 영향을 미치고 있으며, 기업들에게도 새로운 도전과 기회를 제시하고 있다. 기업들은 기후변화에 적극적으로 대응하고 조처함으로써, 지속 가능한 비즈니스 모델을 구축하고, 경쟁력을 확보할 수 있다.

세계경제포럼(World Economic Forum)은 2018년에 기후변화가 기업 성과에 중요한 요인임을 강조하고 이를 뒷받침하는 증거들을 제시했다. 즉, 기업의 비즈니스 활동에 기후변화를 고려해야 할 요소 중 하나로 봐야한다는 것이다. 기후변화는 기업의 공급망, 시설 및 인프라, 에너지 비용, 소비자 및 투자자의 행동 등에 영향을 미칠 수 있다. 또한, 기후변화는 기업의 배당 정책과 지방채 발행에도 영향을 줄 수 있다. 따라서 기후변화의 영향은 기업의 생산성과 수익성을 감소시키고, 운영의 위험과 불확실성을 증가시킬 수 있다.

기후변화의 다양한 요인 중에서 탄소 배출은 기후변화의 주요 원인이다. 따라서 기업들과 정부는 탄소생산성을 고려하는 중요한 지표로 삼고 있다. 탄소생산성은 탄소배출 단위로 생성되는 수익에 초점을 맞춘 탄소 효율성의 개념이다. 금융시장은 기업의 탄소생산성의 중요성을 인식하고, 일부 투자자들은 이 지표를 투자 결정에 반영하기 시작했다. 지속 가능한 투자에 대한 관심이 증가하고 일부 투자자들은 탄소생산성을 투자 선택 기준으로 사용한다. 또한, 일부 금융 지수와 평가 기관은 기업의 탄소생산성을 평가에 반영하며, 이는 주식 가격과 투자 기회에 영향을 줄 수 있다.

　이전 연구들은 탄소생산성이 기업의 재무 성과에 어떤 영향을 미치는지 조사했다. 그러나 금융시장이 기업 수준의 탄소생산성을 어떻게 평가하는지, 특히 위험 수준과 관련한 탐구는 아직 이루어지지 않았다. 다만, 이전 문헌들은 금융적, 정치적 및 외부 위험 요인이 변동성의 잠재적 결정 요인일 수 있다고 언급했다. 따라서 기후변화가 기후 위험 요인으로 고려된다면 탄소생산성은 변동성의 결정 요인 중 하나일 수 있다. 기후변화의 효과에 대해 살펴보기 전에, 왜 금융시장에서 변동성은 중요한, 그리고 관리해야 할, 리스크 지표 중 하나인지를 파악할 필요가 있다. 우선 변동성은 사전적 의미 그대로 금융시장에서 자산 가격이나 수익률이 얼마나 크게 변동하는지를 나타내는 지표이다. 변동성은 투자의 불확실성과 리스크를 측정하는 도구로 사용된다. 즉, 시장의 가격 또는 수익률이 크게 변동할수록 투자의 불확실성이 증가하고, 투자자는 높은 변동성을 헤징⁴하거나 조절하기 위해 추가적인 대비 조처를 해야 한다. 변동성이 큰 자산은 투자자에게 더 높은 리스크를 가지고 있다고 인지된다. 또한, 변동성은 포트폴리오의 다변화에 중요한 역할을 한다. 포트폴리오에 다양한 자산을 투자함으로써, 각 자산의 변동성이 상쇄되어 포트폴리

4　헤징은 금융시장에서 사용되는 용어로, 특정 투자의 잠재적 손실을 보호하거나 완화하기 위해 다른 투자나 계약을 활용하는 것을 지칭한다. 즉, 헤징의 주요 목적은 투자 위험을 관리하고 불확실성을 줄이는 것이다. 헤징의 방법론으로는 크게 금융 헤징과 비금융 헤징이 있으며, 두 종류 모두 특정 위험 요소를 최소화하면서 투자 포트폴리오의 전반적인 수익률과 안정성을 유지하려는 투자자와 기업에게 중요한 전략이다.

오의 총 변동성을 낮출 수 있다. 상관관계가 적은 자산들을 포트폴리오에 포함시킴으로써 투자 리스크를 분산시킬 수 있다. 예를 들어, 탄소생산성이 높은 기업이 만약 변동성이 낮다면, 탄소생산성이 높은 기업들을 포트폴리오에 포함시킴으로써, 투자 리스크를 분산시키는 전략을 취해볼 수도 있을 것이다. 포트폴리오 반영 여부는 유동성과 직접적인 영향을 주기 때문에, 변동성은 시장의 거래 활동과 유동성에도 영향을 미친다. 변동성이 높은 시장에서는 많은 거래 기회가 발생할 수 있고, 시장 참여자들은 이를 통해 수익을 창출할 수 있다. 또한, 거래 활동이 활발할수록 시장의 유동성이 향상되고, 투자자들은 자산을 더 쉽게 사고 팔 수 있다.

탄소 생산성은 경제 활동(매출 활동 등)과 관련하여 탄소 배출이 생성시키는 부가가치를 의미한다. 이는 재화나 서비스를 생산하는 데 필요한 자원을 최소화하고, 동시에 탄소 배출을 최소화하는 능력을 측정하는 지표이다. 탄소 생산성을 측정하는 방법은 일반적으로 기업의 경제 활동과 탄소 배출량 사이의 비율을 계산하는 것을 포함한다. 여기에는 두 가지 일반적으로 사용되는 방법이 있다.

첫 번째로, 탄소 집약도(Carbon intensity)를 측정하는 방법이다. 이 방법은 출력 단위 또는 경제 활동 단위당 생성되는 탄소 배출량을 측정한다. 전체 탄소 배출량을 기업 관점에서는 매출, 국가 단위에서는 GDP 또는 생산된 재화의 양과 같은 관련된 지표로 나누어 계산한다. 예를 들어, 한 회사 A가 1,000톤의 이산화탄소를 배출하고 100만원의 매출을 생성하는 경우, 탄소 집약도는 1,000 톤의 이산화탄소당 100만 원이다. 탄소 생산성은 탄소 집약도의 역수를 취하므로 계산할 수 있다. 즉, 위의 사례를 기준으로 A사의 탄소 생산성은 1,000이다 (1톤의 탄소를 배출하여 1,000원의 매출을 냈음).

두 번째 방법으로는 탄소 집약도의 변화율을 통한 계산법이 있다. 이 방법은 시간에 따른 탄소 집약도의 변화율을 측정한다. 탄소 배출량의 변화를 기업의 매출이나 국가의 GDP 변화율과 같이 비교한다. 예를 들어, 또다른 기업 B사가 매출을 전년대비 동일하게 유지하면서 탄소 배출량을 20% 감소시킨 경우, 탄소 집약도는 20% 감소한 것을 나타낸다. 역수를 취하여 탄소생산성을 계산한다면, B사의 탄소생산성은 25%라고 볼 수 있다.

그렇다면 기업의 탄소배출량은 어떻게 측정할까? 기업이 배출하는 탄소배출량은 Scope 1, 2 그리고 3으로 나눠진다. Scope 1, 2, 3 배출량은 기업이나 조직이 온실가스를 발생시키는 다양한 활동을 분류한 것이다. 이는 환경적 영향과 지속 가능성을 평가하고 개선하기 위해 사용되는 개념이다. Scope 1 배출량은 기업이나 조직이 직접 발생시키는 온실가스의 양을 의미한다. 이는 기업 내부에서 발생한 배출량으로, 주로 연료 소모, 공정에서의 화학 반응 등을 포함한다. 예를 들어, 자동차 제조업체에서 자사 공장에서 작동 중인 기계들로 인해 발생하는 이산화탄소 배출량은 Scope 1 배출량에 해당한다. Scope 2 배출량은 간접적인 온실가스 배출이다. Scope 2 배출량은 기업이나 조직이 발생시키지는 않지만 직간접적으로 관여하는 온실가스의 양을 나타낸다. 주로 전력 소비에 의한 배출량을 일컫는다. 기업이 외부로부터 전기를 구입하여 사용할 때 발생하는 배출량이 여기에 하며, 예를 들어, 본사 건물에서 소비하는 전기 사용량으로 인해 발생하는 CO_2 배출량은

Scope 2 배출량에 해당한다. 마지막으로, Scope 3 배출량은 그 외 다른 간접적인 온실가스 배출을 뜻한다. Scope 3 배출량은 기업이나 조직의 영향력 하에서 발생하는 간접적인 온실가스 배출량을 포함하며 이는 기업의 공급망, 제품 수명 주기, 고객의 제품 사용 등과 관련된 배출량을 포함한다. 예를 들어, 제품을 생산하는 과정에서 원자재 생산과 운송에 따른 온실가스 배출, 그리고 고객이 제품을 사용하는 동안 발생하는 배출량이 Scope 3 배출량에 해당한다.

요약하자면, Scope 1은 직접적인 내부 배출량, Scope 2는 간접적인 내부 배출량(전력 사용 등), 그리고 Scope 3은 외부적인 영향에 기인한 간접적인 배출량을 나타낸다. 환경 규제의 내용과 방향성에 따라 규제되는 운영경계(Operation Boundary)가 바뀐다.

이 외에도 탄소 생산성을 측정하는 데는 에너지 소비, 산업별 배출계수, 제품 단위당 탄소 배출량과 같은 요소를 고려하는 다양한 방법이 존재한다. 탄소 생산성을 측정하기 위해 사용되는 구체적인 지표와 단위는 문맥, 산업 또는 평가 대상 조직에 따라 다를 수 있다. 하지만, 생산성을 측정하는 것은 회사, 산업 또는 경제의 환경 성과를 평가하고 모니터링하는 데 매우 중요하다. 이를 통해 배출 감소, 자원 효율성 개선 및 저탄소 기술과 관행의 개발 등의 기회를 식별할 수 있기 때문이다. 탄소 생산성을 측정하고 개선함으로써, 조직은 기후 변화 완화와 지속 가능한 목표 달성에 기여할 수 있다.

이런 탄소 생산성 지표를 바탕으로 본 연구에서 우리는 금융시장이 탄소생산성이 높은 기업을 덜 위험하게 평가하는지 (변동성이 낮을 것인지)를 조사하려고 하였다. 연구진들은 금융시장이 탄소생산성이 높은 기업을 지속가능성, 비용 절감 및 경쟁력 증대라는 세 가지 주요 경로를 통해 덜 위험하게 평가할 것으로 예측하였다. 탄소생산성이 좋은 기업은 지속 가능한 사업 모델을 채택하고 있다고도 볼 수 있다. 이는 환경에 민감한 규제나 탄소 가격 변동 등의 외부 요인에 민감하지 않고 안정적인 수익을 창출할 수 있는 기업 구조를 가지고 있다는 것을 의미한다. 이로 인해 기업의 수익이 예측 가능하며, 변동성이 낮아질 수 있다.

그렇다면, 투자자들이 왜 탄소생산성이 높은 기업에 투자 하려할 것이라고 연구진들은 생각했을까? 먼저, 탄소생산성이 좋은 기업은 기후변화 대응과 탄소 저감에 집중하는 경향이 있다. 이는 장기적인 비전과 전략을 가지고 있어 비즈니스 모델을 개발하고 실행할 수 있게 된다. 이러한 기업은 단기적인 변동성에 덜 민감하며, 장기적인 성과와 지속적인 가치 창출을 추구하는 경향이 있다. 또한, 탄소생산성이 좋은 기업은 지속 가능한 경영과 사회적 책임을 중요시하는 투자자들의 호응을 받을 가능성이 높다. 이는 투자자들이 장기적인 가치와 안정성을 추구하는 경향이 있기 때문이다. 탄소 저감과 관련된 기업은 ESG (환경, 사회, 지배구조) 요소에 높은 점수를 받고 투자자들의 관심을 끌어낼 수 있다. 이는 기업 주가의 변동성을 일정 수준으로 안정화시킬 수 있다. 탄소효율성이 높은 기업은 환경적으로 더 지속 가능하며, 점점 더 엄격해지는 규제와 탄소배출 감소에 대한 공공 압력에 대응하여, 더욱 견고한 경영 방식을 갖출 수 있을 것이다. 탄소배출을 줄이는 것은 에너지 비용과 낭비를 줄이고 자원효율성을 향상시켜 비용 절감을 이끌 수 있다. 마지막으로, 높은 탄소생산성을 갖는 기업은 환경에 민감한 소비자와 투자자를 유치하는 경쟁 우위를 가질 수 있다.

우리는 가설을 실증적으로 검증하기 위해, 기업의 실제 탄소배출량 데이터를 바탕으로 기업의 탄소생산성을 계산하였고, 탄소생산성과 기업의 주가 변동성 사이에 음의 상관관계가 있음을 발견했다. 즉, 탄소생산성이 높은 기업은 금융시장에서 긍정적으로 판단된다는 것이다. 또한, 연구진은 다양한 채널 중에서 정부의 기후변화 정책이 기업의 탄소생산성이 주가 변동성을 감소시키는 통계적으로 유의한 경로임을 발견했다. 이를 증명하기 위해 미국이 파리기후협약에 가입했다가, 트럼프 정부 때 탈퇴하는 이벤트를 기준으로 테스트를 했다. 파리 협정이 유효한 동안에는 탄소생산성이 우수한 기업과, 탄소생산성이 낮은 기업 사이의 주가 변동성의 차이가 유의미하게 컸지만, 파리기후협약을 탈퇴한 후에는 탄소생산성이 높은 기업들과 낮은 기업들 사이의 주가 변동성 차이가 확연하게 줄어들었다. 그림 16을 살펴보면 그 결과를 직관적으로 살펴볼 수 있다. 파리기후협약에 가입하기 전인 2011년~2015년 사이에는 탄소생산성이 높은 기업군과 낮은 기업군 사이의 평균 주가변동성 차이가 약 0.06정도였다. 미국이 파리기후협약에 가입하고 탈퇴하기 전까지 2016년~2017년 사이에는 그 차이가 0.15까지 높아졌다. 즉, 탄소생산성이 높은 기업들에 대해서 금융시장에서 덜 위험한 기업군으로 인식하고 평가하기 시작했다는 뜻이다. 하지만, 파리기후협약을 탈퇴한 후인 2018년~2020년 사이에는 탄소생산성이 높은 기업군과 낮은 기업군 사이의 주가변동성 차이가 0.04로 줄어들었다. 즉, 금융시장에서 기업의 리스크를 평가하는 데에 있어서 탄소생산성은 파리기후협약 탈퇴 후에는 중요한 지표가 아님을 시사한다. 이런 결과를 보아, 정부의 기후변화 정책과 그 방향성들이 얼마나 금융시장에 중요한 역할을 하는지 알 수 있다.

본 연구에서 밝혀낸 탄소생산성의 증가와 위험, 감소 간의 강한 음의 상관관계는 기업과 투자자 모두에게 중요한 함의를 하고 있다. 본 연구는 금융시장에서 투자결정을 개선하는 데 도움을 줄 수 있다. 투자 포트폴리오 구성에 있어서 기업의 주가 변동성은 상당히 중요한 지표이다. 따라서, 이런 연구결과를 토대로 투자자들은 더 많은 정보를 활용하여 판단력 있는 투자 결정을 내릴 수 있으며, 궁극적으로 탄소생산성을 투자 의사결정의 중요한 요소 중 하나로 판단할 수 있을 것이다. 또한, 기업 경영자들은 탄소생산성의 영향을 고려하여 위험 관리를 개선할 수 있을 것이다.

최근 몇 년 동안, 기업들은 지속 가능한 개발과 기후변화 문제에 대한 대응을 강조하고 있다. 기업은 단순히 환경 규제를 준수하는 것을 넘어서 탄소배출을 감소시키고, 자원을 효율적으로 사용하는 방법을 모색하고 있다. 이러한 노력은 기업의 경쟁력과 지속 가능한 성장을 위해 필수적이다. 따라서 기업들은 기후변화에 적극적으로 대응하고, 탄소배출을 줄이는 정책을 수립하며, 배출량 저감 기술과 혁신을 추구하여, 지속 가능한 비즈니스 모델을 구축하는 노력이 필요하다. 이를 통해 기업은 기후변화로 인한 위험을 최소화하고 새로운 기회를 창출할 수 있을 것이다.

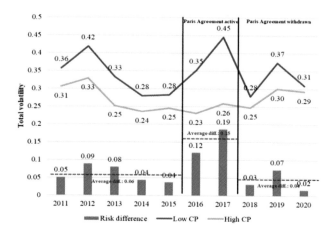

그림 2. 연도별 탄소 생산성이 높은 기업군과 낮은 기업군 사이의 총변동성 분포

출처: Jung et al, 2023

제4장
탄소중립의
정치학

탄소중립과 정치적 양극화
- 김청일, 정지범

탄소중립과 경로 고착
- 조봉경, 송창근, 정지범

▽ 제4장 탄소중립의 정치학

6. 탄소중립과 정치적 양극화[5]

김청일, 정지범 (UNIST)

기후위기에 대한 인식의 차이로 인해 "탄소중립과 정치적 양극화"라는 주제가 일부 사람들에게는 낯설 수 있다. 탄소중립은 기후변화대응에 있어 전 세계 이해관계자들의 공동의 목표이자 중립적 성격을 띠는 목표이기 때문이다. 그럼에도 불구하고, 이해관계자들 간의 정치적 입장과 견해 차이로 인해 탄소중립을 위한 에너지정책에 대한 양극화 현상은 더욱 심화되고 있는 실정이다.

아래에 나열된 20대 대통령 선거 후보별 에너지정책 공약을 확인하고, 자신이 지지했던 에너지 정책을 떠올려보자. 혹시 자신이 지지하는 정당의 후보가 내세우는 에너지정책 공약에 더 큰 관심을 가지고 지지했던 것은 아닌지 생각해보자. 우리가 얼마나 중립적인 시각으로 에너지 정책을 선택하고 지지하고 있는지, 탄소중립시대에 우리사회에 확산된 에너지정책에 대한 정치적 양극화 현상을 이해하는

---

5 이 글은 현재 심사 중인 "Political Polarization and the Energy Policy Paradox: Assessing the Impact of South Korea's Nuclear Phase Out Policy" 논문 내용을 바탕으로 작성되었으며, 참고문헌 역시 상기 논문에서 인용한 참고문헌을 기반으로 하였다.

것이 필요하다.

<표 1> 20대 대선 후보별 에너지 정책 공약

	더불어민주당	국민의힘	정의당	국민의당
	이재명	윤석열	심상정	안철수
기후위기대응	기후에너지부 신설 (산업통상자원부+환경부)	실천가능한 NDC 목표 재설정 필요	기후에너지부 신설 및 대통령 직속 '탈탄소사회 전환위원회' 설치	산업통상자원부 → 산업자원에너지 개편
	2040년까지 탄소중립, 2030년 NDC 목표 40%↑	탄소세 도입으로 산업전환 지원		
재생에너지	2030년까지 신재생에너지 30%	재생에너지와 원자력의 조화 필요	2050년까지 재생에너지/수소에너지 100% 달성	원자력 35%, 재생에너지 35%, 기타에너지 30% 등 에너지믹스 로드맵 구축
원자력발전	탈원전 기조를 이어가며 감원전 정책 추진	탈원전 백지화 통해 원전 건설 재개	2040년 원전 완전 폐기	원전 건설 재개

자료: News1 (2022, February 18)의 그림을 참조하여 재정리

에너지정책에 대한 정치적 양극화는 전 세계적으로 나타나는 현상이다. 특히 탄소중립을 달성하기 위한 에너지 전환 과정에서 정치적

양극화는 주요 선진국인 유럽 연합, 영국, 호주, 캐나다, 미국 등에서 주로 발생하며, 이는 보수적인 정당과 진보적인 정당 간에 에너지 공급과 환경 문제에 대한 견해 차이에서 비롯된다 (McCright & Dunlap, 2011, Schmidt et al., 2019). 이러한 견해 차이는 이들 국가 내에 다양한 이해관계자들이 자신의 정치적 이념에 따라 에너지 정책을 다르게 보고 있음을 반영한다.

보수 정당은 석유 및 천연가스 산업을 선호하며, 에너지 가격의 안정성과 공급의 신뢰성을 중요시한다. 저렴하고 신속한 에너지 공급을 우선시하며, 이것이 경제의 안정성을 유지하는 데에 도움이 되는 것으로 본다. 반면, 진보 정당은 환경문제와 기후변화에 대한 우려가 크며, 지속가능한 에너지 발전과 에너지 전환을 강조한다. 이에 따라 재생에너지 산업의 확대와 국내 에너지 생산의 증가를 선호하며, 환경보호와 에너지원의 지속성을 우선시한다 (Biresselioglu & Karaibrahimoglu, 2012, Cadoret & Padovano, 2016, Apergis & Pinar, 2021, Mayer, 2019).

우리나라는 이러한 국가들과 유사한 경향을 보이면서도 일부 차이가 있다. 개인의 정치적 이념에 따라 에너지정책에 대한 시각이 다르다는 점은 유사하지만 양극화가 되는 대상이 다르다. 오랜 기간 우리나라는 경제성장을 위해 생산비용이 낮고, 지속적인 자원 확보가 가능한 원자력을 중심으로 에너지정책을 추진해왔다. 원자력은 경제성장을 위한 주요 에너지원으로 고려되었다. 이로 인해, 화석연료와 재생에너지 간의 양극화보다는 "친원전 vs. 탈원전", "친원전 vs. 재생에너지" 간의 양극화 문제가 부각되었다. 특히 후쿠시마 원자력 발전소 사고 이후 이러한 현상은 더욱 강화되었다.

2017년 문재인 대통령 당선 이후, 우리나라 에너지정책은 큰 변화를 겪었다. 문재인 정부는 석탄화력발전소 폐쇄와 원전 감축 등의 에너지정책을 추진하였다. 이 과정에서 에너지정책에 대한 양극화는 더욱 심화되었다. "친원전"과 "탈원전"을 두고 진영 간의 논쟁이 확산되었고, 진보적인 정치 성향의 사람들은 탈원전과 재생에너지 확대를 주장하고, 보수적인 정치 성향의 사람들은 원전을 지지하는 입장을 취하였다.

문재인 정부는 에너지정책에서 정치적 양극화가 심화되는 문제를 해결하기 위하여 시민참여를 확대하는 노력들을 기울였다. 기존의 정부와 에너지 업계의 엘리트 집단에 의해 결정되던 권위적 의사결정방식에서 벗어나 시민참여형 거버넌스 방식을 도입하였다. 대표적인 사례로 신고리 5, 6호기 원자력발전 건설 결정을 위하여 도입된 '시민 참여형 공론화 방식'이 있다. 이 방식은 일부 이해관계자나 엘리트만이 결정하는 일방적인 정책결정방식의 한계를 극복하고, 시민참여를 통해 정책의 수용력을 향상시키는 것을 목표로 하였다.

문재인 정부의 에너지정책은 우리나라 에너지정책의 역사에서 큰 획을 그었다고 평가할 수 있으나 그만큼 다양한 과제를 남겼다. 시민참여형 탈원전 정책과 재생에너지 확대 정책이 오히려 정치적 양극화를 심화하였으며 이로 인해 더욱 큰 갈등이 만들어졌다는 우려와 비판이 제기되었다.

탈원전선언부터 탄소중립선언까지

우리나라는 수십 년 동안 원자력을 주요한 에너지원으로 채택하여 왔다. 이는 국내 에너지 자원이 부족하고 해외 전력망과의 연결이 어려운 지리적, 경제적 문제에 기인한 바가 크다. 원자력은 석탄, 석유, 천연가스와 같은 화석연료 부족 및 수입 의존성을 극복하기 어쩔 수 없는 대안 중 하나였다 (Jin, 2021, Park & Jang, 2019). 원자력은 안정적인 연료 수급과 대량 전력 생산이 가능하여, 현재 우리나라 총 발전량 중 약 30%를 공급하는 중요 기저부여 역할을 담당하고 있다.

그러나 2011년 후쿠시마 원전 사고 이후 원자력 발전에 대한 우려가 커지게 되었다. 이 사고로 인해 에너지 정책 추진 과정에서 원자력발전소 안전문제가 가장 중요한 정책적 고려사항이 되었고 원자력발전을 반대하는 목소리도 힘을 얻게 되었다. 이에2017년 문재인 대통령 취임 이후, 정부는 환경 보호와 지속가능한 에너지 사용을 강조하며 기존 원자력 발전 정책의 변화를 추진하였다.

첫째, 탈원전 정책이 도입되었다. 원자력 의존도를 줄이기 위하여 '원자력 발전 감축' 방향으로 정책 방향을 조정하였으며, 원자력 발전소의 건설 중단과 폐쇄 등의 조치를 추진하였다.

둘째, 재생에너지 개발과 보급을 적극적으로 지원하였다. 2030년까지 재생에너지 비중을 20%로 증가시키는 목표를 설정하고, 태양광, 풍력 등의 재생에너지 발전을 확대하였다.

셋째, 시민참여가 확대되었다. 에너지정책 결정에 있어서 시민들의 참여와 의견을 존중하고 반영하기 위한 노력을 기울였다. 숙의 과정을 통해 에너지정책에 대한 다양한 의견을 수렴하여 정책의 합리성과 투명성을 높이는 데 주력하였다 (Barthe et al., 2020, Cho, 2020, Kim, 2014, Chung, 2020). 시민참여의 확대는 정치적 갈등 문제를 해결하고자 하는 노력의 일환으로, 정부의 에너지정책에 대한 폭넓은 지지와 합의를 모색하고자 하였다.

아래 그림은 문재인 정부의 주요한 에너지 정책을 보여주는 이정표이다. 2017년에 문재인 대통령은 우리나라의 원자력 의존도를 점진적으로 줄이기 위하여 '탈원전'을 선언하였다. 그러나 이 선언은 2017년 7월에 신고리 5, 6호기 원자력발전소 건설 중단 논란을 일으키며 정치적 논쟁의 대상이 되었고, 2017년 10월에는 이 문제에 대한 공개적인 토론이 진행되었다. 2018년 6월에는 월성 원자력발전소의 폐쇄가 예정보다 빠르게 이루어졌으며, 탈원전반대 단체에서는 이에 대한 문제제기를 하고 청와대 관계자들을 고발하였다. 2020년 11월에는 이 폐쇄 결정에 대한 검찰 수사가 시작되었다. 이에 따라 산업통상자원부와 한국수력원자력 등의 전직 공무원들이 폐쇄 결정에 정치적 동기가 있었을 수 있다는 의혹으로 수사를 받았다. 2020년 12월에는 문재인 대통령이 2050년까지 탄소중립을 달성하겠다는 목표를 선언하며, 정부의 재생에너지로의 전환 의지를 확고히 하였다. 문재인 정부의 이러한 노력들은 우리나라의 에너지정책이 지속가능한 에너지 개발과 환경보호를 중요시하는 방향으로 변화한 것을 보여준다.

이와 같이 우리나라는 에너지 안보와 탄소중립을 모색하는 과정에서 다양한 이슈에 직면해왔다. 특히, 문재인 정부는 정치적 입장에 따른 에너지전환에 대한 양극화 문제에 대응하기 위해 시민참여형 탈원전 및 재생에너지 지원 성책을 추진하였다. 그러나 2022년 5월 20대 대선에서 보수 정당 후보인 윤석열 후보가 당선되면서 원자력 발전의 중요성이 다시 부각되었다. "친원전 vs. 탈원전", "친원전 vs. 재생에너지" 지지자 간의 갈등과 의견 충돌이 심화되고 있다. 이러한 현상은 우리 사회에서 에너지 이슈가 여전히 정치적 성격을 띠는 주제임을 보여준다.

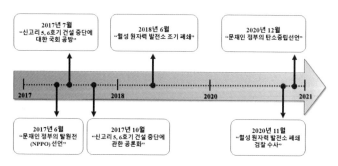

그림 1. 문재인 정부의 주요 에너지정책 이정표

정치적 성향에 따른 에너지원 선호도

대중들은 일반적으로 태양광, 풍력 등 재생에너지를 선호한다. 보다 깨끗하고, 친환경적이라는 인식이 있고, 재생에너지가 기후변화에 대응하는 수단이라는 것에도 동의한다. 이러한 경향은 우리나라뿐만이 아니라 유럽, 일본 등 대부분의 다른 나라에서도 유사하게 나타난다. 실제로 2017년 설문조사 결과 (Chung & Kim, 2018)를 참조하면 이러한 성향은 뚜렷하게 나타난다.

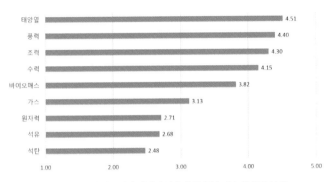

그림 2. 2017년 한국인의 에너지 선호 순위 (점수가 높을수록 선호)

출처: Chung & Kim, 2018

위 그림에서 확인할 수 있듯이 우리나라 국민들은 태양열, 풍력, 조력, 수력 등 재생에너지를 석유나 석탄 등 화석연료에 비하여 선호하는 것을 알 수 있다. 원자력의 선호도도 역시 화석연료와 마찬가지로 낮은 편인데, 이는 2011년 후쿠시마 원자력발전소 사고의 영향이 남아있기 때문인 것으로 보인다.

원자력에 대한 선호도는 그 사람이 가진 정치적 색채에 따라 매우 다른 특성을 보이곤 한다. 이는 비단 우리나라만의 경향은 아니고 전세계적으로 유사한데, 미국의 사례를 살펴보자. 미국의 여론조사 기관 갤럽에서는 매년 미국인들의 원자력에 대한 선호도(favor)를 조사하는데, 그 결과를 보면 응답자의 정치색에 따라 선호도가 큰 차이를 보이고 있다. 즉, 정치적으로 보수적인 공화당 지지자들의 원자력에 대한 선호도가 민주당 지지자들에 비하여 높은 것을 확인할 수 있다. 그리고 이 차이는 꾸준히 지속되고 있음을 알 수 있다.

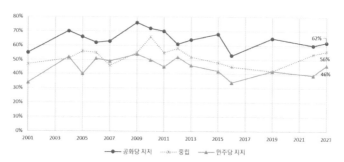

그림 3. 미국인의 원자력에 대한 선호도의 정당

출처: Gallup, Americans' Support for Nuclear Energy Highest in a Decade, 2023.04.25.
https://news.gallup.com/poll/474650/americans-support-nuclear-energy-highest-decade.aspx

우리나라 역시 국민들의 정치색에 따라 원자력에 대한 선호도는 큰 차이를 보이고 있다. 2018년도 설문조사 결과를 보면 어떤 정당을 지지하느냐에 따라 원자력에 대한 선호도도 차이를 보이고 있음을 확인할 수 있다. 반면 태양광에 대한 선호도는 지지 정당에 따라 큰 차이를 보이지 않고 있다.

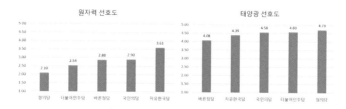

그림 4. 2017년 우리나라 국민의 지지 정당에 따른 에너지 선호 차이

출처: Chung & Kim, 2018

지지 정당에 따른 에너지원 선호도 변화

　문재인 정부의 탈원전 정책이 추진되는 과정에서 국민들의 에너지 선호는 어떻게 바뀌었을까? 아래 그림은 2017년과 2021년에 실시한 설문조사 자료를 바탕으로 보수 성향을 가진 '국민의힘'과 진보 성향을 가진 '더불어민주당' 지지자들 사이에서 원자력, 태양광, 석유에 대한 선호도를 비교한 결과이다. 이 그림을 통해 정치적 성향에 따라 에너지 선호도가 어떻게 달라지는지 한눈에 확인할 수 있다.

　설문조사는 2017년 4월 12일부터 24일까지와 2021년 11월 15일부터 12월 6일까지 두 차례에 걸쳐 진행되었다. 첫 번째 설문조사는 18세 이상의 대상자 952명을 대상으로 실시하였고, 두 번째 설문조사는 18세 이상의 대상자 1,086명을 대상으로 온라인을 통해 진행되었다. 이 설문조사의 참여자들은 17개 광역지자체, 성별, 연령 그룹에 따라 계층화된 무작위 추출 방법을 통해 선택되었다.

　문재인 정부의 탈원전 정책이 진행되는 동안 두 정당 지지자들 사이의 에너지원별 선호도 격차가 지속적으로 확대되는 양극화 경향이 나타났다. 특히 눈에 띄는 것은 태양광 선호도 차이가 0.21에서 0.72로 크게 늘어났다는 점이다.

그림5. 지지 정당에 따른 에너지원 선호도 변화 (2017년 → 2021년)

이러한 결과는 정치적으로 보수적인 사람들이 원자력을 더 선호하는 경향이 있고, 정치적으로 진보적인 사람들은 재생에너지를 더 선호하는 경향이 있다는 사실을 보여준다. 문재인 정부의 탈원전 정책 추진 과정에서 이러한 격차가 더욱 커졌음을 나타낸다. 다시 말해, 문재인 정부 이전에는 정치적으로 중립적인 성격을 띄었던 신재생에너지가 문재인 정부의 탈원전 정책이 진행되면서 정치적 성격을 가진 에너지원으로 변화했다는 해석이 가능하다.

탈원전 정책이 남긴 과제

문재인 정부의 에너지 정책은 크게 세 가지 특징을 가진다. 첫째, 2011년 후쿠시마 원전 사고가 발생한 이후 원자력 발전 안전에 대한 우려로 탈원전 혹은 감(減)원전 정책을 추진하였다. 둘째, 기후변화대응을 위하여 재생에너지의 중요성이 강조되었다. 셋째, 시민 참여를 통해 신고리 원전 5, 6호기 원자력발전소 건설과 같은 민감한 문제에 대한 사회적 갈등을 최소화하려는 노력을 기울였다.

하지만 이러한 정책은 장기적으로 성공적이지 못하였다. 오히려 문재인 정부 기간에 에너지 정책과 관련한 정치화와 양극화는 심화되었다. "원전반대 vs. 원전지지"와 "원자력 vs. 재생에너지" 논쟁으로 인해 정치적 대립이 더욱 심화되었으며, 정부의 임기가 끝나는 시점에는 더 깊은 분열이 나타났다.

2017년과 2021년에 실시한 설문조사 데이터를 분석한 결과, 문재인 정부 임기 말에는 특히 원자력과 태양광에 대한 선호도 차이가 보수적인 정치 성향과 진보적인 정치 성향의 사람들 사이에서 더욱 심화되었다. 특히 재생에너지에 대한 선호도 격차는 크게 차이가 났다. 재생에너지에 대한 대중의 선호도는 문재인 정부 초반에는 차이가 크지 않았다가 임기 말에는 상당한 격차로 벌어졌다. 이는 재생에너지가 초기에는 정치적으로 중립적인 에너지로 인식되었으나, 시간이 흐름에 따라 정치적 양극화되었음을 보여준다.

정치적 양극화를 극복하고 효과적인 시민 참여형 에너지 전환을 실현하기 위해서는 시민 참여의 성과와 역할을 체계적으로 탐구할 필요가 있다. 또한 에너지 전환을 방해하는 정치적 교착상태를 해결하고, 지속가능한 에너지정책을 구현하기 위하여 우리가 취할 수 있는 조치에 대한 논의가 필요한 시점이다.

7. 탄소중립과 경로 고착[6]

조봉경, 송창근, 정지범 (UNIST)

기후변화가 우리 삶에 점점 더 큰 영향을 미치고 있다. 탄소중립 사회로의 전환을 위해서는 급변하는 기후 환경에 우리 사회 전체가 적응하고, 기후 변화 추세를 완화하기 위해 사회 모든 부분의 노력이 필요하다. 산업, 농업, 운송, 건설, 임업, 에너지 등 주요 경제 부문의 혁신이 필요하지만, 이 과정에서 다양한 마찰과 갈등이 발생하곤 한다.

기후변화 대응에서 발생하는 갈등을 슬기롭게 해결하기 위해서는 새로운 국정 운영 방식이 필요하다. 국가는 탄소중립을 달성하기 위해 주도적 역할을 담당하지만, 국가뿐만 아니라 기업과 민간, 시민사회 등 다양한 이해당사자가 협력하여 기후변화에 대응해야 한다. 우리는 이 어려운 과제를 해결하기 위해 다양한 행위자의 이해관계를 조정하고, 갈등을 관리하고, 궁극적인 합의를 도출해야 한다. 그러기 위해서는 과거와 같이 정부가 문제를 일방적으로 해결하고 통치하는 방식 대신, 다양한 행위자들이 함께 머리를 맞대고 협력하여 공공문제를 해결하는 협력적 '거버넌스(governance)' 과정이 필요하다(정정길 외., 2003).

오늘날 복잡하고 불확실한 문제를 해결하기 위해 다양하고 폭넓은

---

6 이 글은 조봉경, 정지범, 송창근(2023) "National Climate Change Governance and Lock-In: Insights from Korea's Conservative and Liberal Governments' Committees" Energy Strategy Reviews(50)에 게재된 논문 내용을 수정 및 보완한 것이다.

이해당사자가 참여하여 서로 소통하고, 합의를 도출하는 거버넌스 과정은 필수적이다. 세계 여러 국가들이 기후변화에 대응하기 위해 탄소중립 목표를 설정하고, 이를 달성하기 위한 거버넌스를 구성하고 있다. 각 국가의 거버넌스 방식은 조금씩 다를 수 있지만, 참여자들이 테이블에 둘러 앉아 의사소통하고 합의를 도출할 수 있는 '위원회(Committee)' 방식을 주로 활용하고 있다. 그러나 서로 입장이 다른 행위자들이 거버넌스를 구성하여 협력하고, 합의를 도출하는 일은 쉽지 않은 과제다(Meadowcroft, 2009).

탄소중립 거버넌스

협력적인 거버넌스(collaborative governance) 개념이 떠오르게 된 배경에는 두 명의 저명한 사회학자가 있다. 바로 위르겐 하버마스(Jurgen Habermas)와 앤서니 기든스(Anthony Giddens)다. 과거에는 정부가 정책을 수립할 때는 투자한 비용에 비해 가장 효과적이고 경제적인 수단을 선택하는 도구적 합리성을 우선시해왔다. 그러나 하버마스는 이런 도구적 합리성을 비판하면서, 의사소통적 합리성을 제안했다. 의사소통이란 목적이나 가치가 다른 이해당사자들이 서로의 목적을 달성하려는 사고 및 행동 방식 대신, 서로를 이해하려고 노력하면서 서로의 뜻과 주장을 조정하는 행위다(Habermas, 1995). 하버마스는 서로 소통하려는 노력을 통해 문화와 구조가 형성되고 변형된다고 주장한다. 이런 주장은 기든스의 구조화 이론(theory of structuration)과 맞닿는다. 기든스는 우리가 구조적 힘에 의해 형성되고 영향을 받듯이, 우리도 구조적 힘을 형성하거나 변형시킬 수 있다고 주장한다. 우리의 사유방식 변화와 의식적 성찰을 기반으로 일상생활의 다양한 실행을 통해 가능하다. 이러한 이론적 배경을 바탕으로 패치 힐리 (Healey, 2004)는 협력적 계획, 거버넌스 과정의 필요성을 주장한다. 힐리는 계획을 참여자들이 상호작용하는 과정으로 인식하면서, 계획과정 자체를 거버넌스 활동으로 설명한다.

협력적 거버넌스의 특징을 살펴보면 다음과 같다. 먼저, 계획과정에 참여하는 행위자들의 관계와 상호작용을 강조한다(Healey, 2004). 누가 관심을 갖고 참여하는지, 서로 어떤 관계를 가지는지를 주목한다. 기존 계획과 또 다른 특징은 계획 과정을 사회적 학습 과정으로 생각한다는 점이다. 단순한 상호작용 과정이 아니라 적극적으로 새로운 아이디어를 생각해내거나, 서로 이야기하고 학습하면서 사고방식이 변화하는 과정으로 여긴다 (서순탁, 2005, 조봉경, 2021).

기후변화에 대응하기 위해 가장 먼저 설립된 거버넌스는 2008년 영국의 기후변화위원회(Climate Change Committee, CCC)다. 영국 기후변화위원회는 기후변화법을 토대로 충분한 자원 및 분석 기술을 바탕으로 정책 조언을 하면서 정치적 토론을 발전시켰다는 긍정적 평가를 받고 있다(Averchenkova et al., 2018, Averchenkova et al., 2021). 또한 장기적으로 지속가능한 탄소 저감 경로에서 이탈을 방지하는 가드레일 역할을 할 수 있다는 평가를 받기도 했다(Fankhauser et al., 2018). 실제로 기후변화위원회가 활동하고 나서 영국의 탄소배출량 감속 속도가 가속화되기도 했다. 이와 같이 영국의 기후변화위원회는 대부분 긍정적인 평가를 받고 있으나, 거버넌스라는 특성상 위원회의 권한과 정치적 지속가능성이 불확실하다는 우려가 있고(Lockwood, 2013), 거버넌스라는 수사(rhetoric)에도 불구하고 정치적 리더십은 결여되어 있으며, 부서간 조정 능력이 부족하다는 지적도 제기되고 있다 (Averchenkova et al., 2021).

많은 국가들이 영국의 기후변화위원회를 벤치마킹하여 위원회를 구성해서 운영하고 있다. 독일은 기후전문가위원회(Expertenrat fur Klimafragen)를 설립했고, 덴마크도 관련 법을 개정하고 기후변화위원회(the Danish Council on Climate Change)를 설립하였다. 한국에서도 각 정부마다 위원회를 구성하여 운영하고 있다. 이명박 정부는 2009년 녹색성장위원회, 문재인 정부는 2021년 탄소중립위원회, 윤석열 정부는 2022년 탄소중립녹색성장위원회를 구성하여 운영하고 있다. 정권이 교체될 때 마다 구성된 각 위원회의 명칭은 다르지만, 모두 기후변화에 대응하는 컨트롤타워 역할을 하면서 탄소중립과 관련된 주요 계획 및 이행에 대한 자문과 심의라는 공통의 목적을 가지고 있다.

탄소중립을 달성하기 위한 거버넌스 과정에는 우리가 해결해야할 두가지 과제가 있다. 첫째, 거버넌스 과정이 정치에서 완전히 자유로울 수는 없겠지만, 이 과정 자체가 지나치게 정치화 되어있다는 것이다. 세부적으로 보면 탄소중립과 관련된 에너지 이슈, 예를 들면 원자력이나 신재생 에너지 등 관련 이슈가 정치화된다는 문제가 있다. 동시에 거버넌스 자체가 정권교체와 같은 정치체제에 영향을 과도하게 받는다는 문제가 존재한다. 한 국가의 정책이 정치적 영역에서 벗어날 수는 없으나, 과도하게 정치화될 경우 잦은 정책변동으로 의도한 정책 결과를 얻기 어려워진다. 둘째, 한국의 에너지 정책이 정치 외에도 산업, 행정 제도, 국제관계 등 여러 분야에서 이미 관성을 가지고 있다는 점이다. 이처럼 다양한 분야에서 원래 하던 방향대로 가려는 특성, 즉 경로의존적 특징이 탄소중립 거버넌스 과정을 제약할 수 있다.

탄소중립 거버넌스와 정치체제

탄소중립을 달성하기 위해서는 장기적이고 일관된 계획이 지속되어 야 한다. 국가의 기후변화 대응 목표를 어렵게 하는 요인 중 하나는 관 련된 이슈가 과도하게 정치화되는 것이다. 영국을 비롯한 많은 국가 에서 기후변화 이슈의 가장 큰 특징이 '정치화'라는 연구가 있다. 그리 고 기후변화 이슈가 정치화될수록 정책결정을 서두르는 경향이 있다 (Carter, 2008). 특히 미국처럼 당파적 양극화가 심하고, 그에 따른 기 후변화 정책 선호도 크게 다를 경우, 정권이 교체될 때 마다 기후변화 정책이 크게 변화하는 것을 볼 수 있다(Mildenberger, 2021). 오바마 가 추진했던 강력한 기후변화 대응 정책은 트럼프 행정부가 집권하면 서, 파리협약을 탈퇴하는 등 후퇴하기 시작한다. 그러다 다시 바이든 정부가 들어오면서 파리협약에 재복귀하고, 기후변화에 강력하게 대 응하기 시작한다.

세계 여러 국가들은 제각기 다른 정치제도를 채택하고 운영하고 있 는데, 각 국가마다 정치제도 특징이 탄소중립 이슈와 예산, 투자, 위원 회 운영 등에 영향을 미치기도 한다. 예를 들어 비교적 합의에 기반한 민주적 제도를 가진 북유럽, 오스트리아, 독일, 스위스 같은 국가들의 정책 변화는 점진적이고, 정책의 변동 가능성도 낮다. 반면, 경쟁적이고 적대적인 정치제도를 가진 미국, 호주, 캐나다의 경우 급진적인 정책 변화를 겪으며, 정책 반전의 위협이 존재한다. 특히 정당간 합의가 잘될 경우 탄소중립 정책에 투자를 많이 하는 경향도 있다(Finnegan, 2022). 정당 체제의 차이가 이슈의 경쟁구조에 영향을 미칠 수 있다는 연구도 진행되었다. 아일랜드보다 상대적으로 양극화가 심한 영국을 비교한 결과, 보수와 진보 정당간 정치적 성향 차이가 클수록 기후정책에 미치는 영향이 크고, 기후정책 대응을 제한하는 경향이 있다고 했다. 반면, 보수와 진보 정당간 정치적 성향 차이가 작을수록 기후정책에 합의를 지지하는 경향이 있었다(Carter & Little, 2021).

한국의 기후정치와 탄소중립 거버넌스

한국은 중앙정부 주도로 급속한 경제성장을 이루었다. 경제 성장의 발판이 되었던 주요 산업들을 지탱하기 위해서는 저렴한 에너지원의 안정적인 확보가 절대적이다. 그러나 한국의 지정학적 위치와 상황은 에너지 측면에서 커다란 제약요인을 가지고 있다. 먼저, 분단이라는 특수한 상황으로 인해 유라시아 대륙과 직접적인 연결이 어렵기 때문에 유럽처럼 전력을 수입할 수 없다. 또한 한국은 에너지자원의 90%를 해외 수입에 의존하는 에너지 자원 빈국이다(Chung & Kim, 2018). 안정적인 전력 공급이 필수적인 상황에서 한국의 높은 에너지 자원 의존도는 국제적 상황과 질서에 민감하게 만들었다.

한국의 기후변화 문제는 매우 과학적이면서도 정치적인 문제다(Chung, 2020). 특히 원자력과 신재생에너지에 관한 논쟁은 기후 정치의 핵심 사안이다. 한국의 탄소중립과 관련된 기후 및 에너지 이슈들은 정권에 따라 변화해왔다. 한국에서 기후와 관련된 정치적 논쟁은 2000년대 후반부터 출발한다. 이명박 정부는 저탄소 녹색성장을 국가 비전으로 제시하고, 녹색성장위원회를 구성했다. 녹색성장은 기후와 환경보호 문제보다 경제발전과 일자리 창출에 중점을 두면서 그린워시(Green wash)[7]라는 비판을 받기도 했지만(김현우, 2021), 한국 최초로 기후와 관련된 의제(agenda)를 국가적인 의제로 제시했다는 점에서 의미가 있다. 이후 녹색성장에 큰 관심이 없던 박근혜 정부가 출범하자, 녹색성장위원회는 유명무실해졌다. 이 시기부터 미세먼지 문제가 심각해졌고, 문재인 대통령은 취임직후 미세먼지 응급 감축을 지시했다. 석탄화력발전소 일시적으로 가동을 중단하고, 미세먼지 대책기구를 설치하면서 미세먼지 문제가 국가 의제로 격상했다.

한국의 정권별 기후 관련 거버넌스를 살펴보자. 한국의 거버넌스는 역사가 길지 않고, 실제 거버넌스가 제대로 작동하는지에 대해서도 의문이 존재해왔다(Kim, 2020). 특히 과학기술과 경제 영역에 있어 '전문가 중심' 성향으로 인해 에너지 정책의 시민참여는 배제되었고, 전문가들만의 리그가 되어왔다(진상현, 2020). 그러다가 김영삼 정부가 들어서면서 공공부문이 축소되고, 규제가 완화되기 시작했다. 김대중 정부부터 환경단체 대표들이 위원회에 참여하기 시작했고, 노무현 정부는 환경단체 참여를 의무화하면서 개방적인 거버넌스를 시도했다. 가장 큰 변화는 2017년 문재인 대통령이 실시한 신고리 원자력발전소

---

7   그린위시(Green Wash)란 기업이 실제로는 환경에 위해되는 물질을 배출하면서 친환경적인 이미지 광고 등을 통해 '녹색' 이미지로 포장하는 것을 말한다. 녹색을 뜻하는 green과 지저분한 것으로 발라 숨긴다는 뜻의 white wash의 합성어다.

5, 6호기 중단과 관련된 공론조사다. 성별, 연령별, 지역별 500명의 유권자를 표본으로 선정하여 자료를 전달하고, 토론하고, 이 상황을 방송으로 보도했다(Chung, 2020). 원자력이라는 도전적이고 논쟁적인 질문을 일반시민들에게 던지고, 공론조사(deliberative polling) 형식으로 공론화하면서 참여의 지평을 넓히기도 했다.

정리하면, 한국의 정권별 에너지 정책을 정치적 성향에 따라 구분해 볼 수 있다. 먼저 보수정권인 이명박 정부는 화석연료 기반의 에너지 수요 관리, 친원전 정책을 시행했다. 반면, 진보정권인 문재인 정부는 석탄발전을 일시 가동 중단하는 등 탈석탄, 탈원전 정책을 공약으로 내세웠다. 이후 보수정권인 윤석열 정부가 출범하자, 다시 원전에 우호적인 정책을 결정한다.

한국 에너지 거버넌스를 살펴본 연구에 따르면, 행정부가 정치적 이념에 따라 위원회와 구성원을 변경하면서 매우 전략적으로 거버넌스를 활용한다고 한다(Kim, 2020). 진보정권은 위원회를 운영할 때 참여와 협력, 협의를 중시하고, 에너지 정책은 반핵주의 논리가 의사결정에 더 큰 영향을 미치도록 제도를 구성한다면, 보수정권은 참여를 축소하고, 원자력 에너지를 선호하는 방향으로 거버넌스를 설계했다. 이처럼 기후변화 관련 주요 이슈들이 정치화되면 장기 계획에 대한 신뢰와 지속가능성이 낮아진다. 결국, 기후변화 이슈의 정치화로 인해 탄소중립을 달성하기란 더욱 힘들어질 수 있다.

한국 탄소중립 거버넌스 비교

정권에 따라 에너지정책의 선호도 다르고 그에 따라 거버넌스의 명칭과 구성도 크게 변화했다. 기후변화 거버넌스가 표방하는 것이 변화한만큼, 실제 기후변화 거버넌스 역량과 역할 및 과정도 크게 변화했을까. 이를 알아보기 위해 대통령령으로 기후변화 거버넌스가 운영되었던 이명박 정부의 녹색성장위원회와 문재인 정부의 탄소중립위원회를 비교했다. 거버넌스 과정을 비교할 때는 크게 어떤 이해당사자로 구성되었는지, 어떻게 의사소통을 했는지, 사회적 학습과정을 거쳤는지, 도출한 합의를 이행했는지 등을 기준으로 분석했다.

의사소통은 일방적인 것이 아니라 양방향적 참여가 가능한지, 개방적인지 여부도 고려해야 한다. 먼저 이해당사자 구성을 살펴보면, 녹색성장위원회는 3개 분과로 국무총리와 민간위원장1명, 26명의 민간위원으로 구성되었다. 탄소중립위원회는 8개분과로 국무총리와 민간위원장, 민간위원 75명으로 구성되었다. 녹색성장위원회의 구성원은 주로 대학교수들이 많았으며, 경제분야의 전문가에 집중되어 있었다. 반면, 탄소중립위원회는 시민단체, 청년, 종교단체 등 다양한 분야의 이해당사자를 포함하고 규모도 커졌다. 위원회를 구성하면서 연령, 지역, 성별에 따라 분배하는 등 대표성을 충족시키기 위한 노력을 기울였다.

녹색성장위원회는 다수의 행위자는 참여하지 못하는 폐쇄적인 구조로 운영되었고, 일반 시민들과 시민단체의 참여는 제한되었다. 녹색성장위원회는 행정의 적극적인 주도로 운영하면서, 시민참여를 최소화하고 효율성을 우선시했다. 그에 비해 탄소중립위원회는 포괄적인 참여과정이기 때문에 대규모의 세레머니 형식으로 진행되었다. 이해당사자의 구성과 규모는 달랐지만, 두 위원회 모두 정부가 선택하거나 선호하는 인사들로 구성되었기 때문에 포괄적인 주체들의 자유롭고 다양한 의견을 반영하지 못한다는 한계가 있다.

> "탄소중립위원회는 인원이 25명에서 거의 100명으로 늘어났지만 거버넌스 과정이 발전했다고 생각하지 않는다. 왜냐하면 100명이 다 회의를 할 수 있는 것이 아니기 때문이다. 시작할 때, 끝날 때 딱 두 번 다 모이는 거다."
> (에너지전환정책 전문가 인터뷰, 2022년 6월 7일)

의사소통 방식을 살펴보기 위해 각 위원회의 감축목표와 시나리오 설정과정을 살펴보았다. 녹색성장위원회는 주관토론회 15회, 업종별 간담회 14회, 국회 주관토론회 3회, 지방 공청회 4회, 산업계 주관회의 5회, 시민단체 주관 토론회 3회 등 총 44차례 의사소통의 장을 만들었다. 국민들의 여론을 수렴하기 위해서는 일반국민과 전문가 대상 여론조사 3회를 실시했다. 탄소중립위원회는 분과별 회의 126회, 총괄기획회의 16회, 시민회의 설문조사 4회, 간담회 20회, 전문위원회 회의 12회, 각 분야별 의견서 서면접수를 통해 의사소통의 장을 마련했다.

두 위원회의 의사소통 방식의 가장 두드러진 차이는 녹색성장위원회는 여론조사를, 탄소중립위원회는 공론조사를 실시했다는 점이다. 여론조사가 불특정 다수를 대상으로 하고, 사안을 잘 모르는 채로 응답하게 되면서 피상적인 답변을 할 수밖에 없다는 한계가 있다면, 공론조사는 제임스 피시킨 교수가 개발한 방식으로, 학습과 토론 등 숙의를 거친 후 응답을 받는 것이다(Fishkin & Luskin, 2005). 또한 녹색성장위원회에서 실행한 국민포럼은 민간보다 국회의원이 주를 이루는 시민이 배제된 의사결정이었다면, 탄소중립위원회는 시민들이 접근할 수 있도록 유튜브에 업로드하는 등 노력을 기울였다는 차이가 있다.

이처럼 의사소통 방식은 과거보다 더 발전해가는 듯 보이지만, 실천적 차원에서 여전히 한계가 존재한다. 녹색성장위원회와 탄소중립위원회 모두 양방향적 의사소통 과정이라기보다 일방향적 소통 과정이었다. 두 위원회 모두 참여자들이 비판적인 토론과 논쟁을 할 수 있는 충분한 시간이 제공되지 않았다. 의사소통에 참여하는 자발성 측면에서도 아쉬움이 있다. 모든 국민들이 기후변화의 당사자이고, 피해자이지만, 에너지와 기후변화 이슈에 관해 토론하고 싶은 이해당사자들이 참여할 수 있는 기회는 마련되지 않았다. 여전히 정부와 연구원은 지금까지 해오던 것처럼 전문가주의 기반 위에서 온정주의적 차원의 시민참여를 수용했다(한재각 & 이영희, 2012). 특히 기후변화와 같은 복잡한 문제는 충분한 의사소통 시간이 마련되어야만 학습을 통한 합의 도출이 가능한데, 상대적으로 짧은 시간이 제공되었다는 지적이 제기되었다.

> "탄소중립위원회에 대한 아쉬움의 50%는 충분한 시간이 주어지지 않은 것이다. 활동해보니까 의견 수렴은 몇 개월 가지고 안된다. 못해도 6개월 이상 지속적으로 소통하는 것이 중요한데, 시간이 너무나 짧았다." (탄소중립위원회 위원 인터뷰, 2022년 5월 24일)

협력적 거버넌스 과정에서 가장 중요한 것은 이 과정 자체가 사회적 학습 과정이어야 한다는 점이다. 서로 동등한 입장에서 의사소통하기 위해서는 사전에 충분한 정보가 제공되어야 한다. 특히 과학기술과 관련된 전문적인 분야의 경우, 용어와 표현이 난해한 경우가 많다. 용어에 대한 친절한 설명과 관련된 자료를 제공하고, 공개하고, 공유하는 것이 중요하다. 정보 공개는 관련된 사실이나 내용을 여러 사람에게 널리 알리는 것을 의미하고, 정보 제공은 정보가 필요한 사람들에게 자료를 내주는 것을 의미한다. 정보 공유는 정보와 관계되는 모든 자원을 공동으로 이용할 수 있게 하는 것이다.

녹색성장위원회보다 탄소중립위원회에서 어려운 용어에 대한 설명이 이루어지고, 정보를 제공, 공개 및 공유하는 빈도와 적극성에 있어서도 더 발전한 측면이 있다. 특히 탄소중립위원회는 500명의 참여시민단을 모집하여 사회적 학습과정을 거치고, 상호작용의 장을 마련했다. 탄소중립 시민회의-대토론회를 개최하여, 시민들은 이틀 동안 탄소중립에 관한 8개 주제의 전문가 발제를 듣고 6개 쟁점에 대한 분임토론과 질의 응답에 참여했다. 참여시민단은 만 15세 이상의 남녀를 대상으로 무작위로 선정되었으며, 이러닝(e-learning)과 시민탄소교실 등을 통해 교육과정을 거쳤다. 의견을 수렴하는 대상들을 시민으로 확대하고, 사회적 학습과정을 거쳤다는 것은 의미가 크다. 그러나 여전히 정보 공개와 공유는 시민단 대상으로 한정되어 있어서 홈페이지가 마련되어 있어도 일반시민들은 접근할 수 없다는 아쉬움이 있었다. 의견을 수렴하는 과정에서도 누가 어떤 발언을 했는지 알 수 없고, 요약된 상태로 불투명하게 공개되었다.

녹색성장위원회와 탄소중립위원회 모두 어려운 용어를 그대로 사용하여, 일반 시민들이 이해하기 어려웠다. 정부 자료나 국가 위원회 회의록에 대한 비공개는 고질적인 문제로 지적받아왔다. 부분적으로 회의록과 자료를 공개하고 있지만, 민감한 자료들은 삭제되거나 요약된 형태로 공개되고 있다. 정보를 제공하거나 공유하는 목적은 사업을 홍보하려는 의도가 컸다. 탄소중립위원회의 시민단 구성과 사회적 학습과정은 거버넌스의 발전이라고 평가할 수 있으나, 원래 계획했던 시간의 절반만 운영하면서, 짧은 학습과 공론화 시간으로 한계가 있었다.

"위원회가 구성됐다는 보도만 나오고, 그 사이에 어떤 내용들이 논의되었는지 공개되지 않아서 아쉽다. 회의 기록들을 달라고 해도 속기록은 아예 작성이 안되고, 되더라도 실명은 빠져 있다. 참여하는 위원들이 자기가 무슨 이야기를 했는지 나중에 알려지게 되면, 이야기를 할 수 없다고 한다. 누가 무슨 이야기를 했는지 알 수도 없고, 회의 자료도 아예 받을 수 없다." (에너지전환 정책 관련 시민단체 전문가 인터뷰, 2022년 6월 7일)

"탄소중립위원회가 출범했을 때, 2년 정도 활동을 할 거라고 이야기했는데, 사실상 역할이 끝났다고 통보한 상황이다. 시민회의 과정도 2년 계획이었는데, 1년 정도하고 마무리가 되어서 아쉽다."(탄소중립위원회 위원 A와의 인터뷰, 2022년 5월 24일)

마지막으로 중요한 기준은 의사소통을 통해 도출한 합의가 집행되었는지 확인하는 것이다. 거버넌스 측면에서 녹색성장위원회나 탄소중립위원회처럼 '위원회'형태일 경우 도출한 합의를 정책집행에 반영해야 할 의무가 없다는 점이 문제가 된다. 또한 도출한 합의가 진정한 의미의 합의라고 할 수 있는지도 고려해야 한다. 회의를 통해 도출한 합의는 공감이 부족한 상태에서 도출되거나 정치 리더십 혹은 정부에 의한 내부적 합의로 대체되었다. 녹색성장위원회에서 발표한 온실가스감축목표와 관련된 세부정책들은 집행으로 이어지지 못했다. 저탄소차 협력금 제도의 경우 이명박 정부에서 입안했으나, 박근혜 정부에서 시행이 보류되고, 문재인 정부에 들어와서 법을 개정하여 폐지했다. 이처럼 정권이 교체되면 합의로 결정된 정책이 집행되지 못하는 상황이 발생했다. 더불어 2050 탄소중립 시나리오가 발표되기도 전에 미리 예산안이 편성되는 등 결정과 집행과정이 연계되지 못했다. 실제 사업을 실시하더라도 세부적으로 보면, 미집행률이 높아 지적을 받기도 했다.

"8개 분과로 구분했는데, 어떤 기준으로 구분한건지 모르겠다. 분과마다 의견도 다 달랐다. 합의를 도출했지만, 공감이 부족한 상태에서 도출된 합의였다." (탄소중립위원회 B와의 인터뷰, 2022년 7월 26일)

"8월 달에 2050 탄소중립 시나리오가 발표됩니다. 그러고 나서 국민의견 수렴은 토론회 이런 것들 요식행위 거쳐가지고 의견수렴이라고 해서, 8.9월 채 두 달도 안해서 국민의견 수렴해서 탄소중립 시나리오안을 발표한 겁니다. 그런데 이런 발표와 관계없이 또 내년도 예산안들이 다 편성된겁니다." (김승수 위원, 제8차 예산결산특별위원회 회의록, 2021년 11월 9일)

"친환경차 보급확대를 위한 전체 예산 8,188억원 중 37.6%인 3,079억원이 미집행되었습니다. 수소차 전체 예산 2,392억원 중에서 53.8%인 1,286억원이 미집행되어 집행실적이 매우 저조한 것으로 나타났습니다. 탄소중립을 위해 의미있는 사업에 대한 미집행률이 높은 이유는 무엇입니까?" (양기대 위원, 제2차예산특별위원회 회의록, 2021년 9월 7일)

탄소중립과 경로 고착 요인

탄소중립을 달성하기 위해서는 현재 사회에 지배적인 기술과 제도가 가지는 경로의존성(path-dependence)을 극복해야 한다(Meadowcroft, 2009). 경로의존성은 특정 방향으로 설정된 과거의 정책이 다음 단계에서도 동일한 방향으로 정책을 유도해 나가는 특성이다 (Parsons et al., 2019, 진상현, 2021). 한번 만들어진 특성은 쉽게 변동되지 않고 경로의존적으로 작용하여, 다음 정권에도 영향을 미친다 (천세봉 외, 2012). 어떤 사건의 방향이나 정책, 제도가 한 번 정해지면 그 자체가 관성을 가지게 되어 경로 고착(lock-in)현상이 발생한다(Greener, 2005, 하연섭, 2011). 경로의존성은 초기 설정을 포함하고 있고, 경로 고착은 기존 경로를 따라가는 현상을 말하기 때문에 여기에서는 경로 고착 개념을 적용하여 이야기해 보려고 한다.

현대 사회는 대부분 화석 연료를 기반으로 전력을 생산하고 소비하기 때문에 '탄소 고착(Carbon lock-in)'이라는 현상이 발생하곤 한다(Goldthau & Sovacool, 2012). 탄소 고착은 규모의 경제와 기술의 진보가 시장, 기업, 소비자, 정부와 상호작용하면서 공진화(coevolution)

하는 상태를 의미한다(Unruh, 2000). 즉, 대규모 화석연료 발전기술을 채택하면서 기반시설과 기술, 제도, 행동 등이 균형 상태에 안착하게 되는 상황이다(Unruh, 2000). 탄소 고착 요인은 학자마다 다양하게 구분하고 있다. 기술, 제도, 산업, 사회, 조직적 고착으로 구분하여 설명하기도 하고(Unruh, 2002), 외교, 제도, 조직, 정치, 산업 측면에서 고착 요인을 설명하기도 한다(진상현, 2021).

　한국은 세계 10대 에너지 소비국으로 에너지 소비가 많고, 화석연료에 의존하는 경제구조를 가지고 있다. 한국의 에너지 정책은 시장, 기술, 기업, 소비자, 정부가 서로 영향을 주고받으면서 기존 화석 연료 기반 시스템을 고착화하고 있다. 특히 에너지 정책은 정부의 집권적 요소와 행정 규제가 심한 분야다. 자연스럽게 한국의 에너지 거버넌스 또한 시민들의 참여는 제한되고 몇몇 전문가들과 관료들에 의해 주도되는 권위주의적이고 폐쇄적인 특징을 가진다(윤순진, 2009). 따라서 더욱 미래지향적이고 낮은 비용의 대안이 있음에도 불구하고, 기존 세력에 의해 고착 상태로 머물게 될 확률이 높다(Markusson & Haszeldine, 2009).

　탄소중립 거버넌스 과정을 제약하는 요인을 크게 정치, 제도, 산업, 외교적 측면에서 분석했다. 먼저, 정치적 고착 요인은 거버넌스에 영향을 미치는 권력구조와 거버넌스 과정이 정치적 논리에 치우쳐진 것은 아닌지 진행과정을 살펴봤다. 우리나라처럼 중앙집권적 역사를 경험한 국가는 조정이 어렵고, 과거 권력관계가 영향을 미친다(Healey, 2004). 한국은 오랜 중앙집권적 역사 속에서 대통령이 막강한 권위를 지닌다. 정부 위원회는 대통령의 관심에 따라 즉흥적으로 만들어지고,

위원회 운영에 있어서도 대통령 의지가 중요하다(김정해 & 조성한, 2007). 특히 한국의 대통령제는 5년 단임제를 채택하고 있기 때문에, 정책결정을 하더라도 구체적인 집행은 다음 정권으로 넘어간다. 탄소중립은 장기적인 시간 프레임을 필요로 하지만, 이명박 정부에서 박근혜 정부로 넘어갈 때 기후변화 정책이 축소 혹은 후퇴하였고, 문재인 정부 이후 출범한 윤석열 정부도 이전 정부와 에너지 정책 기조를 달리하면서 정책결과를 도출하지 못하고 있다. 탄소중립 정책 결정이 의회나 대중에 의한 정치가 아니라, 공무원에 의해 결정되는 관료정치가 작동하는 것도 정치적 고착의 한 이유가 될 수 있다. 관료정치란 입법부가 아닌 행정부 내부에서 진행되는 정치적 상호작용을 의미한다(김병완, 1993). 한국에서 에너지 문제를 주도하는 집단은 정부 관료였고, 정책은 국회를 경유하지 않고 추진되었다. 관료정치가 가능한 것은 한국의 행정부는 강한 반면 국회의 권한이 약하기 때문이다.

"이게 우리의 총체적인 저탄소 녹색성장의 현주소에요. 대통령이 한마디 하니까 그냥 몰아쳐 가는거에요." (우제창 위원, 제3차기후변화특별대책위원회 회의록, 2008년 11월 12일)

"다음 정권이 어떻게 될 지 모르지만, 어느 정권이 들어오더라도 계승하고 발전시켜 나가야하는데, 확고하고 정교한 전략이 없으면, 이 정부를 끝으로 해서 또 꼬리가 없는 정책이 될 수 있다." (이종혁 위원, 제7차기후변화대책특별위원회 회의록, 2009년 7월 13일)

"노무현 정부가 지속가능발전위원회를 대통령 소속으로 두고, 굉장히 중요한 정책 아젠다로 설정했습니다. 당시에 중요한 정책 아젠다였는데 갑자기 이명박 정부로 넘어오면서 그게 중요한 정책적인 아젠다가 아니라는 말씀이십니까?" (최민희 위원, 제2차지속가능발전위원회 회의록, 2014년 3월 3일)

"한국 에너지 정책은 규모가 굉장히 크고 중요함에도 불구하고 중요한 이슈로 다뤄지지 않고요. 국회의원들이 의제로 다루지 않았고, 대통령 공약에도 별로 들어가지 않았었거든요. 저는 그 이유가 관료정치라고 봅니다. 에너지 정책은 국민에 의한 의사결정, 혹은 대의제 국회의원들에 의한 결정이 아니라 관료들이 대부분 상황들을 다 정리하고 결정하는 과정이었다고 볼 수 있을 것 같아요." (에너지전환 전공 교수와의 인터뷰. 2022년 7월 12일)

둘째, 한국의 법률체계와 형식적인 위원회 운영, 실제 시나리오와 NDC를 작성하는 관행과 절차 등 제도적 요인을 살펴봤다. 먼저 과거 만들어진 녹색성장기본법과 녹색성장 관련 정책은 탄소중립 정책의 유산으로 강력하게 작용한다. 한국 위원회의 형식적인 역할도 제도적 고착을 일으키는 하나의 요인이다. 위원회는 참여정치 차원에서 계층제적 의사결정에서 벗어나 전문가나 다양한 이해관계를 지닌 집단들의 합의를 도출하기 위해 구성되어왔으나, 역설적으로 정부 결정의 정당성을 보완해주는 제도로 활용되어왔다 (조석준, 1994, 정상호, 2003). 복잡한 행정 절차와 부족한 예산, 저조한 집행실적도 행정 관행으로 작용하였다. 예를 들어 위원회가 출범한 이후에도 예산이 배정되지 않기도 하고, 복잡한 절차를 거치는 동안 시간이 오래 걸려 위원회의 추진 동력을 상실하기도 했다. 이처럼 비효율적인 행정 관행은 제도적 고착 요인이 되었다.

"녹색성장은 주무부서가 없다. 제조업, 산업 부문에 있어서는 지식경제부가, 적응이라고 하는 국민생활과 관련해서는 환경부, 국토해양부, 문화관광부 등 여러 관계부처가 연관되어 있다. 주관부서가 중심이 되어야 하는데 그렇지 않아서 업무가 중복되고, 경쟁하고, 중구난방이 될 것 같다."(백원우 위원, 제6차 미래전략및과학기술특별위원회 회의록, 2009년 2월 20일)

"예산이 충분하지 않았습니다. 국회에서 예산을 증액해줘야 되는데, 우리나라 정치 지형에서 야당이 반대를 굉장히 많이 합니다. 왜냐하면 여당의 치적을 홍보하는 것처럼 느껴지기 때문에. 그래서 당시에 예산이 충분하지 않았습니다. 제일 황당했던 건 저는 탄중위가 출범하면 당연히 홈페이지가 있을 줄 알았어요. 그거 만드는데 세 달이 넘게 걸렸어요. 예산 자체가 배정되어 있지 않았고, 이게 국가기구이기 때문에 해킹방지를 위해서 너무 많은 절차를 거쳐야 됐고, 공모 절차를 거쳐야 되고, 너무 많은 관료적인 이런 것들을 거치다 보니까…정말 넘어야 될 산이 너무 많았습니다." (탄소중립위원회 위원 C와의 인터뷰, 2022년 8월 23일)

셋째, 한국의 주요 산업과 에너지 공급의 특징과 같은 산업적 고착 요인이다. 한국은 고도의 산업 성장 시기, 정부 주도의 하향식 산업육성 계획에 따라 제조업, 특히 중화학공업 위주의 산업구조를 기반으로 급속한 경제성장을 이룩했다. 여전히 에너지 다소비 산업인 제조업 중심의 산업구조를 가지고 있다. 우리나라는 2020년 기준 전체 부가가치 생산에서 제조업이 차지하는 비중은 OECD국가 중 2위(27.1%)다 (국가통계포털). 한국의 전력공급 발전량 비중은 석탄 35.65%, 원자력 29%, 가스 26.4%, 신재생 에너지 6.6%순으로 화력발전에 크게 의존하고 있다(연도별 한국전력통계). 한국 전력산업의 탄소배출량은 지속적으로 상승해왔고, 기존 탄소 의존 시스템에서 벗어나기 쉽지 않다. 특히 경제성에 근거한 대규모 발전설비를 선호하는 경향이 있으며, 저렴한 전기 요금과 여름·겨울철 전력 수요의 급증, 탄력적인 요금제도의 부재가 탄소 고착에 이르게 했다는 연구가 있다(채영진 외, 2014).

"우리나라는 특히 철강, 석유화학, 시멘트 사업, 중공업과 같은 에너지 다소비 업종 비중이 높아요. 대체연료 수급상황도 상당히 안좋고, 산업구조에 변화가 우려됩니다."(우제창위원, 기후변화대책특별위원회 회의록, 2009년 4월 14일)

"기후변화라든가 저탄소녹색성장에 대해서 산업계의 이해가 전반적으로 아직 부족합니다. 저탄소 부분에 대해서는 거의 뭐 생각이 없고, 성장 쪽에만 치중을 해서 산업계 쪽에서는 이것을 새로운 신성장사업에 초점을 두고, 자기들이 당장 부담해야 되는 저탄소 감축의무 이런 부분에 있어서는 굉장히 소홀하고, Cap and Trade 이런 것에 대해서도 아주 적극적으로 반대하는 여론이 높습니다."(유기준 위원, 제1차기후변화대책특별위원회 회의록, 2009년 9월 21일)

마지막은 한국의 무역의존도, 국제관계 및 협약과 같은 외교적 고착

이다. 우리나라는 내수시장이 제한적이기 때문에 수출 주도로 성장해
왔다. 한국의 무역의존도는 2021년 기준 69.58%로 미국(20.4%)에 비
해 매우 높다(국가통계포털). 인구가 많고 내수시장이 큰 미국은 국제
적 압력으로 비교적 자유로울 수 있지만, 한국은 국제 환경변화와 그
로 인한 기대와 요구에 취약할 수밖에 없다. 또한 한국은 분단 상황으
로 인해 유라시아 대륙과 연결할 수 없어 전력 수입이 불가능하기 때
문에 모든 전력은 국내에서 생산하고 있다. 따라서 자국 내 안정적인
전력 공급이 필수적이지만, 한국은 에너지원의 96%를 해외 수입에 의
존하고 있는 상황이다(Chung & Kim, 2018). 한국의 에너지자원 해외
의존도가 높기 때문에 국제 질서와 협약에 민감할 수 있다. 한국이 제
시한 감축목표는 자발적이고, 비구속적이며 이행하지 못할 경우 처벌
대상은 아니지만, 한국의 높은 무역의존도와 에너지자원 의존도로 인
해 외교적 압력에 민감할 수밖에 없는 상황이다. 즉, 국제협약과 같은
외교적 고착 요인은 다른 고착 요인과는 달리 탄소중립을 달성하는데
긍정적인 동력으로 작동할 수 있다.

"우리 경제가 무역 10대국, 무슨 10대국 할 때 세계적, 도덕적 압력이라
고 할까. 이것을 외면할 수 없지 않겠는가. 국제적 발언권을 위해서라든
지, 도덕적 체면을 위해서 좀 해야되지 않겠느냐 생각한다."(김형국 녹생
성장위원장, 제5차기후변화대책특별위원회 회의록, 2009년 4월 14일)

"EU, 일본 등 주요 선진국들은 이미 상호 공조를 통해 국제표준을 만들
고, 시장을 선점하기 위해 치열한 경쟁을 벌이고 있습니다. 또한 최근 미
국에서는 오바마 상원의원이 대통령으로 당선되면서 기후변화대응시장

에 대한 국가간 주도권 싸움이 더욱 치열해질 것으로 예상됩니다. 우리나라는 세계 10위 온실가스 배출국가이기 때문에 온실가스 감축의무국으로 편입에 대한 국제적인 압력이 더욱 거세질 것입니다."(조중표 국무총리실장, 제3차기후변화대책특별위원회 회의록. 2008년 11월 12일)

탄소중립 거버넌스와 경로 고착

탄소중립 거버넌스와 기후정책은 정권이 교체될 때 마다 크게 변화한다. 녹색성장위원회에서 탄소중립위원회로 바뀌면서 탈석탄, 탈원전 등 에너지 정책이 전환되었지만, 실제 화석연료 중심의 에너지 수요관리 정책은 변화하지 않았다(산업통상자원부, 2020). 그 원인을 정책이나 제도가 한 번 정해지면 관성을 가지게 되는 '경로 고착' 개념으로 설명했다.

먼저 한국은 중앙집권적 정치체제와 관료주의 문화, 형식적인 위원회 운영, 복잡한 행정 절차, 화력발전을 기반으로 한 제조업 중심의 산업구조, 높은 무역의존도와 지리적 고립 등으로 인해 정치, 제도, 산업, 외교 분야에서 기후변화 정책과 거버넌스의 고착을 가져왔다. 거버넌스의 시작은 정치적 성향에 따라 달랐지만, 시간이 갈수록 정치적 타협의 산물로서 서로 닮아가는 동형화 과정을 거쳤다. 즉 기술과 제도의 복합적인 시스템은 그대로인 채, 거버넌스만 개선하거나 변경하는 것은 불완전할 수 있다.

거버넌스와 참여, 협력에 대한 관심이 점점 커지는 오늘날, 이러한 시각은 거버넌스라는 블랙박스를 해석하는 데 기여할 수 있다. 거버넌스는 정책을 정당화하는 수단이자, 정치적 수사로 활용될 수 있다는 점을 인지할 필요가 있다. 거버넌스를 구성하고 운영할 때 실질적인 이해관계자가 누구인지를 살펴보아야 하고, 최종적으로 의사결정을 내리는 주체는 누구인지, 의사결정 규칙은 무엇인지에 대한 질문도 필요하다. 마지막으로 거버넌스에서 도출한 합의가 집행되었는지를 확인해봐야 한다. 합의를 도출한 주체에게 정책 혹은 예산 결정권 등 권한을 부여하거나 책임을 분담하는 방안도 모색해볼 수 있을 것이다.

제5장

탄소중립의
사회학

지열발전과 대중 인식
- 임동현, 김은성, 정지범

풍력발전단지의 지역 수용성
- 김은성

탄소중립과 인간행태의 연구방법론
- 연다혜, 정지범, 김성필
김종수, 이보은, 심민재

8. 지열발전과 대중 인식[8]

임동현(동의대학교), 김은성(경희대학교), 정지범(UNIST)

**우리는 신재생에너지기술(지열발전)에 대해
어떻게 인식하는가?**

기후변화에 대해 조금이라도 관심이 있는 사람들이라면, 태양광, 풍력 그리고 바이오 연료 등 다양한 신재생에너지(Renewable energy, RE)에 대해 들어본 적이 있을 것이다. 그리고 그들 중 상당수가 신재생에너지에 대해 긍정적으로 인식하고 지지를 보낸다. 그런데, 그들에게 신재생에너지에 관한 설명을 요청하면 과학적 근거나 충분한 설명을 제시하지 못하는 경우가 종종 있다. 이는 대부분의 신재생에너지 지지층이 해당 기술들에 대한 단편적인 지식들을 가지고 있을 뿐, 실제로 그 기술에 대한 정확한 이해가 부족하기 때문이다. 그럼에도 불구하고 사람들은 신재생에너지 기술에 열광하고 지지를 보낸다. 그렇

---

8 이 글은 필자의 논문, 임동현 외 3인(2021) "Public perception of geothermal power plants in Korea following the Pohang earthquake: A social representation theory study" Public Understanding of Science 30(6): 724-739의 내용을 수정 및 보완한 글이다.

다면, 왜 대중은 신재생에너지 기술에 대해 우호적인 인식을 가지게 된 것일까?

최근 뉴스들을 살펴보면 다양한 극한기후 현상(도시홍수, 가뭄 등) 들이 반복적으로 발생하고 있다. 우리들은 이런 뉴스들을 접할 때마다 기후변화가 우리의 삶을 위협하는 위험으로 인식하고 이를 해결하기 위한 대안들을 찾는다. 그 중 하나가 바로 신재생에너지이다. 특히, 미디어에서는 기후변화의 위험을 막기위해 신재생에너지의 긍정적인 면을 부각하고 부정적인 면은 덜 조명한다. 그 결과, 신재생에너지는 우리가 직면한 기후변화 위기를 해결할 수 있는 마법 같은 솔루션으로 인식되고, 대중이 우호적인 태도를 보이는 것은 얼핏 타당해 보일 수도 있다. 그러나 과연 대중의 인식이 그렇게 단순하게 만들어진 것일까?

만약, 신재생에너지가 우리의 삶에 부정적인 영향을 줄 수 있다면 대중들은 어떻게 반응할 것이며, 이러한 잠재적인 위험요인들은 정부의 에너지 전환 정책에 어떤 영향을 미칠 것인지에 대한 질문에 답하기 위해서 우리는 신재생에너지에 대한 대중의 인식이 어떻게 형성되는지 살펴볼 필요가 있다.

한국 정부는 기후변화에 대응하기 위해 다양한 신재생에너지 기술 연구와 정책 개발에 집중하고 있다. 그리고 이를 바탕으로 에너지 전환 및 탄소중립을 실현하고자 한다. 이에 따라 태양광, 풍력, 지열 등 신재생 에너지원에 대한 정부차원의 지원이 꾸준히 증가했다. 그러나 태양광이나 풍력발전은 기상조건에 의해 전기 생산에 영향을 받는 간헐성(intermittency)이라는 태생적 한계를 지니고 있다. 간헐성이란 신재생에너지원(태양광, 풍력 등)의 발전량이 외부 요인에 의해 불규펴보면, 국내 최초의 심부지열발전(Enhanced Geothermal System, EGS) 프로젝트로 2010년에 시작되었다. 심부지열발전(EGS)이란 비화산지대에서 지열에너지원을 개발하기 위한 것으로 지하 심부를 굴착하여 지하 심부의 암반에 인공균열 시스템(유체의 이동 경로)를 생성시키고 주입정과 생산정으로 통해 물을 순환시켜 심부의 지열을 지상으로 추출하는 것을 말한다 (Korean Government Commission on the Cause of the Pohang Earthquake, 2019). 심부지열발전(EGS) 시스템 구성은 다음과 같다.

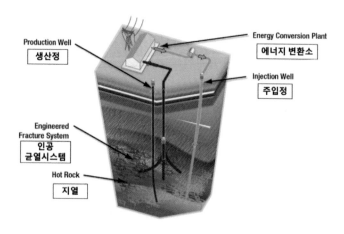

그림 11. 심부지열발전 개념 (Olasolo 외, 2016, 저자 수정)

해당 EGS 프로젝트는 국내에서 큰 주목을 받았고 포항지역은 기존 전국의 지열 데이터와 지리적, 사회경제적 조건을 종합적으로 검토하여 최적지로 선정되었다 (Lee, Park, Kim, Kim, & Koo, 2010). 이후, 지열에너지를 활용하기 위해 최대 4~5km 깊이의 시추공을 시추하고, 수압파쇄(high-pressure water injection)를 진행하여 심부에 EGS 저류층(지열 에너지 저장 및 물의 이동을 위한 인공균열 시스템)을 인공적으로 조성하고 지열을 추출하였다 (윤운상 외., 2011). 2012년에 첫 시추 작업에 착수했고 2013년과 2015년에 각각 두 개의 시추공(PX-1, PX-2)을 시추했다. 두개의 시추공이 수행하는 기능은 열에너지의 순환으로 차가운 물이 하나의 시추공을 통해 지열정으로 내려가고 지열에 의해 데워진 물은 다른 시추공을 통해 지상으로 추출하는 것이었다. 그리고 2016년 1월에는 지열공(PX-1, PX-2)에 5회에 걸쳐 고압의 수력 파쇄를 실시하여 EGS 인공 저류층을 생성했다(Korean Government Commission on the Cause of the Pohang Earthquake, 2019). 그러나 2017년 9월 18일 다섯 번째 수력 파쇄(PX-2) 이후 2017년 11월 15일 포항 지진이 발생했다. 이후, 수압발전 프로젝트는 언론과 관련 연구들에 의해 포항지진의 주범으로 지목되면서 즉시 중단되었다. 그리고 지열발전소에 대한 지역사회 구성원들의 시선은 부정적으로 급변했다. 그러나 지열발전에 대한 포항지역사회의 부정적 인식은 단순히 지진이 발생했기 때문이라고 결론짓기에는 과학적이고 논리적인 설명이 충분하지 않다. 왜냐하면, 대중의 위험인식은 갑작스럽게 나타나는 것이 아니라 사회시스템안에서 다양한 이해관계자들의 상호작용에 의해 발생할 수 있기 때문이다.

지열발전소에 대한 부정적인 시선은 어떻게 형성되었는가?

과학기술에 대한 대중의 인식은 그 자체의 효용성 뿐만 아니라 이해관계자, 사회적 맥락, 개인들의 경험 등 다양한 요인들에 의해 구성될 수 있다 (Pinch & Bijker, 1984). 예를 들면, 신재생에너지의 긍정적인 이미지는 일종의 사회적 통념일 수 있다. 그렇다면 재난과 같은 부정적 이벤트가 신재생에너지기술에 대한 대중들의 신뢰에 미치는 영향과 위험인식 형성에는 어떻게 영향을 미치게 되는 것일까?

대중의 신기술에 대한 인식을 분석하는 유명한 사회심리학 이론 중에 사회적 표상 이론(Social representation theory, SRT)이 있다. 이 이론은 대중의 인식을 이해하는데 사용되는 대표적인 이론 중 하나이다 (Höijer, 2011; Moscovici, 1988). 사회적 표상 이론(SRT)은 다양한 사회 현상들과 통용되는 개념들이 사회 시스템을 구성하는 여러 집단들 사이에서 어떻게 형성되고 공유되는지를 다룬다 (Moscovici, 1988). 해당 이론의 핵심은 사회가 새롭고 익숙하지 않은 것에 익숙해지는데 중요한 역할을 한다는 것이다 (Höijer, 2011; Moscovici, 1988). 결국, 사회적 표상 이론은 기존 사회 시스템안에서 공유되던 가치, 아이디어, 관행들을 근거로 일종의 표상(감각의 복합체로서 마음에 그릴 수 있는 외적 대상의 이미지)을 형성하고 이를 통해 신기술을 해석할 수 있다. 사회적 표상이 형성되는 과정은 크게 앵커링(anchoring)과 객관화(objectification)라는 두 가지가 필요하다.

첫째, 앵커링은 개인 혹은 집단이 특정 주제나 대상에 대해 해석하고 판단의 기준점 또는 초기 정보를 설정하는 과정을 의미한다. 예를 들면, 대중의 기후변화 위험인식이 있다. 전문가들이 기후변화의 위험을 지적했다는 언론보도들이 자주 등장한다면, 대중은 기후변화에 대한 심각성을 신뢰할 수 있는 정보라고 인식하게 된다. 즉, 기후변화가 무엇인지 잘 모르던 사람들이 기후변화가 뭔가 위험한 것이라는 식의 기준점을 잡게 된다는 의미이다

둘째, 객관화는 대중이 가지고 있는 추상적인 개념 혹은 이미지들을 구체화하는 과정이다. 예를 들면, 기후 변화의 심각성에 대한 대중의 모호한 인식들은 구체적인 이미지(예: 불타고 있는 지구의 이미지 등)를 통해 더욱 명확 해질 수 있다. 이런 객관화 과정을 통해 추상적인 개념과 사회현상들에 대한 대중의 모호했던 인식은 구체적이고 쉽게 이해할 수 있는 이미지 혹은 상징으로 변환된다. 이 두가지 과정을 거쳐 형성된 사회적 표상은 사회시스템을 구성하는 다양한 개념, 현상 그리고 우리 삶에 적용되는 다양한 기술적 인공물들에 대한 이해도 가능하게 한다. 다음 그림은 사회적 현상 혹은 모호한 개념들이 사회집단들의 상호작용과정에서 사회적 표상으로 형성되는 과정을 보여준다.

그림 12. 사회적 표상 형성 과정 (저자 작성)

사회적 표상 이론은 특정 기술에 대한 개인 차원에서 위험에 대한 이

해보다는 사회집단의 인식형성 차원에서 집단의 의미 형성에 중심을 둔다. 그리고 일반인들은 그 위험에 대한 (과학적) 지식이 부족한 존재가 아니라 전문가와 함께 위험 지식을 생산하는 존재로 본다. 또한 사회적 표상 이론은 위험에 대한 대중의 반응이 잘못되었거나 편향되어 있는지에 관심이 있는 것이 아니라, 대중의 마음속에 실재하는 위험에 대한 사회적 표상을 사회가 어떻게, 그리고 왜 형성하는지에 관심이 있다 (Joffe, 2003). 그렇다면, 특정 기술에 대한 대중의 위험한 이미지는 어떻게 그리고 왜 만들어진 것일까?

대중들이 어떤 특정 대상에 대해 위험을 인식하는데 영향을 미치는 요인은 크게 두 가지로 구분할 수 있는데, 해당 객체의 '새로움(잘 알려지지 않은 것)'과 '두려움(통제 불가능성, 재앙, 비자발적)'에 의해 영향을 받을 수 있다 (Siegrist & Árvai, 2020; Slovic, 1987). 기후변화의 주요 해결방안으로 주목받는 신재생에너지 기술에 대한 대중의 위험인식도 유사한 맥락에서 접근할 수 있다. 대중들에게 친숙하지 않은 신재생에너지 기술로 인해 사고 혹은 재난과 같은 특정 이벤트가 발생했을 경우, 큰 관심을 불러일으킬 수 있다 (Kasperson et al., 1988). 대중들이 제대로 파악하지 못한 새로운 기술의 경우, 기술과 그 관리 주체에 대한 대중의 신뢰는 그들의 위험인식에 중요한 영향을 미칠 수 있다.

이에 사회적 표상이론을 활용하여 포항 지역사회의 대중들이 지열발전소에 대한 부정적 위험인식을 형성하는 과정을 살펴보고자 한다. 대중의 위험인식 형성과정을 살펴보기 위해서는 다양한 자료들을 여러 측면에서 검토할 필요가 있다. 이에 피해자 인터뷰, 뉴스 기사, 온라인 커뮤니티 게시물 등에서 다양한 자료들을 수집하여 분석하고 이를 검토하기 위해 설문조사도 활용했다.

사회적 표상으로서의 지열 발전소:
어떻게 지열발전소는 추락했는가?

기존 신재생 에너지원에 비해 간헐성을 극복할 수 있어 강력한 지지를 받았던 지열발전에 대한 이미지는 2017년 포항 지진 이후 급격히 악화되기 시작했다. 지열발전소에 대한 인식을 분석하기 위해 신문기사, 피해주민 인터뷰 등 다양한 자료들이 수집되었다. 그리고 수집된 연구자료들을 분석하기 위해 앞서 살펴본 사회적 표상 이론의 '앵커링'과 '객관화' 개념을 활용하였다. 지진 피해자들은 앵커링을 통해 과거 사건이나 익숙한 지식을 통해 새로운 사회적 개념을 이해할 수 있다. 포항은 경주와 지리적으로 접해 있어, 포항 시민들은 2016년에 발생한 경주지진을 생생하게 기억하고 있었다. 게다가 포항과 경주는 잘 알려져 있듯이, 원자력 발전소가 다수 집중되어 있다. 특히, 경주 지진이 발생했을 때, 언론에서는 원자력안전위원회의 원자력 발전소 긴급 점검과 동일본 대지진 당시 발생했던 후쿠시마 원전사고를 언급하면서 원전사고의 위험성을 언급했다. 이에 지진과 원전사고의 연관성에 대한 위험인식을 형성하기 시작했다. 한 신문 기사에 따르면:

> "지진이 발생하면 일반적으로 사람들은 주변에 건물이 없는 빈 공터로 대피할 수 있다. 하지만 이 주변에는 원자력 발전소가 있어서 어디로 대피해야 할지 모르겠어요. 대피하는 중에 원전 사고가 발생하면 어떻게 해

야 할까요?" (2016년 9월 13일, 경주에 거주하는 68세 여성과의 신문 인터뷰 중에서)

"지진은 피할 수 없는 것이지만, 원전이 동네 근처에 있어서 혹시나 원전 사고가 났을지도 모른다는 생각에 더 불안했습니다." (2016년 9월 13일, 경주에 거주하는 69세 남성의 신문 인터뷰 중에서)

후쿠시마 원전사고에 대한 언론의 반응에 대한 경험들은 경주 지진과 원전위험에 대한 고정관념을 만들 수 있다. 마찬가지로, 경주 지진(2016)과 원전위험 담론은 포항시민들에게 영향을 미쳤다. 즉, 포항 주민들은 경주 지진(2016)에 대한 경험을 통해 가장 최근에 발생한 포항지진(2017)을 이해한 것이다. 포항지진(2017)과 원전 사이의 연관성은 정부, 언론, 현장 전문가들의 담론을 통해 더욱 증폭되었다. 또한 포항지진이 인근 원자력발전소들에 미칠 수 있는 영향에 대한 전문가들의 의견도 제시되었다.

포항 지진 발생 당일 주요 뉴스 생방송에서는 관련 전문가 출현하여 포항지진의 주요 원인 중 하나로 지열발전소를 지목했고, 추후 여러 연구진들이 심부지열발전(EGS)과 지진의 인과관계에 대한 논의가 이루어졌다. 결국, 포항시민들은 미디어와 전문가들이 제시하는 다양한 정보들에 기반하여 심부지열발전(EGS)이 지진 및 원전 위험과 인과관계가 있다고 인식하기 시작했고 위험 담론이 형성되었다. 포항 주민들은 포항 지진이 자연재해가 아니라는 정보에 주목했다. 그들은 심부지열발전(EGS) 프로젝트가 또 다른 지진 재해를 유발하고 인근 지역의 원자력 발전소를 손상시킬 가능성이 있다고 주장하기도 했다. 인터뷰 참여자들은 다음 증언에서도 알 수 있듯이 추가적인 지진으로 인한 원전 위험에 대해서도 우려했다:

"지진 외에도 또 다른 큰 문제가 있습니다. 이 도시 주변에 원자력 발전소가 많이 설치되어 있습니다. 그 원전 바로 아래에서 지진이 발생하면 어떻게 될까요? 정부에서는 지진이 나도 안전에 대해 걱정할 필요가 없다고 말한 것으로 알고 있습니다. 하지만 저는 정부의 말을 믿지 않습니다. 원전의 안전 문제에 대해 매우 의심스럽습니다." (포항에 거주하는 40세 가정주부와의 인터뷰, 2018년 4월 13일)

포항 주민들의 지진에 대한 부정적 반응이 객관화되고, 다양한 채널을 통해 지열발전소에 대한 피해자의 목소리가 형성되기 시작했다. 주민들은 지역 온라인 커뮤니티를 통해 서로 소통하기 시작했고, 지진에 대해 토론하는 게시판을 만들었다. 지진 피해에 대한 수많은 정보(단순 추측, 미디어 자료, 해외 학술논문 등)들이 온라인(예: 포항맘까페 등)에서 공유되고 사람들은 심부지열발전(EGS)로 인한 후속 지진의 가능성에 대해 논의하기도 했다. 해당 커뮤니티의 게시판에는 심부지열발전(EGS)에 의한 지진 발생 가능성에 관한 뉴스 기사들이 꾸준히 게시되었고 사람들은 이에 대한 의견들을 공유하기도 했다:

제목: "포항의 지층은 이암과 석회암으로 이루어져 있는데....."

(경북매일신문 기사 일부) 포항 지진의 주요 원인으로 지열발전 사업

에 사용된 수압파쇄 공법이 지목되고 있다 … . 2006년 스위스 바젤의 사례는 지열발전 사업으로 지진이 유발된 잘 알려진 사례다. 결국 발전소는 폐쇄되었다.

댓글: 지열발전소의 물 주입이 결국 포항 지진을 유발했다고 들었습니다. 결국 우리 주변 지역에서도 원전 사고가 일어날까봐 걱정됩니다. 정부가 사악하다고 생각합니다. 늑장 대응과 무책임한 태도에 화가 많이 납니다. (포항 맘까페, 글작성자: dbst**** 포항시 북구 거주, 댓글작성자: yo00**** 포항시 남구 오천읍 거주, 2017년 11월 30일)

포항 주민들은 포항 지진의 주요 원인이 지열발전소라는 사실을 받아들이고 주변 원전의 피해발생 가능성에 대한 우려를 하고 있었다. 이러한 피해자들의 위험인식은 종종 분노로 표출되기도 했었다. 심지어 지진의 원인이 심부지열발전(EGS) 프로젝트라고 믿지 않는 다른 피해자들에게 분노를 표출하기도 했다:

"포항 지진이 지열발전소 때문이 아니라고 생각하는 사람들도 있었지만, 감정에 치우쳐 열정적으로 반대하는 사람들도 많았습니다. 동의하지 않으면 '배신자'로 취급 받았습니다." (포항 환경운동연합 담당자와의 인터뷰, 2018년 3월 24일.)

"포항 지진이 발생했을 때 너무 답답해서 이대로 넘어가면 안 되겠다는 생각이 들었습니다. 당시 JTBC에서 포항 지진이 EGS 사업으로 인해 유발된 것일 수 있다는 뉴스가 보도되고 있었어요. 자연재해가 아니라 인재라는 것을 깨닫기 시작했습니다. 그래서 '포항지진은 EGS사업이 유발한 인재입니다'라는 대형 현수막을 만들었습니다. 안전을 위해 지열발전소를 폐쇄해야 합니다...'(포항에 거주하는 40세 가정주부와의 인터뷰, 2018년 4월 13일.)

지열발전소에 대한 분노는 지진 피해자들로 구성된 사회단체의 결성으로 이어졌다. 포항 지진이 발생한 지 한 달 뒤인 2017년 12월 10일, 피해자들은 지진 원인 규명과 피해 보상 대책 마련을 위해 '포항지진 범시민대책본부'를 설립했다. 이들은 정부에 (1) 포항 지진의 원인 규명, (2) 피해 보상, (3) 발전소 폐쇄 등의 조치를 취할 것을 요구했고 심부지열발전(EGS) 가동 중단을 요구하고 청원서를 작성하는 등 집단행동에 나섰다.

2018년 초 관련 연구 결과가 발표된 후 포항 지진이 심부지열발전(EGS) 프로젝트에 의해 유발되었을 가능성이 높다는 의견이 더욱 힘을 얻었다. 두 편의 논문이 저명한 학술지인 사이언스(Science)에 게재되었다. Grigoli 등(2018)은 포항 지진이 EGS 사업 기간 중 2년간 진행된 고압 물 주입으로 인해 발생했을 가능성이 높다고 언급했다. 또 다른 논문에서는 심부 단층에서 임계 응력 수준에 도달하면 고압 물 주입이 결국 지진을 유발했다고 보고했다 (Kim et al., 2018b). 포항 지역 주민들은 이러한 개념을 수용하고 강력하게 비판했다. 지진 피해자들의 심부지열발전(EGS) 프로젝트에 대한 반응은 온라인 커뮤니티에 고스란히 반영되어 있었다. 다음 게시물을 보면 해당 프로젝트에 대한 부정적인 인식 뿐만 아니라 특정 대상에 대한 상징적인 표현도 확인할 수 있다:

저는 처음부터 포항 지진이 지열발전 사업에 의해 유발된 것으로 믿었습니다. 하지만 포항 지진이 지열발전소 가동에 의해 유발되었다는 연구 결과도 나와서 안심이 됩니다. 앞으로는 정부가 지열발전소를 폐쇄하고 재가동하지 않았으면 좋겠어요. (포항 맘까페, 글: as24**** 포항시 북구 두호동 리빌리, 2018년 4월 27일).

지열발전소 가동이 중단된 후 여진은 잠잠해진 듯했습니다. 전문가들이 포항지진의 진상을 과학적으로 밝혀준 것에 대해 정말 감사하게 생각합니다. 연구 결과를 바탕으로 썩은 달걀(지열발전소 핵심 관련자들을 지칭)을 모두 처벌해야 한다"고 말했다. (포항 맘까페, 글: 도리**** 포항시 남구 오천읍 거주, 2018년 4월 27일).

온라인 커뮤니티를 통해 비슷한 주장이 계속 등장하면서 지열발전소에 대한 이미지는 점점 더 부정적으로 변했다. 더욱이 피해 주민들은 2018년 2월 포항 시민을 대표해 대통령에게 공개 서한을 보냈다 (Lim, 2018). 이 서한에서 포항지진 피해자들은 지열발전소를 "불행의 씨앗", "불행의 나무"로 표현하며 부정적인 태도를 보였다. 2018년 5월에는 포항 지진과 심부지열발전(EGS) 프로젝트의 연관성을 제시한 연구 결과들을 지지하는 기자회견이 열리기도 했었다.

요약하면, 포항 주민들은 포항 지진(2017)을 이해하기 위해 경주 지진(2016) 경험과 연관시키기 시작했다. 경주 지진은 원전사고의 위험성에 대한 위험담론을 형성했고, 이는 포항 지진과 연계된 원전의 위험성에 대한 인식으로 이어졌다. 포항 지역사회는 지열발전소를 지진을 유발하고 인근 지역과 원자력발전소를 위협할 수 있는 위험한 에너지원으로 인식했다. 이러한 위험인식은 언론과 과학적 연구, 그리고 피해자들의 증언을 통해 더욱 강화되었다. 또한 경주 지진과 포항 지진은 비슷한 시기에 발생했지만, 포항 지진은 지열발전소 가동에 의해 유발되었다는 점에서 큰 차이가 있었다. 포항 주민들은 유발지진에 대한 인식을 공유했고 구체화되면서 위험한 기술이라는 이미지가 강화되었다.

결국, 지열 발전소의 위험은 포항지진이 경주지진에 앵커링(anchoring)되는 과정과 위험 담론형성 및 강화 과정을 통해 위험한 기술이라는 구체적 이미지가 만들어졌다. 그 결과, 지속가능한 에너지 생산이라는 장점으로 매우 긍정적이었던 지열발전에 원자력 발전소와 같이 재난을 야기할 수 있는 위험이라는 사회적 표상이 형성되었다. 결국, 과거에는 사람들에게 상반된 것으로 인식된 원자력에너지와 신재생에너지 중 하나인 지열발전이 서로 연관되거나 비슷한 위험으로 분류되기 시작했다.

지열발전에 대한 대중의 위험인식(설문)

우리는 기후변화에 대응하는 에너지원으로서 지열에 대한 포항시민의 인식을 파악하기 위해 설문조사를 실시했다.

지열발전소 건설에 대한 부정적 인식은 원자력발전소 건설에 대한 부정적 인식보다 더 심각하게 나타났다. 설문조사 참여자들은 다양한 에너지원에 대한 선호도를 5점 척도('1점'은 '매우 비호감', '5점'은 '매우 호감'을 의미)로 대답했다. 조사 결과에 따르면, 포항시민의 응답은 화석연료보다 재생에너지원을 더 선호하는 기존 연구들의 조사결과(Chung and Kim, 2018; European Commission, 2007; Parkhill et al., 2013; Poortinga et al., 2013)와 일치하는 것으로 나타났다.

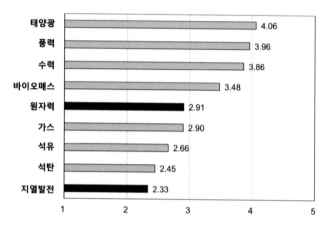

그림 3. 다양한 에너지원에 대한 선호도

원자력(2.91점)과 화석 연료인 가스(2.90점), 석유(2.66점) 그리고 석탄(2.45점)에 대한 선호도는 중간(3점) 이하로 나타났다. 그러나 대표적인 신재생에너지 기술 중 하나인 지열 에너지원에 대한 선호도(2.33점)는 모든 에너지원 중에서 가장 낮게 나타났으며, 대표적인 신재생에너지인 태양광(4.06점)과 풍력발전(3.96점)에 비해 매우 낮은 선호도를 보이고 있다.

다양한 에너지원에 대한 포항시민의 인식을 파악하기 위해 에너지원 선호도에 대한 탐색적 요인분석을 실시했다. 탐색적 요인분석은 투입변수(서로 다른 에너지원)의 구조 규명을 통해 시민들의 인식에 따라 동일한 특성을 갖는 에너지원 그룹을 분류할 수 있다.

표 1. 포항주민 대상 (N=507) 다양한 에너지원들에 대한 탐색적 요인분석 결과
(굵은 숫자는 같은 그룹으로 분류)

에너지원	요인 1	요인 2	요인 3
풍력	0.896	0.093	0.028
태양광	0.847	- 0.067	0.172
수력	0.701	0.313	- 0.002
천연가스	0.032	0.757	0.040
석탄	0.182	0.698	0.068
석유	0.015	0.684	0.394
바이오매스	0.406	0.536	- 0.526
지열발전	0.224	0.032	0.730
원자력	- 0.002	0.327	0.638

출처: Baek, Chung, & Yun, G. W. (2021).

그 결과 세 개의 뚜렷한 그룹이 도출되었다. 첫 번째 그룹(요인 1)은 풍력, 태양광, 수력 에너지로 구성되었으며, 신재생에너지 그룹이라고 할 수 있다. 두 번째 그룹(요인 2)은 가스, 석탄, 석유, 바이오매스로 구성되었으며, 바이오매스를 제외하고는 대부분 화석 연료로 이루어져 있었다 (참고: 우리나라에서 가장 널리 알려진 바이오매스 에너지원은 목재이며, 바이오매스를 태우면 이산화탄소가 배출되기 때문에 재생에너지보다는 화석연료와 더 밀접하게 연관되어 있을 수 있음). 가장 흥미로운 결과는 지열 발전소가 원자력 발전소와 같은 그룹으로 분류되었다는 점이다(요인 3). 이렇게 요인 3의 그룹에서 원자력과 지열발전이 함께 도출되는 요인분석 결과는 지열발전에 대한 대중의 이해가 원자력발전소의 위험성 때문일 수 있다는 것을 뒷받침하고 있다.

이러한 결과는 전국민을 대상으로 한 설문조사 결과와는 매우 큰 차이를 보이고 있다.

표 2. 포항주민 대상 (N=507) 다양한 에너지원들에 대한 탐색적 요인분석 결과
(굵은 숫자는 같은 그룹으로 분류)

에너지원	요인 1	요인 2	요인 3
풍력	0.850	- 0.104	- 0.001
태양광	0.809	0.033	- 0.145
수력	0.600	- 0.247	0.537
지열발전	0.585	0.346	- 0.219
바이오매스	0.513	0.088	0.125
석탄	0.097	0.821	0.049
석유	- 0.027	0.738	0.336
천연가스	0.099	0.164	0.750
원자력	- 0.329	0.256	0.621

출처: Baek, Chung, & Yun, G. W. (2021)

위 표에서 확인할 수 있듯이 일반적으로 우리나라 국민들은 지열발전 역시 신재생에너지의 하나로서 풍력, 태양광, 수력 등과 같은 그룹으로 묶이는 것을 확인할 수 있다. 그러나 포항지진의 영향과 지진을 원자력발전소 사고와 연계시키는 사회적 학습의 결과로 포항주민들은 지열발전을 원자력과 유사하게 인식하고 있었다.

결론

포항 지진은 기후변화 대응을 위한 에너지 전환과정에서 주요한 역할을 수행할 것으로 기대했던 지열발전기술의 긍정적 이미지를 부정적으로 바꾸어 놓았다. 포항 지진사례에 대한 피해자 심층 인터뷰와 설문조사를 통해 지진피해자들의 위험인식 과정을 살펴본 결과, 포항주민들의 지진에 대한 강력한 부정적 감정은 경주 지진(2016)과 원자

력발전소 위험에 대한 언론의 위험 담론들이 맞물리면서 형성되었다. 포항지진(2017) 발생 이후, 포항시민들은 무너진 집에서 뉴스를 통해 지열발전소의 지진 유발가능성과 원자력 발전소의 위험에 대한 담론을 형성하기 시작했다. 즉, 경주 지진 당시 형성된 원전 사고에 대한 대중들의 위험담론이 앵커링 즉, 인지적 고착이 되었고 포항 지진 피해자들은 활발한 상호작용(정보공유, 시민단체 활동 등)이 지속되었다. 설문조사 결과 지열발전소에 대한 포항시민의 인식은 상당히 부정적인 것으로 나타났다. 요인분석을 진행한 결과 응답자들은 지열발전소와 원자력발전소가 유사한 특성을 가지고 있다고 인식하고 있었고, 지열발전에 대한 부정적 인식이 원자력 발전소의 위험 담론과 연계하여 위험한 기술이라는 이미지를 그리고 있음을 재확인했다.

그러나 지열발전의 위험과 원자력 위험 사이의 관계는 그렇게 간단하게 동일한 것이라고 말할 수는 없다. 지열 발전소에 의해 유발된 지진이 원자력 발전소의 위험을 초래할 수 있지만, 그렇다고 지열 에너지와 원자력이 비슷한 위험을 가지고 있다는 의미는 아니다. 후쿠시마 원전 사고는 지진과 원전의 인과관계에 대한 대중의 위험 인식을 형성했었다. 이후 경주 지진과 포항 지진이 연이어 발생하면서 지진과 원전 위험 사이의 인과관계가 지속적으로 강화되었다. 결국, 지열발전소는 포항지진 피해자들의 기존 경험들에 기반한 앵커링을 통해 지진들과 원전 위험의 인과관계가 강하게 형성된 것이라고 할 수 있다.

해당 사례는 재난발생이 대중들의 신재생에너지원과 관련기술에 대한 부정적 이미지를 형성하는 과정에는 복잡한 요인들이 얽혀 있으며, 상호작용을 하고 있음을 보여준다. 결국, 향후 성공적인 에너지 전환과 신재생에너지 기술을 도입하기 위해서는 지역주민들이 새로운 신재생에너지원과 기술들에 대한 긍정적 인식을 통한 신뢰 구축이 중요할 수 있다. 예를 들면, 지열발전소에 대한 부정적인 이미지는 향후 기후변화에 대응하기 위해 제안된 새로운 에너지 기술을 받아들이는 데 방해가 될 수 있다.

최근 포항 인근에서 추진 중인 탄소포집저장(Carbon Capture Storage, CCS) 실험에 대해 포항 주민들이 강력한 반대의사를 표명한 것도 심부지열발전(EGS) 와 마찬가지로 탄소포집저장(CCS) 기술도 굴착 공사를 수반해 또 다른 지진을 일으킬 수 있다고 생각하기 때문이다. 따라서 이 사례와 다른 재생에너지 사례에서 볼 수 있듯이 (E.-S. Kim & Chung, 2019; E.-S. Kim, Chung, & Seo, 2018a), 신재생에너지는 지역 주민과의 진지하고 충분한 소통 없이는 더 이상 긍정적이고 유익한 기술이라는 위치를 담보하기 어려울 수 있다. 결국, 신재생에너지 기술에 대한 위험 인식은 프로젝트를 관리하는 기업, 과학자 또는 정부에 대한 대중의 신뢰구축이 필요하다 (Siegrist, Gutscher, & Earle, 2005). 충실한 리스크 커뮤니케이션 전략을 통해 지역사회와 끊임없이 소통하고 신재생에너지 기술 프로젝트에 대한 개발의 의사결정, 계획, 실행, 운영 등 전 과정에 걸쳐 대중의 소통과 참여를 촉진하는 것은 향후, 성공적인 에너지 전환과정에 매우 중요한 역할을 수행할 수 있을 것이다.

9. 풍력발전단지의 지역 수용성[9]

김은성(경희대학교)

 풍력에너지에 대한 국민인식의 일반적인 특징은 전체 국민들의 여론과 풍력발전단지 인근 지역 주민들의 여론이 극명한 차이를 보인다는 것이다(Batel & Devine-Wright 2015; Bell 등 2005). 대국민 여론조사에서는 풍력에너지에 대한 매우 높은 국민 지지도를 보이는 반면 풍력발전단지를 건설하는 지역의 수용성은 높지 않다. 2011년 Eurobarometer의 조사에 따르면 서구 국가들의 여론조사에서도 80%이상의 국민들이 신재생에너지에 대해 찬성하고 있다(European Commission, 2011). 하지만 영국, 유럽, 호주 등 국가에서 풍력발전설비 설치에 대한 높은 수준의 저항이 보고되고 있다(Devine-Wright & Howes, 2010, Kann, 2009, Wolsink, 2007). 이러한 국가와 지역 간 여론의 간극은 우리나라에서도 예외가 아니다. 2017년도에 조사된 풍력발전에 대한 우리나라 국민 지지도는 93.2%였다(김은성 등, 2017). 하지만, 해안 및 산악지역에서 건설되는 풍력발전단지에 대한 주민 수용성은 그다지 높지 않았다.

 왜 전국 단위의 대국민 설문조사에는 신재생에너지에 대한 높은 지지도가 나오는데 실제 개발지역을 방문해 보면 적지 않은 반발이 있는 것일까? 그 이유는 설문조사가 가진 한계를 들 수 있다. 최근 설문조

---

9 이 글은 필자의 논문, 김은성(2018) "우리나라 풍력발전단지의 주민 수용성에 대한 감각적, 문화적, 제도적 요인" ECO 22(1): 209-241의 내용을 수정 및 보완한 글이다.

사는 주로 온라인 패널 조사로 이루어지는 경향이 있는데, 이는 풍력발전단지 인근지역의 인구학적 분포들을 충분히 반영하지 못한다. 해당 지역에 노인인구 비율이 높고, 디지털 문해력이 낮은 노인들이 온라인 설문조사에 응답할 기회는 적어 지역 주민들의 수용성이 설문조사에 제대로 반영이 되지 않는 것이다. 설문조사를 제대로 하기 위해서는 해당지역에 가서 방문조사를 해야 하나 현실적으로 쉽지 않는 것이 사실이다.

풍력발전단지는 선호 시설인가 아님 혐오 시설일까? 아마 10년전만 하더라도 신재생에너지 시설은 생태적 계몽의 상징이었다. 하지만, 기후변화와 에너지 위기가 현실화되고 이에 대응하기 위해 신재생에너지 관련 시설이 건설되고 있는 요즘 이 시설의 정체성에 대해 쉽게 정의하기란 쉽지 않다. 기후 위기를 고려하면 신재생에너지로의 전환은 인류세의 지상과제임에 틀림없다. 하지만 이러한 전환은 개발사업지역 사람들의 희생을 필요로 한다. 따라서 그들의 반발을 단순히 혐오 시설에 대한 님비적 태도로 치부할 수 없다. 오히려 에너지를 가장 많이 소모하면서도 에너지 관련 시설을 지역내에 건설하는 것은 반대하는 도시 사람들이 오히려 이기적일 것이다. 전지구적 위기속에서 신재생에너지 시설 지역 주민들의 반발을 무마하는 것이 공리주의적일 수 있으나 마냥 계몽적이라고 치부하기는 쉽지 않다. 그렇다면 우리는 그들을 어떻게 대해야 하는가?

이 글의 목적은 풍력발전단지에 대한 주민 수용성을 보다 다층적이고 복잡한 차원에서 드러내는데 있다. 최근 학자들은 인구학적 요인, 풍력발전설비와의 거리와 에너지 경관과 같은 물리적/공간적 요인, 행위자들의 가치관과 같은 문화적 요인, 주민참여와 경제적 보상과 같은 정치적, 제도적 요인 등 보다 복합적 요인들을 통하여 신재생에너지에 대한 주민 수용성을 분석하고 있다(염미경, 2010; 이희선, 2010; 김형성 등, 2014; 김동주, 2012, 2017; Ogilvie & Rootes, 2015; Wolsink, 2007, Aitken, 2010; Bidwell, 2013; Swofford & Slattery, 2010; Wüstenhagen 등, 2007; Pasqualetti, 2011; Phadke, 2010; Devine-Wright, 2005; Devine-Wright & Howes, 2010; Apostol 등, 2017). 이 글은 풍력발전단지의 주민 수용성에 미치는 요인을 크게 풍력발전설비의 감각적 그리고 심미적 요인, 지역주민들의 믿음과 가치와 같은 문화적 요인, 풍력발전단지 건설과정의 절차적 민주성과 경제적 보상관련 제도적 요인으로 구분하고 우리나라 주민들의 수용성을 분석하고자 한다.

풍력발전단지의 주민 수용성에 영향을 미치는 요인

풍력발전단지의 주민 수용성에 미치는 첫번째 요인은 감각적, 심미적 요인으로 신재생에너지 설비의 물리적 특성이 주민들의 인식에 미치는 영향을 의미한다. 둘째, 문화적 요인은 지역주민들의 믿음과 가치로부터 비롯된 풍력발전단지에 대한 주민인식을 의미한다. 마지막으로 제도적 요인은 풍력발전단지의 건설이 추진되는 과정의 제도적 설계에 대한 것으로 절차적 정의와 분배적 정의로 구성된다. 첫 번째와 두 번째 요인은 행위자의 가치와 사회-물질적 상호작용에 주목하는 미시사회적 요인이며, 세 번째 요인은 제도적 설계에 주목하는 거시사회적 요인이다. 그리고 미시사회적 차원에서도 첫 번째와 두 번째 요인의 차이는 전자가 풍력발전기의 물질적 특성에 보다 초점을 둔다면, 후자는 행위자의 가치와 믿음에 보다 더 중점을 둔다.

표 1. 풍력발전단지의 수용성 요인

수용성 요인	세부 내용	구분
감각적, 심미적 요인	풍력발전기의 시각적 특성: 풍력 터어빈의 크기, 색깔, 모양, 야광 등 불빛. 풍력발전기의 청각적 특성: 풍력발전기 소음공해	미시사회적 차원
문화적 요인	시민 및 지역 주민들의 믿음과 가치 등 -전통적인 가치관 -생태적 가치관 -이기적 가치관(님비즘 등)	미시사회적 차원
제도적 요인	절차적 정의: 단지 설립 추진과정에서의 주민참여 분배적 정의: 풍력에너지 수익의 배분 및 보상	거시사회적 차원

1) 풍력발전설비의 감각적, 심미적 요인

풍력발전단지에 대한 주민 수용성의 첫 번째 요인은 신재생에너지 설비의 물리적, 공간적 특성이 지역주민들의 감정과 인식에 미치는 영향이다. 풍력발전기를 바라보고 터어빈이 돌아가는 소리를 들을 때 느끼는 감정에 대한 것이다. 이 요인은 사물로서 에너지 설비와 그것의 물질적, 공간적 환경들이 주민들의 감정에 어떤 영향을 주는 지에 대한 물질문화와 관련된다. 물질문화(material culture)란 특정한 공간속에서 인간과 비인간 사물의 상호작용 결과로 나타나는 문화를 의미한다(Hicks & Beaudry, 2010; Tilley, 2013; Kim, 2017). 물질문화의 관점에서 볼 때 행위자들의 감정은 정신적, 영적인 것이 아니라 풍력발전기라는 사물과 행위자인 주민들 간의 물질적, 감각적 상호작용을 통하여 발생한다.

이와 관련하여 에너지 경관(energy landscape)의 개념이 에너지 수용성의 핵심적인 이슈로 최근 부각되고 있다(Nadai & Horst, 2010; Kim et al., 2019). 경관이란 사람들에게 인식되는 공간으로 자연적 풍경의 파노라마이상의 의미를 갖는다. 자연과 인간의 상호작용 즉, 자연과 문화적 특징들의 회집체(assemblage)이다(Bridge 등, 2013; 김은성, 2022). 이 경관은 특수한 공간 및 환경의 물질적인 특징을 넘어 이러한 물질적 환경에 대한 사람들의 문화적 평가와 감정적 애착을 포함하는 것이다. 풍력발전기가 특정 지역에 설치되면 지역에 대한 풍경이 달라지고, 이러한 풍경의 변화는 그 지역 및 장소에 대한 주민들의 감정에 영향을 준다(Tuan, 1977; Devine-Wright & Howes, 2010).

단, 경관에 대한 인식은 시각적으로만 이루어지는 것은 아니며, 청각, 촉각, 후각, 미각 등 다른 감각을 통해서도 이루어진다. 예컨대 풍력발전기가 회전하면서 나타나는 소음 공해 또한 신재생에너지의 경관인식에 중요한 영향을 주며, 이 소음은 과거에는 조용했던 시골의 자연환경을 시끄러운 공간으로 변화시킨다(Kim et al., 2019). 이처럼 이 글은 풍력발전설비의 시각적 경관 및 소음공해가 풍력발전단지에 대한 주민들의 인식에 미치는 영향에 대해 살펴보고자 한다.

2) 문화적 요인: 지역 주민들의 가치와 믿음

풍력발전단지가 건설되는 지역은 대체로 농어촌지역으로 이곳에서 공동체 생활을 영위하는 주민들의 믿음과 가치가 풍력발전단지의 수용성에 큰 영향을 준다. Bidwell(2013)은 주민 수용성에 미치는 문화적 요인들을 전통적 가치관, 생태적 가치관, 이기적 가치관, 이타적 가치관으로 구분하고 그 요인들의 영향을 계량적으로 분석하였다. 첫째, 전통적 가치관은 가족의 안전과 안보를 중시하는 태도, 노인에 대한 공경, 자기훈련에 대한 강조, 그리고 유혹에 대한 저항을 의미한다. 둘째, 생태적 가치관은 자연과의 교감 그리고 자연을 보호하고자 하는 가치를 의미한다. 이기적인 가치관은 사람들이 권력과 부 그리고 물질적 소유를 지향하는 태도를 의미한다. 님비즘은 이기적인 가치관의 하나의 형태라고 할 수 있다. 넷째, 이타적인 가치관은 평화로운 세상을 갈구하면서 갈등 해소와 사회정의를 추구하고, 사회 불평등에 대해 고민할 뿐만 아니라 정보접근에 대한 공평한 기회를 추구하는 것을 의미한다.

하지만 Bidwell(2013)의 분류는 서구적인 관점에서 비롯된 것으로 한국적 맥락에서 곧바로 적용할 수는 없다. 이에 이 글은 그의 분류를 약간 변용하여 문화적 요인을 전통적 가치관, 생태적 가치관, 님비 가치관으로 구분하여 주민들의 인식을 살펴볼 것이다. 여기서 서구적 의미의 전통적인 가치관 대신 풍수적 가치관을 다룰 것이다. 그 이유는 육상풍력발전단지를 건설하는 과정에 풍수에서 중요한 의미를 갖는 산에 대한 훼손이 일부 일어나고, 풍력발전단지 인근 지역의 주민들 중 노인인구의 분포가 높아 풍수적 가치관이 주민들의 인식에 중요한 영향을 줄 수 있기 때문이다. 생태적 가치관은 풍수를 믿지 않지만 자연과 교감하며 풍력발전단지 건설과정에서 초래되는 생태계의 훼손에 대해 비판적인 주민들의 가치관을 의미한다. 다만, Bidwell (2013)과 달리 이타적 가치관에 대해서는 별도로 분석하지 않고 님비 가치관에 대한 주민들의 반응을 살펴볼 것이다.

3) 제도적 요인: 절차적 정의와 분배적 정의

풍력발전단지의 주민 수용성은 풍력발전단지가 건설되는 과정의 거버넌스와 관련되며, 이 제도적인 요인에는 크게 절차적 정의와 분배적 정의가 존재한다(Wustenhagen 등 2007). 첫째, 절차적 정의(procedural justice)는 풍력발전단지 건설관련 의사결정과정에서 정보의 공개와 지역 주민들의 참여여부에 관한 것이다. 이러한 거버넌스의 구축과정에 주민들의 참여와 통제가 가능한 정치적 메카니즘이 구축되어 있을 때 사회적 충돌이 낮다. 지역주민과의 파트너쉽을 통하여 신재생에너지의 개발이 이루어질 때 주민 수용성은 높아질 수 있다.

둘째, 분배적 정의(distributive justice)란 풍력발전단지 건설에 따른 피해보상 및 개발수익의 배분과 관련한다. 피해보상은 지역발전기금, 전기료 감면, 주식배분 등 매우 다양한 방식으로 이루어질 수 있으며, 국가와 지역마다 그 방식이 달라질 수 있다. 주민들이 풍력발전기에 지분을 공유하게 될 때 풍력발전기에 대해 보다 더 긍정적인 태도를 갖게 된다. 예컨대 독일의 사례처럼, 풍력발전단지가 협동조합체제로 운영이 될 때 풍력협동조합원들이 그렇지 않는 비회원보다 더 풍력발전기에 대해 더 긍정적인 태도를 가질 수 있다.

이 글은 감각적, 문화적, 제도적 요인들을 서로 다른 범주로 분리하였으나, 사실 이 세 가지 요인들이 반드시 서로 독립적인 것은 아니다. 풍력발전기가 유발하는 시각적, 청각적 고통에 대한 주민들의 인식에는 지역 주민들이 가지고 있는 믿음과 가치가 밀접하게 결합할 수 있다. 감각은 본능적인 것을 넘어 사회적이며 문화적인 것이다(김은성, 2022). 나아가 주민들의 감각적 고통과 그들의 가치관은 풍력발전단지를 설립하는 정책적 과정 속에서 중요한 남론이 된다. 그러므로 이 세 가지 요인들은 사실상 매우 밀접한 상관관계를 가질 수 있다. 다만, 이 글에서는 이러한 상관관계에 대한 심층적인 분석보다는 감각적, 문화적, 제도적 요인들을 중심으로 우리나라 풍력발전단지인근 주민들이 어떤 인식을 갖고 있는 지를 살펴볼 것이다.

풍력발전단지의 주민 수용성에 대한 감각적 요인

1) 풍력발전기의 시각적인 영향

풍력발전기의 웅장한 위용은 하나의 관광자원이 될 수도 있으나 오히려 자연의 풍광을 해칠 수도 있다. 예를 들어 제주도의 자연풍광은 중요한 관광자원으로 특히 오름은 중요한 가치가 있는데 오름의 하부 경계선에서 1.2㎞ 이상 떨어진 곳에서만 풍력발전기를 설치할 수 있도록 법적으로 규제를 하고 있다. 그리고 해상풍력발전단지의 경우 육지에서 이격 거리를 1㎞로 규정하고 있다. 이처럼 풍력발전기에 의한 조망권의 피해는 풍력발전에 대한 주민 수용성의 중요한 요인이다.

풍력발전단지 건설을 반대하는 영양 기산리 주민들에게 풍력발전기는 농촌의 풍경을 저해하는 하나의 '흉물'처럼 보인다. 그들은 풍경에 대한 주관적인 심리적 인식이 매우 중요하다고 이야기했다. 한 주민은 '내 눈에 거슬리면 그거는 아닌 거예요 이만한 풍차가 … 괴물 같은 거예요'라고 말했다. 현지에서 살아보지 않고, 한번 방문해서 풍력발전기를 보고 판단하는 것은 문제가 있다는 것이다.

야간에 항공기와의 충돌을 방지하기 위해 거의 5초 간격으로 반짝거리는 경광등은 주민들을 불편하게 한다. 깜깜한 농촌의 밤하늘에 불규칙적으로 반짝거리는 경광등 불빛이 방안으로 비치면 동네 주민들은 커튼을 치지 않고서는 잠이 들기 어렵다(영암우리신문, 2017년 4월 28일). 평창 수하리 주민들에게 경광등 불빛은 번개처럼 번쩍인다. 화창한 밤에는 이 빛이 하늘로 발산되기도 하지만, 구름이 끼는 저기압일 때 이 불빛이 구름에 반사되고, 특히 겨울철 눈이 있을 경우 땅 위에서도 불빛이 번쩍인다. 한 주민의 이야기를 들어보자.

'어제는 저기압이었거든요. 이 번개치는 게 왜 그러나 유심히 보니까 저기가 일시에 불이 번쩍 켜니까 미쳐버리는 거예요. 이게 정말 아니구나 이게 계속적으로 한두 시간씩 길게 번쩍이면 사람한테도 많은 영향을 주겠다 이런 생각을 했어요. 개별로 하나씩 맑은 날에 번쩍거리는 거는 하늘에 비행기 하나 지나간다 이러겠는데 이게 저기압 상황에서는 빛이 사람한테 피해를 많이 주겠다는 생각을 (했어요).'

영덕의 한 주민도 항공기충돌 방지용 경광등의 불빛이 능선에 가려져 있어도 번개치듯이 하늘위로 번쩍이고 구름에 반사된다고 주장한다. 그는 이 불빛이 나이트클럽의 사이키 조명처럼 반짝거려 매우 거슬렸다고 말한다(김은성, 2022).

'여러 개가 동시에 번쩍거리는게 아니라 막 불규칙적으로 막 이렇게 번쩍번쩍거리니까. … 온 하늘이 그냥 나이트(클럽) 사이키 조명처럼 이래 되니까, 그것도 굉장히 거슬립니다. 그래서 뭐 항의를 해가지고 … 그 경광등 숫자를 줄이기는 했어요. 뭐 하나 건너 하나씩 단 다 던가 뭐, 이렇게 했는데 인제 그게 반사광이 인제 하늘에 비치니까, … 상당히 멀리까지 비치고, … 바로 안 보이고 산이 이렇게 능선이 이렇게 가려져 있어도 능선 위쪽으로 이렇게 번개 치듯이 번쩍번쩍 거리는 데다가 구름이 끼어 있으면 구름에 이렇게 반사되어 가지고, … 밤에 이렇게 뭐 이렇게 한 번씩 나와 보면 산 저쪽이 그냥 번쩍 번쩍 번쩍 (합니다).'

그리고 대낮에는 풍력발전기 날개에 반사되는 태양빛과 그것의 그림자에 의한 불편에 대해서도 주민들은 이야기한다. 영암 한대리 주민들은 날개가 움직일 때 그림자가 움직이고 해가 저물면서 위치가 변하게 되는데 이것이 거슬린다고 주장한다(노컷뉴스, 2016년 3월 31일).

2) 풍력발전기의 소음공해

풍력발전기가 처음 건설이 될 때는 그 웅장함과 새로움으로 인하여 주민들의 호기심을 자아낸다. 하지만 시간이 흐르고 발전기의 소음 공해가 드러나면 주민들은 풍력발전기에 대한 부정적인 생각을 하게 된다. 풍력발전기를 가동하는 과정에서 발생하는 소음과 저주파는 주민들의 수용성을 저해하는 매우 중요한 원인 중 하나이다. 이 소음은 풍력발전 터어빈이 회전하면서 발생하는 기계소음과 날개가 바람에 부딪치면서 발생하는 마찰음으로 구성된다. '붕우웅' 하는 마찰음이 지속적으로 발생하면서도 간헐적으로 '끼이익' 하는 기괴한 소음이 나타난다. 특히 풍력발전기 소음은 비가 오기 전후에 가장 심하게 들리는데 그 이유는 그 때 공기 중의 수분이 많아 음파의 전달이 잘 되기 때문이다(Kim et al. 2018; 2019; 김은성, 2022). 풍력발전기의 소음은 공기뿐만 아니라 그 진동이 땅으로도 전달된다.

풍력발전기 소음이 신체에 미치는 피해를 풍력발전기 신드롬(wind turbine syndrome)이라고 부른다. 이것은 소음과 저주파에 의해 '순환기계 심박수 감소나 증가, 수축기 혈압감소, 내분비계 스트레스 반응으로 아드레날린과 도파민 증가, 신경계 뇌파의 진폭증가, 호흡수 감소 또는 증가'되는 것을 의미한다(이튜뉴스, 2015년 4월 15일; 박영민 & 정태량, 2009). 따라서 풍력발전단지 인근 주민들은 잦은 두통과 메스꺼움, 그리고 스트레스를 호소한다. 저주파에 장기간 노출되면 기억력 저하, 이명 현상 및 공황장애를 초래한다. 소음으로 인한 고통은 개인들의 예민함의 정도에 따라서도 달라지지만 집의 재료에 따라서도 달라질 수 있다. 예를 들어 흙집은 벽돌이나 콘크리트 집보다 방음이 잘 안되므로 소음에 대한 주민들의 고통은 더 심하다.

전남 영암군 각동마을에는 마을로부터 약 550~1000m가량 떨어진 곳에 풍력발전단지가 위치하고 있다. 20개의 풍력발전기가 산마루에 설치되어 있고, 하루 전력생산량은 200MW로 2만 가구가 함께 사용할 수 있는 규모이다. 주민들은 풍력발전단지에서 1km 정도 떨어진 큰 도로에서도 소음이 '마치 비행기가 날아가는 것처럼 '붕~붕' 소리가 났다'고 한다(경향신문 2016년, 4월 21일). 이 지역에 사는 주민들은 이 소음 때문에 가슴이 울렁 울렁거리며 수면장애에 시달린다고 한다. 소음이 심할 경우 비행기 타는 것처럼 귀가 먹먹하고, 밭에서 일하고 오면 전화를 받기 어려울 정도라고 주장한다. 여름철 무더위에도 소음 때문에 밤에 잠을 이루지 못하는 지경이며, 바람이 강하게 부는 날이면 소음이 더 크게 발생한다고 주장한다. 풍력발전의 특성상 금정면 소재지방면으로 바람이 발생하고 반대 방향인 한대리 마을 쪽으로 소음이 집중되고 있어 피해가 심각한 상황이다(영암신문 2015년 2월 4일). 주민들은 '속이 울렁거리고 술 먹은 것처럼 어지러운 증상 때문에 죽을 지경'이라며 '내 삶이 터전인데 모든 것을 버리고 갈수도 없고 어쩔 수 없이 살 수밖에 없는 상황으로 대책마련을 시급하다'하고 주장한다(영암우리신문, 2017년 4월 28일). 주민들은 그 고통을 나에게 다음과 같이 이야기했다.

'아이 저것[풍력터어빈]이 처마 돌아가면 뭔 소리가 뭔 소린지도 몰라요. 비행기가 와도 잘 몰라요. 저것이 돌아가면 비행기 가는 소리도 잘 몰라요. ... 지처지처 돌아가는 소리가, 하하하, 가관이 아닙니다... 쿵척쿵척, 끼이이이익 저기했다가 밖에 무서워서 나가지를 못 해. ... 그러고 인자 들에서 일하면 뭔 소리가 이상하게 에에에엥 하고 또 돌고 좀 돌다가도 에에에엥 해   고... 한창 돌아갈 때 그 소리란 말여. ... 그것도 낡으면 더 소리 난다데... 저 위에 김영희란 사람이 저그, 거시기가 국회 가서, 우리 부락 사람들 몇몇이 [가서] ... 들어 누워서 죽이든지 살리든지 해분다고...그러게까정 해도 뭐...무소식이여. ... 예, 새소리 안 들려요. ...저것이 돌아가 불면 비행기 가는 소리도 안 들리는디.. 비행기 소리인지 저 소리인지도 모르겄어. ... 비행기는 잠깐 지나가 불면 그만이지만 저 소리는 하루 종일 (나요).'

풍력발전단지에 대한 감각적 요인은 풍력발전기가 가진 물리적 특성도 있지만, 지역주민들의 심리적, 문화적 특성도 한 몫을 하고 있다. 풍력발전단지 지역주민들은 토착농민 혹은 어민 그리고 도시생활에 대해 염증에 느끼고 산속으로 들어온 이주민, 그리고 불치병 환자와 같이 건강을 위해 산으로 들어온 사람들이 있다. 그들에게 풍력발전기의 불빛과 소음이 만드는 새로운 경관들은 그들이 살아왔거나 기대했던 시골의 자연 경관과 매우 다른 생경한 것으로 이해된다. 풍력발전단지에 의해 만들어지는 이국적인 경관은 그들이 원하는 그리고 그들이 살고 싶은 풍경이 아니다. 이에 다음 절은 풍력발전단지 인근 주민들의 믿음과 가치관에 대해 살펴보고자 한다.

풍력발전단지의 주민 수용성에 대한 문화적 요인

1) 풍수적 가치관

풍력발전단지가 건설되는 내륙 산악지역의 농촌사회는 노인인구비율이 높은 초고령사회이다. 우리나라는 고령사회로 급속하게 진입하고 있으며 특히 도시보다 농촌의 고령화 속도가 훨씬 빠르다. 1960년대 이후부터 이루어진 도시로의 인구이동으로 인하여 젊은 사람들은 대부분은 도시로 나가고 많은 노인들이 시골에 살고 있다. 전체 농가인구중 '65세 이상의 고령농가가 차지하는 비율은 1970년 4.9%에서 2010년 31.8%로 증가'하였다(김철민, 2012). 통계청(2015) 농림어업조사자료에 의하면 2014년 만65세 이상의 고령층이 농가 인구의 39.1% 그리고 어가인구의 32.2%에 육박한 것으로 나타난다. 이 수치는 우리나라 전체 인구의 고령화 비율 평균이 12.7%인데 반해 3배정도 높은 것이다. 실제 풍력발전기가 설치되는 농촌지역은 일반 농촌에 비해 훨씬 더 고령화 정도가 높을 것으로 예상된다(Kim et al., 2018; 김은성, 2022). 왜냐하면 풍력발전단지는 소음공해와 부지 가격때문에 사람들이 많이 살지 않는 산악지역에 건설이 되기 때문이다.

따라서 내륙에 건설되는 풍력발전단지에 대한 주민 수용성과 노인들의 가치관 간에는 중요한 상관관계가 존재할 수 있다. 특히 풍수와 같은 전통적인 가치관이 풍력발전에 대한 주민인식에 나타난다. 노인들은 풍력발전기가 산의 정기를 해치는 것으로 해석한다. 장수군의 풍력발전단지에 반대하는 함양군 대책위원회 주민들은 '백두대간에 초

대형 쇠말뚝이 왠 말이냐'하고 주장한다. 그들은 풍력발전단지가 들어서는 곳이 우리민족에게 매우 중요한 백두대간이기 때문에 이곳에 풍력발전단지를 건설하는 것은 일제 강점기 일제가 우리민족의 정기를 끊기 위해 쇠말뚝을 박은 것도 동일하다고 주장한다(함양뉴스, 2016년 8월 12일).

특히 산악지역에 건설되는 풍력발전기는 대개 산의 능선에 건설되는 데, 풍수사상에 따르면 산 능선은 산꼭대기로부터 정기가 흐르는 용맥에 해당한다. 그러므로 풍력발전기를 건설하는 과정에서 깊게 시멘트공사를 하게 되면 이것은 산의 정기의 흐름을 방해하여 시골사람들에게 불운을 가져올 것으로 인식될 수 있다(Kim et al., 2018; 김은성 2022). 특히 낙동정맥과 백두대간 등 풍수에서 매우 중요한 산악지역에 풍력발전단지가 건설되고 있기 때문에 시골 노인들의 인식에 풍수가 큰 영향을 준다. 풍력발전기에 대한 풍수적 인식은 함양뿐만 아니라 전남 화순, 경남 의령, 경북 영양, 강원 평창 등 육상풍력발전단지가 건설된 산악지역에서 유사하게 관찰되었다.

2) 생태적 가치관

내륙지역의 토착민 노인들이 풍수적 가치관에 따라 풍력발전기를 인식하는 경향이 있다면, 이 지역에 사는 보다 젊은 농부들 혹은 도시의 경쟁문화와 시끄러움과 같은 도시생활의 염증을 피해 시골로 귀농을 했거나, 전원생활을 좋아하여 시골에 머무는 사람들은 토착노인들처럼 풍수를 믿는 경향은 높지 않지만 그들 나름의 생태적 가치관을 가지고 있다. 그들은 자연과 친밀한 교감을 나누고 있어 풍력발전단지의 건설에 따른 생태계의 훼손에 대해 매우 비판적이다(김은성 2022).

영양풍력단지에 대해 반대하는 주민들은 단지 근처 산악지역에 천연기념물 산양과 수리부엉이 그리고 멸종위기종 담비 등이 있어 자연보존의 가치가 매우 높다는 것을 강조하면서 '생태적 다양성이 살아있는 곳을 밀어버리고 풍력단지를 조성하는 것'은 매우 문제가 있으며 이처럼 '육상에 무차별적으로 세우는 풍력단지는 탈핵의 대안이' 아니라고 주장한다(오마이뉴스, 2015년 6월 1일). 영양풍력단지를 마주하고 있는 영덕지역의 주민도 풍력 터어빈을 수송하는 진입로를 건설하는 과정에 회전하는 도로를 통하여 20m이상 훼손이 일어나면서 절토가 일어나고 발전기가 건설되는 작은 산봉우리도 파괴된다고 주장한다. 한 주민은 풍력에너지가 친환경에너지라고 불리지만 산림에 대한 광범위한 훼손을 일으키므로 오히려 환경적이지 못하다고 주장한다. 이산화탄소의 발생을 줄이기 위해 풍력단지를 건설하면서 오히려 숲을 파괴하여 이산화탄소 흡수를 방해하는 것은 모순이라고 그는 주장한다.

'옛날에 산을 이렇게 봉우리를 깍아 냈는데 이걸 어떻게 이걸 흙을 다시 갖고 가 가지고 이 쪽 사면을 만들 것이며, 거기에 어떻게 나무를 심을 것이며 이러니까 사후대책이 아무것도 없는 거에요. 한번 파괴되면 그냥 그대로 있는 거고, 또 고도가 높아질수록 복원력이 떨어지잖아요. 그래서 영원한 훼손이다. 이 부분을 어떻게 인제 할 것인가. 뭐 민주적인 절차야 뭐, 잘못을 인정하고 개선해나갈 수 있지만, 이런 훼손부분에 대해서는 그 참 약간 딜레마가 아닌가? 친환경에너지라 그러면서 뭐, 탄소 안 나온다 뭐 하지만 이것도 결국은 탄소가 나오는 거잖아. 이산화탄소가 이것도 뭐 결국은 채굴을 해야 되고 광석을 채굴해야 되고 만들어야 되고, 수송해야 되고, 토목공사 하면 어차피 또 뭐 물론 다른 것보다는 전기를 생산할 때는 안 나오겠지만, 고거(풍력발전기)를 만들 때까지는 어차피 이산화탄소가 나오는 거고, 또 굳이 이산화탄소를 흡수하는 아주 좋은 기능을 하는 숲이라는 게 건재한데, 왜 [숲]을 들어내 버리고, [풍력발전기]를 들어서면, 그 이론에서도 굉장히 모순이 있는 거죠.'

영양풍력발전단지 인근 주민들은 크게 토착민과 귀농인을 중심으로 이루어져 있다. 토착민들은 대개 대구경북지역의 보수성을 가지고 있으며, 지자체로부터 농지자금 등을 빌려 농사를 짓고 있다. 더불어 이 지역에는 과거 빨치산 진압의 역사가 있기 때문에 정부의 사업에 저항하는 것을 꺼려한다(Kim et al., 2018; 김은성 2022). 따라서 영양군수가 적극적으로 추진하는 풍력발전사업에 대해서 적극적으로 반대하지 않는다. 이에 반해 풍력발전단지건설에 적극적으로 반대하는 사람들은 토착민들이 아닌 타지에서부터 귀농한 사람들이다. 그들은 지역 토착민과 달리 보수적이지 않으며, 지자체로부터 농지자금 지원을 받고 있지도 않으며, 보상받을 수 있는 땅도 없었기에 강력한 반대운동을 펼칠 수 있었다.

이들 주민들은 현재 '풍력단지저지 영양영덕 시민행동'을 결성하고 강력한 저지운동을 펼치고 있다. 그들이 영양풍력발전단지에 반대하게 된 계기는 이전에 영양댐 건설반대 운동을 했고 성공했기 때문이다. 2009년 국토부는 영양 지역 용수공급과 반변천, 장파천 홍수예방을 위해 영양군 수비면 송하리 일대에 대규모의 영양댐을 건설하는 계획안을 추진했었다(경향신문, 2016년 11월 29일). 하지만, 댐 건설로 인하여 산양, 수달, 삵, 담비 등 다양한 천연기념물 및 멸종위기종 동물들의 서식지에 피해가 클 것이라는 예상이 나오는데 다 수자원장기종합계획과 댐건설장기종합계획에도 명시되지 않아 환경부 전략환경영향평가에서 불가판정을 받은 바 있다. 이에 수몰예정지 주민들은 댐 건설에 대해 강한 반발을 했고, 그 과정에서 공무집행방해로 벌금형을 선고받는 등 고초를 겪었다. 결국 지역주민들의 투쟁으로 인하여 2016년 말 국토부는 댐건설 계획을 백지화하기로 했다. 주민들은 8년 동안 영양댐건설 반대 투쟁을 통하여 운동가의 모습을 가지고 있었다.

'영양영덕 시민행동' 주민들은 풍력발전단지 건설이 과거 영양댐 그리고 4대강 건설과 같은 난(亂)개발의 성격을 가지고 있다고 주장한다. 그들은 영양댐 건설과 풍력발전단지사업을 4대강사업의 연장선상에 있는 토건사업으로 규정하고 강력한 반대운동을 펼쳐왔다. 그들은 이러한 사업들이 공공성의 차원에서 이루어지지 않고, 민간기업의 사익추구의 차원에서 낙동정맥의 생태계의 파괴가 이루어진다고 주장한다.

'(영양)댐과 4대강(사업)을 보면서 여실히 들어난 것처럼 그런데 지금 풍력발전기도 전혀 공공성이 없어요. 이름은 재생에너지고 친환경에너지인데 내용은 사기업의 이용을 위해서 산이라는 공적인 공공자원을 사유화하는 거거든요.'

한편, 서남해 해상풍력사업을 반대하는 부안 및 고창 지역 어민들은 이 사업으로 해양생태계가 파괴되고, 어족자원이 고갈된다고 주장한다(브레이크 뉴스, 2014년 11월 5일). 그들은 서남해상풍력단지가 건설될 예정인 '고창군과 부안군 사이 곰소만 일대는 2010년 람사르 습지로 지정된 곳'이며, '풍력건설은 천혜의 갯벌에서 와류가 발생해 조류의 방향이 바뀌면서 장기적으로는 갯벌이 흔적도 없이 사라질 수도 있다'고 주장한다(뉴시스, 2015년 8월 6일). 특히 '서남해 해상풍력사업 부안·고창 반대대책위원회'는 위도면 남쪽 해안은 동식물 플랑크톤과 각종 어류의 산란과 서식지로서 주요 어종의 회유장소이라는 것을 강조하면서 풍력발전단지 건설에 따른 세굴현상으로 인하여 죽은 뻘이 퇴적되어 갯벌을 침범하면 이 어장과 갯벌이 훼손될 것이라는 점을 경고한다. 즉, 바다속에 풍력터어빈을 설치하는 과정에 지주를 세우면 바닥이 파이는 현상이 일어나 갯벌이 사라지고 어업피해가 불가피하다는 것이다. 서남해 해상풍력사업 부안·고창 반대대책위원회의 부안 대표자는 다음과 같이 말했다.

'어장으로서 중요하지 않은 지역이 없고 거기가 지금 뻘층이 지금 수심이 15미터쯤 나오고 뻘층이 20여 미터 뻘층이 얕은데도 있고 깊은데도 있지만 평균적으로 15미터 정도하고 지금 현재 그 일차 공사 단지가 그러면 우리가 지금 보편적으로 바다에 나무를 박았을 때 세굴현상이 생기거든요. 당연히 세굴현상이 생기면 보통 이제 그 말뚝 하나 박으면 그 주변으로 싹 한 일미터 이상이 계속 패여 나가거든요. 근데 그게 썰물은 안 패이고 들물로만 패이거든요. 들물이 세게 흐르니까 썰물은 약하게 흘러요 그런데 이제 그게 뻘이 없어질 때까지 계속

패인다는 말입니다. 근데 이제 한 두 개가 아니고 저게 풍력발전기가 하나 서게 되면 밑에 기둥이 네 개가 서 가지고 올라가는 거거든. 그게 이제 20개만 설치해도 100여개의 기둥이 서는데 그게 뻘이 계속 깨져나가지고 그 뻘이 가면 어디로 가겠어요? 육지로 온단 말이야. 육지로 와 가지고 산을 또 만들 거 아니냐? 이중으로 없어지는 거죠. 이거는 이것대로 못 쓰고 요기도 갯벌이 높아지니까 이것도 또 못 쓰게 되요. 지금 새만금 공사로 인해서 20여년 기간 동안에 약 수심이 10미터 정도 높아졌어요. 그러니까 옛날에 그 고기들이 산란하기 좋았던 그 바위들이 뻘에다 숨어버린 거죠. 그래 가지고 아주 높은 쓸모없는 바위들만 빼죽 빼죽 하나씩 서 있어요. ... 이제 해상풍력단지가 여기 서게 되면 아예 이제 바다 자체가 없어진다는 얘기가 나옵니다.'

이 지역에서 해상풍력발전사업을 반대하는 주민들의 주장속에서 지속가능성과 세대 간 정의(intergenerational justice)에 대한 인식이 나타난다. 반대대책위는 '이 바다는 누구도 훼손하거나 탐해서는 안 되며 자연 그대로 후손에게 물려줘야 한다'며 '어장 잠식은 물론 해양생태계 파괴와 바다환경 오염을 가중시키는 이 사업을 절대 묵과할 수 없다'고 강조한다(뉴시스, 2015년 6월 25일). 부안주민들은 특히 풍력발전기에 의해 바다가 '버려지는' 혹은 '쓸모없는' 땅으로 취급하는 것에 대한 불만을 제기하면서 그들의 생태적인 의식을 드러낸다. 이와 같이 기후변화에 대응하는 풍력발전사업을 반대하는 주장속에서 생태적 가치관이 드러나는 것은 매우 아이러니하다.

3) 님비 가치관

일반적으로 내륙사람들은 해상풍력단지를 선호하고, 어촌지역 사람들은 풍력발전기가 내륙에 건설되기를 바란다. 이러한 태도는 님비적 가치관이라 볼 수 있는데, 이러한 가치관에 대해 비판적인 주민들도 존재한다. 예컨대 평창 수하리 주민들 중 일부는 풍력발전단지가 바닷가에 건설되어야 한다고 주장하고 있으나, 다른 주민들은 바닷가에도 어민들이 어업을 하고, 소음 진동이 어업에 지장을 주기 때문에 문제가 있다고 주장한다. 또 다른 주민은 우리나라 어디든 산에 사람들이 산다고 주장하면서 다른 산악지역에 풍력발전단지를 건설하는 것도 비판한다.

전북 부안주민들 중 일부는 풍력발전단지가 육상에 건설되어야 한다고 주장하고 있으나, 우리나라 어느 지역이든 풍력발전단지 건설이 적합하지 않다고 말하는 주민들도 있다. 이러한 주장을 하는 부안주민들은 내륙이든 해상이든 풍력발전기로 인하여 주민들이 굉장히 몸살을 앓고 있다고 지적한다. 그들은 우리나라가 땅이 좁으나 인구밀집도가 높아서 풍력발전기 자체가 한국에 맞지 않다고 주장한다. 풍력발전단지를 어디에 건설해야 하는 물음에 대해 서남해 해상풍력사업 부안·고창 반대대책위원회 관계자들은 다음과 같이 말했다.

반대대책위소속 부안주민 1(40대): 네~ 육상에 건설해야죠.
연구자: 육상에는 아무래도 훨씬 더 주민 반발이 더 심하다고 하잖아요.
반대대책위소속 부안주민 1(40대): 주민 반발이 심허겠지만은 기왕에

꺼 어차피 해야 된다고 하면 차라리 섬을 큰놈을 하나를 통째로.

　반대대책위소속 부안주민 2(40대): 아니 그건 말도 안 되고 그런 이야기는 꺼내지도 마세요. 그런 이야기는 하지도 마세요. … 근데 우리나라에서는 사실상 풍력이 너무 땅이 좁은 땅에다가 인구밀집도가 높아서 할 만한 장소가 합당치 않습니다. … 저는 무지껀 국책사업을 반대했던 사람은 아니에요. 방폐장은 나는 유치할라고 찬성 글까지 부안군 홈페이지에다가 글도 썼어요. … 근데 이것만큼은 의도가 좋질 못하다. 그리고 이것을 설치했을 때 이 지역민들이나 어민들에게 막대한 피해를 안겨준다. 돈 만약에 몇 천억 원을 보상을 해줘도 우리 어민들에게 지역민들에게 저는 도움이 안 된다고 생각합니다. 결코 이것은 이 바다에 건설해서는 안 될 사업이라고 생각을 해요.

　이러한 주민 인식들을 볼 때, 님비 가치관으로 풍력발전단지 건설에 대한 지역주민들의 반대를 해석하는 것은 한계가 있다. 그들이 님비적 가치관만을 가지고 풍력단지를 반대할 것이라고 폄하할 수는 없다.

풍력발전단지의 주민 수용성에 대한 제도적 요인

1) 절차적 정의

　제주도를 제외한 대부분 지역에서 풍력발전단지가 건설되는 과정에 공통적으로 발견되는 제도적인 문제점은 절차적 정당성이 심각하게 훼손되었다는 것이다. 풍력발전단지에 대한 정보가 충분히 공개되지 않았고, 소음측정을 포함한 환경영향평가가 사전에 제대로 이루어지지 않았으며, 주민들의 동의 절차 및 주민들의 직접적인 참여를 가능하게 하는 숙의과정이 부족했다.

첫째, 풍력발전기의 소음은 단지 인근 여러 마을에 모두 영향을 주지만, 시행사들은 상대적으로 소음피해가 적은 일부 마을에서만 주민설명회를 개최하였다. 영암풍력단지의 경우 상대적으로 소음피해가 적은 금정리에서는 주민설명회를 3회 개최하였으나, 소음피해가 가장 많은 한대리와 연소리에서는 주민설명회를 전혀 개최하지 않았다. 한대리 주민들에 따르면 그들은 풍력발전기가 건설되는 지에 대한 어떤 공지도 받지 못했다고 한다. 강원 평창군 대기리 풍력발전의 경우 수하리는 마을에서 풍력발전기가 매우 가까운 곳이나, 효성에서 공사를 시작할 때까지 풍력발전기가 건설된다는 사실을 몰랐다고 한다. 농막만 있고 사람들이 거의 살지 않는 대기리에서만 주민설명회를 하고, 실질적으로 소음피해를 보고 있는 수하리에서는 주민설명회를 하지 않았다. 영양 맹동산의 풍력발전단지의 경우도 영양지역에서만 주민설명회를 하고, 실제 소음피해가 더 큰 영덕의 갈천리 마을에서는 주민설명회를 개최하지 않았다고 한다. 현재 풍력발전단지건설이 계획 중인 기산리의 경우에도 '풍력단지저지 영양영덕시민행동'소속 주민들에 따르면 설명회와 공청회를 요식행위로 추진하였다고 주장했다.

'주민 수용성은 민주적인 부분이랑 관련이 있는 건데 그 부분은 전혀 고려가 안 되고 이 사람들은 설명회랑 공청회만 했다 그 요식행위만 한 것으로 그런 주민 수용성을 다 충족했다고 하는 거예요. 근데 주민

들은 실제로 반대하는데 설명회를 거쳤다는 이유로 밀어붙(입니다).'

　풍력발전단지 건설관련 주민동의가 강제성이 없기 때문에 주민설명회가 그냥 요식행위로 이루어지는 사례도 허다하다. 의령풍력발전단지의 경우 풍력발전단지에 의해 영향을 받을 수 있는 주민들은 총 600여명인데 주민설명회에는 총 40여명이 참가했고 이 중 주민은 20명 정도에 불과하고 나머지는 공무원 혹은 의령풍력발전 직원이었다고 한다(오마이뉴스, 2015년 7월 1일). 주민설명회에서 주민들이 반대하더라도 건설을 막을 수 있는 강제성이 없기에 주민설명회를 한 후 회사 측은 주민들의 찬반의견과 상관없이 건설을 강행했다. 제주도의 경우 육상풍력발전지구의 지정에 있어 주민동의는 마을 총회의 회의록으로 통하여 이루어지는데, 2013년에 마을 총회 회의록이 첨부되지 않았는데도 제주도가 작성한 심의서에 마을 총회를 거쳐 유치된 사업이라고 명시되어 통과된 사례가 있으며, 어떤 곳은 마을 총회 동의서가 없어 2년이내 제출하는 조건으로 재심의가 결정된 사례도 있다.

　서남해 해상풍력단지의 주민설명회는 실제 가장 피해를 볼 수 있는 어민들의 참여 없이 낭주건강대학으로 불리는 노인대학의 노인들을 대상으로 주민설명회를 개최했다고 한다(뉴시스, 2015년 6월 25일). 한국해상풍력 관계자는 어촌계 주민들을 대상으로 제주도 견학을 하려고 했으나, 반대가 심해서 다른 주민들과 견학을 했다고 주장을 하고 있으나, 어촌계 주민들은 이에 대해 들은 바가 없다고 한다(이튜뉴스 2015년 6월 29일). 부안 주민들은 어민들이 배제된 주민설명회는

'요식행위만을 치러내고자 하는 행위일 뿐 진정한 설명회라 볼 수 없다'고 주장했다(뉴시스 2015년 6월 25일). 주민설명회도 풍력발전단지 건설을 홍보하고 방어하는 방식으로 진행되고, 주민들과의 실제적인 토론과 숙의과정이 없으며, 심지어 주민들의 질의조차 제대로 받지 않았다고 한다. 부안주민들은 이처럼 국책사업이 추진되는데 있어서 주민들과의 충분한 토론과 의견수렴이 이루어지지 않은 채 진행되는 것에 대해서 매우 아쉬워했다. 우리나라는 국책사업을 추진하는데 있어 지나치게 서두르는 감이 있다. 이는 해외의 풍력발전단지 추진과정과 대조적인 부분으로, 관계자들이 끊임없이 주민들을 찾아 설득하면서 노력해야 하는데 사실상 그렇게 하지 않는다.

둘째, 풍력발전단지에 대한 주민동의 절차도 제대로 이루어지지 않았다. 예를 들어 영양풍력사업의 경우 주민동의서가 허위로 작성되었다. 제출된 동의서에는 사망한 사람이 포함되어 있거나, 동일한 사람이 여러 장의 동의서를 쓴 사례 등 대규모 조작행위가 발견되었다고 한다(뉴스인, 2016년 11월 22일). 의령풍력발전단지 인근 갑을리 주민들은 주민동의를 받는 절차적 과정에서 의령군과 의령풍력발전(주)로부터 풍력발전단지 건설 공사 및 관련 사업에 대한 제대로 된 정보를 듣지 못했다고 말했다(오마이뉴스, 2015년 7월 1일). 오마이뉴스 보도(2015년 7월 1일)에 따르면 한 할머니는 다음과 같이 이야기했다.

'우리는 그런 거 몰랐어. 나무 벨 때 그때 처음 안 거지. 몇 달 전쯤 갑자기 나무 베는 소리가 들리는 기라. 너무 크게 들려서 뭔가 하고 가보니 글쎄 산꼭대기가 허연 민둥산이 돼 있었어. 나무며 돌이며 모든 게 파헤쳐

있더라고. 최근에는 마을 앞에 있는 길을 뜯대. 풍력발전소에서 생산한 전기를 외부로 보내는 파이프를 지하에 만든다고 땅을 뒤집은 기라. 산에서는 나무를 베고, 마을 앞에는 전기 보낸다고 길을 파헤쳐서 그때 안 거지.'

셋째, 환경영향평가를 실시하지 않거나, 일부러 환경영향평가를 피하기 위한 편법을 동원하기도 한다. 환경영향평가를 하지 않더라도 벌금이 매우 적기 때문에 위반에 대한 법적 실효성이 부족하다. 예를 들어 영양풍력의 경우 산지전용허가 면적 20㎡ 이상(국유림만 21만 5766만㎡)으로 환경영향평가 대상사업임에도 불구하고 환경영향평가를 실시하지 않았다. 결국 남부지방 환경청으로부터 기소되어 벌금 500만원이 확정되었다. 의령풍력단지의 경우 한우산 풍력발전단지 반대대책위원회 사무국장에 따르면, 초반에 유니슨에서 사전재해영향평가를 수행했고 문제가 없다고 주민들에게 이야기했으나, 주민들이 나중에 알고 보니 김해에서 수행한 그들의 평가서를 사용하여 단지 건설 승인을 받는 데 사용했다고 한다. 결국 이 때문에 주민들과 마찰이 있었고 합의를 하는데 9개월 정도 시간이 걸렸다고 한다.

2) 분배적 정의

풍력발전단지 건설에 대한 피해보상은 풍력발전단지의 주민 수용성에 있어 매우 중요한 요인 중의 하나이다. 피해보상의 유형은 일반적으로 지역발전기금, 전기료 감면, 지분 공유 등으로 이루어질 수 있으며, 보상방식은 해당 지역마다 협상으로 통하여 이루어지기 때문에 다를 수 있다. 영암풍력발전단지 경우 금정리 사람들에게 마을 기금을 제공하였으나 사실상 소음피해가 가장 많은 한대리 사람들은 어떤 금전적 보상도 받지 못했다고 한다. 서남해 해상풍력단지 지역 어민들은 이 지역의 바람의 질이 좋지 않음에도 불구하고 한국해상풍력에서 이 지역에 풍력발전단지를 건설하려고 하는 것은 해당어장이 공유어장이기에 주민들에게 지급할 보상금이 적기 때문이라고 불신의 눈길을 보내고 있다. 소위 칠산어장이라고 불리는 이 지역은 어업면허지역이 아니며, 특히 이 지역은 영광원전 건설 당시에 이미 보상을 해 주었기 때문에 더 이상 보상을 하지 않아도 되는 지역이다.

따라서 피해보상은 적을 것으로 예상되는 반면 풍력발전단지 건설에 따른 어장 축소 및 세굴현상에 따른 갯벌의 피해는 매우 클 것으로 판단하기 때문에 어민들은 풍력발전단지 건설을 적극적으로 반대하고 있다. 의령풍력발전단지의 경우 한우산풍력발전단지 반대대책위 사무국장에 따르면 지역발전기금으로 14억의 보상금을 받기로 약속했다고 한다. 이 지역주민들이 일시불을 원한 이유는 그들이 보기에 이 지역의 풍력단지가 경제성이 없다고 판단했기 때문이다. 그래서 전기료 감면이나 매년 기부금을 받는 것보다는 한 번에 모두 받는 것이 더 나을 것으로 주민들은 판단했다. 하지만, 당시 총14억중 4억만 보상금으로 받고, 나머지 10억을 받지 못해 이에 대한 소송을 진행했었다.

우리나라 풍력발전단지에서 분배정의의 문제를 어느 정도 잘 해결하고 있는 지역은 제주도이다. 제주도는 풍력발전 이익공유제를 실시하고 있는데 주민들의 호응이 높다(김동주, 2017). 2011년 풍력인허가

조례를 제정하며 6개월 이내 풍력단지 개발자가 이익공유화 계획서를 제출해야 하는 규정을 만들었으며, 실제로 2014년부터 계획서 제출이 이루어졌다. 가시리 풍력단지 개발자 SK D&D, 김녕풍력발전, 상명의 중부발전, 어음의 제주에코에너지가 풍력이익 공유제의 첫 번째 사례이다. 서귀포시 표선면 가시리에 건설된 풍력발전기의 경우 부지 임대료로 전력판매수익의 10%를 마을에 제공하고, 마을은 이러한 재원을 바탕으로 마을 출신 대학생 학자금 지원, 경로수당 지급, 그리고 건강보험료 지원에 활용하고 있다(오마이뉴스, 2015년 5월 29일). 이러한 이익공유제를 바탕으로 하여 제주도는 풍력발전지구지정제도를 실시하고 있다. 이 제도는 풍력발전지구 후보지를 공모하여 마을 주민들이 집단으로 응모하면 이 지역에 우선권을 주는 제도이다. 제주에너지공사는 응모한 마을을 대상으로 환경과 경관 그리고 전력수급의 안정성과 부지 면적 등에 대한 위원회 심사를 거쳐 신재생에너지 특성화마을을 지정한다.

물론 풍력발전지구지정제도가 그동안 지역시민단체의 비판으로부터 완전히 자유로운 것은 아니다. 앞에서 이미 언급한 바와 같이 제주환경운동연합은 2013년 이후 지속적으로 이 정책의 추진과정에서 나타나는 심의기준 위반 등 절차적, 거버넌스 문제점과 특혜 및 풍력자원의 사유화의 가능성에 대한 우려를 성명서를 통해 지적해 왔다. 하지만, 이 제도에 대한 제주지역 마을주민들의 호응도는 매우 높다. 풍력발전후보지구 인접 마을 간의 갈등 그리고 토착민과 이주민간의 갈등 등 갈등의 불씨가 아직 남아 있음에도 불구하고 내륙지역에 비해 제주도의 주민수용성이 상대적으로 높은 이유는 바로 이 제도 때문이다.

우리는 풍력발전단지 지역 주민들을 어떻게 대해야 하나?

우리나라의 풍력발전에 대한 대국민여론과 지역 주민들의 수용성사이에는 큰 간극이 존재한다. 풍력에 대한 전체국민들의 지지는 높음에도 불구하고, 풍력발전단지가 건설되는 지역들은 적지 않은 사회적 갈등에 시달리고 있다. 이 사회적 갈등에는 다양한 요인들이 있으며, 크게 감각적, 문화적, 제도적 요인으로 구분할 수 있다. 이처럼 풍력발전단지의 주민 수용성은 복잡한 요인들에 의해 일어나며, 단지를 건설할 때 이러한 요인들을 사려 깊게 고려해야 한다.

첫째, 우리나라에서 풍력발전단지가 많이 건설되는 지역은 바람이 많이 부는 내륙의 산악 지역이며 고령화 비율이 매우 높은 지역이므로 주민들의 인식에 있어 풍수적 가치관이 큰 영향을 준다. 에너지 수용성에 대한 풍수의 영향은 서구에서는 찾아보기 매우 드문 독특한 현상이다. 이는 산의 능선에 풍력발전기가 건설되는 우리나라의 독특한 지리적 환경과 관련한다. 이에 풍력발전단지의 주민 수용성을 분석하기 위해서는 지역의 인구학적, 공간적 특성을 고려하여 해당지역의 노인 인구분포 비율을 분석하고, 풍수적 가치관이 존재할 가능성이 높은 씨족사회인지 여부 등 지역 공동체의 특성에 대한 검토가 필요하다.

둘째, 풍력발전단지 건설에 대한 지역주민들의 저항을 반환경의식으로 간주하고 계몽하려는 태도를 지양해야 한다. 풍력발전에 대한 찬성은 친환경의식을 반영하고, 이에 대한 반대는 님비의식으로 비판하는 이분법을 가지면 안 된다. 풍력발전단지인근 주민들 중에는 영농 후계자 그리고 귀농 농부 등 생태적 가치관을 가진 사람들이 매우 많다. 그들은 풍력에너지가 기후문제를 해결하고 핵에너지의 위험으로 벗어날 수 있는 친환경에너지를 표상하고 있음에도 불구하고 사실상 지역생태계의 훼손을 가져오기 때문에 환경친화적이라 생각하지 않는다. 더불어 적지 않은 주민들이 님비 가치관에 대해서도 비판적인 생각을 가지고 있다. 그러므로 풍력발전단지에 대한 그들의 반대는 집단이기주의로 폄훼 될 수 없다.

셋째, 풍력발전단지 건설과정에서의 절차적 정당성을 보다 개선하여야 한다. 풍력발전단지관련 갈등을 겪고 있는 대부분의 지역에서 공통적으로 발견되는 특징은 주민설명회, 주민동의, 주민참여 등 절차적 민주주의가 심각하게 훼손되어져 왔다는 것이다. 지금까지 풍력발전단지 시행사들은 이러한 절차적 문제들을 매우 형식적으로 처리해 왔다. 앞으로 주민 수용성을 개신하는 데 있어 절차적 정당성이 핵심이라는 것을 인지하고 이를 위한 제도적 노력 및 법제화가 필요하다.

넷째, 풍력발전시행사와 정부는 지역 주민들을 설득하는데 있어 풍력발전단지를 통하여 지역 경제를 발전시키겠다는 장밋빛 구호를 버려야 한다. 그동안 그들은 지역 주민들의 수용성을 증가시키기 위해 풍력발전단지의 관광자원화를 통한 지역경제의 발전을 강조해왔다. 하지만, 사실상 풍력발전단지의 건설 후 이러한 구호가 허구로 드러나고, 주민들은 시각적 피해와 소음에 따른 고통을 호소하는 사례가 빈번하게 일어나고 있다. 따라서 시행사들은 장밋빛 전망보다는 피해에 따른 정당하고 충분한 보상을 하겠다는 인식을 가지고 풍력발전단지 건설을 추진해야 한다.

마지막으로 절차적 정당성과 경제적인 보상과 같은 제도적 개선만으로 풍력발전단지 갈등을 해결하는 데는 한계가 있다. 풍력발전단지 지역의 경관과 지역주민들의 문화적, 공동체적 특징을 보다 면밀히 분석하여 지역별 맞춤형 주민 수용성 개선 전략을 마련해야 한다. 이를 위해 우선 풍력발전단지 대상 지역의 선정에 있어서 해당지역 바람의 에너지 효율과 건설비용에 대한 경제적 평가뿐만 아니라, 감각적, 심미적 피해 그리고 주민들의 믿음과 가치관에 대한 환경심리학적 그리고 사회문화적 평가를 통해 풍력 갈등을 최대한 회피할 수 있는 지역을 찾아야 한다. 나아가, 결국 이와 같은 감각적, 문화적 충돌을 피할 수 없다면 풍력발전단지 건설과정에서 지역주민들의 참여 기회를 확대하고 심미적, 문화적 차이를 가진 다양한 주민들의 목소리가 충분히 반영될 수 있는 의사결정구조의 설계가 필요하다.

10. 탄소중립과 인간행태의 연구방법론

연다혜, 정지범, 김성필, 김종수, 이보은, 심민재 (UNIST)

기후변화의 원인이 인류와 인류의 활동이라는 명백한 과학적 증거들이 제시되고 있다 (IPCC, 2021, National Research Council, 2010). 인류 사회는 화석 연료를 기반으로 발전해왔고, 산업혁명을 기점으로 대기 중 이산화탄소를 포함한 온실가스 농도는 계속해서 증가하고 있다. 1980년대 말, 기후변화가 문제로 대두되었을 때 인류의 발전을 주도해 온 화석 연료 업계와 발전에 가치를 둔 보수주의자들은 기후변화를 외면했다. 기후변화 정책은 회의론과 정치적 양극화에 의해서 중요하게 다뤄지지 못하고 우선순위에서 밀려버렸다(McCright and Dunlap, 2011).

기후변화는 이제 기후위기가 되어 생태계와 우리 사회에 영향을 미치고 있다(IPCC, 2022). 2023년 7월, 안토니우 쿠테흐스 UN 사무총장은 "지구온난화의 시대가 끝났다. 이제는 지구가 끓는 시대에 도달했다." 고 경고했다. 같은 해, 우리나라도 최고 38도의 폭염이 지속되는 한편, 극한 호우로 인해 큰 인명피해가 발생했다. 더 이상 탄소중립을 위한 노력은 선택이 아니게 되었다. 우리는 소비, 에너지, 음식, 교통수단, 특히 항공 여행 등을 통해서 지속적으로 온실가스를 배출하고 있다. 이렇게 개인과 가정이 전세계 온실가스 배출량에 미친 직·간접적인 영향은 72%에 달한다(Dubois et al., 2019). 개개인 모두가 경각심을 가지고 탄소중립을 실현하기 위해 행동하는 것이 매우 중요한 때이다.

그러나 기후위기에 대해 경각심을 가지고 있거나 탄소중립의 중요성을 알고 있다고 하더라도 다양한 이유에 의해서 실천으로 이어지지 않을 수 있다. Gifford (2011a)에 따르면 사람들이 기후변화 저감 및 적응 행동을 하지 않는 이유는 구조적 요인과 심리적 요인으로 나눌 수 있다. 이때 구조적 요인은 법·제도, 기술, 인프라와 같이 행동을 실천하는 데에 필수적인 요소들이 없음을 말하는데, 이는 필요한 요소를 마련하여 비교적 빠른 해결이 가능하다. 중요한 것은 구조적인 요건이 충족된 상황에서도 사람들이 행동을 하지 않는 것이다. Gifford는 이러한 기후변화 행동을 방해하는 심리적 요인을 7가지로 정리하였다. 정리된 요인은 제한된 인지(limited cognition), 신념(ideologies), 사회적 관계(comparisons with others), 매몰비용(sunk costs), 불일치(discredence), 위험인식(perceived risks), 제한된 행동(limited behavior)이다. 이와 같이 개인의 탄소중립 실천을 유도하기 위해서는 개인적·사회적 원인을 파악하고 그에 따른 방안과 전략을 모색할 수 있도록 탄소중립 인간행태 연구가 필요하다.

개인의 탄소중립 행태를 연구하는 방법은 데이터 수집(Data Collection) 방식에 따라 크게 세 가지로 나눌 수 있다. 기존의 연구에서 많이 활용되어 온 자가보고와 관찰, 그리고 여기에서 제안하고자 하는 뇌신경과학 방법이다. 뇌신경과학 방법은 탄소중립 행태 연구에서 활용된 사례는 많지 않으나, 자기보고와 관찰 방법에서 밝히기 어려운 내재적이고 심층적인 이해를 도울 수 있다. 각 연구방법론을 실제 연구에 적용하는 데에 도움이 될 수 있도록 장·단점과 분류, 주요 연구 사례들을 살펴보고자 한다.

자기보고(Self-report) 방법

응답자가 직접 응답하는 자기보고 방법(Self-report method)은 설문조사와 인터뷰가 대표적이다. 자기보고 방법의 장점은 저렴한 가격으로 많은 데이터를 수집할 수 있는 것이다. 또한 측정의 시·공간적인 범위 설정이 자유롭다. 연구의 목적에 따라 시간적 범위를 현재, 특정 기간(예시. 최근 한 달), 또는 불특정 기간으로 설정할 수 있고, 공간적 범위를 학교나 직장으로 제한하거나 공간의 제약 없이 측정할 수도 있다. 그러나 자기보고 방법의 신뢰성(reliability)과 타당성(validity) 확보를 방해하는 몇 가지 문제점이 있다. 첫번째로, 자기보고 방법은 응답자들의 주관적 해석이 개입된다. 예를 들어, '종이를 재활용한다'는 항목에서 사람에 따라 '종이'가 인쇄용지로 해석될 수도 있고 종이박스로 해석될 수도 있다. '재활용'에 대해서도 이면지로 활용하는 것인지 분리수거를 하는 것인지 주관적으로 판단하게 된다. 두번째로, 집계가 필요한 설문 문항은 정확하지 못한 응답으로 이어질 수 있다. 특정 행동에 대한 빈도를 묻는 경우, 단순히 행동을 한다/하지 않는다가 아니라 '얼마나 자주' 하는지에 대한 집계의 과정이 필요하다. 하지만 응답자가 정확히 기억하지 못하거나 응답하고자 하는 의지가 없는 경우, 신뢰성 있는 응답을 확보하기 어렵다. 세번째로, 응답이 객관적이지 않고 편향될 수 있다. 다른 사람들에게 바람직한 사람으로 인상을 남기고 싶어 하는 사회적 선망 편향(social desirability bias)(Paulhus, 1991)이나 의식적 또는 무의식적으로 실험의 취지를 짐작하여 응답하는 실험자 요구 편향(experimenter demand bias)(Mummolo and

Peterson, 2019, Zizzo, 2010) 등이 실험 결과에 영향을 미칠 수 있다. 마지막으로, 실제 행동을 측정하는 것이 아니기 때문에 결과적으로 언어적인 응답만을 수집하게 된다.

설문조사(Survey)는 기후변화 분야의 대표적인 양적 연구방법이다. 연구 목적에 적합한 대상자들에게 대면, 전화, 우편, 온라인 등을 통해 설문지에 대한 응답을 받는다. 설문조사는 광범위한 사회 현상을 측정할 수 있고 통계 분석을 통해 비교가 가능하기 때문에 다수의 대상을 연구하는 데에 적합하다. 이러한 대규모 연구는 비교적 일반화와 관련된 논란을 감소시킨다. 하지만, 표준화된 문항을 통해 얻은 정보는 피상적이고 제한적이며, 정확성이 떨어질 수 있다. 또한, 태도나 신념을 측정하는 경우에 응답자가 실제로는 그렇지 않지만 그렇다고 주장하는 응답을 하는 경우가 발생한다. 이러한 문제를 해결하고 심층적으로 연구하기 위해서 **인터뷰(Interview)**나 자유 기입식(주관식) 문항을 병행하기도 한다.

탄소중립 인간행태에서 설문조사가 가지는 주요 기능은 두 가지가 있다. 첫째, 행태 자체를 측정하여 탄소중립에 대한 태도를 알아볼 수 있다. 문항은 대략적인 행태의 경향성을 묻거나 구체적인 항목들을 제시하는 형태로 나누어진다. 전자는 "나는 친환경 행동에 참여한다"(Obery and Bangert, 2017)와 같이 행태에 대한 전반적인 태도를 측정할 수 있다. 이때 '친환경 행동'이나 '참여' 등 단어에 대한 해석이 주관적이고 행동의 구체성이 떨어진다는 문제점이 있다. 후자는 보다 객관적인 측정을 위하여 구체적인 항목과 측정 방식을 제시한다. 재활용, 자가용 이용, 에너지 절약, 환경 단체의 기부 등 행태 항목을 하나 또는 다수 제시하여, 이 행태를 시행하는 빈도, 친환경 정도 인식, 지불의사(Willingness to Pay; WTP), 또는 참여의도(intention)를 응답하도록 한다. 탄소중립 행태는 시·공간적으로 광범위하고 다양한 사회·환경·인구통계학적 요인이 복합적으로 작용하기 때문에 탄소중립 행태 전체를 아우르도록 측정하는 것은 거의 불가능하다. 그러므로 다수의 문항으로 최대한 넓은 범위를 측정하거나, 차원을 나누어 대표적인 문항으로 각 차원을 측정할 수 있다. 차원은 행태 유형(예시. 환경운동, 일상행동, 개인적 환경주의 등)(Stern, 2000)과 행동 유형(예시. 에너지 절약, 친환경 소비, 재활용 등)으로 나눌 수 있는데, 행동 유형은 행태 유형에 포함되는 개념이다(Mónus, 2021). 이러한 행태 측정 문항은 연구마다 통일되어 있지 않고 굉장히 다양하다. 예를 들면, 생태행동 척도(Kaiser, 1998)는 7개의 항목, 총 40개 문항으로 이루어져 있으며, 유의하게 항목 간 비교가 가능하다는 것을 보여주었다. 최근에는 환경에 미치는 영향을 기준으로 선별된 19개 문항의 친환경 행태 척도(Markle, 2013)가 활용되고 있는데, 이 척도는 보호(Conservation), 환경 시민의식(Environmental citizenship), 식량(Food), 교통(Transportation)의 4개 차원으로 나뉘어 있다. 만약 특정한 연구대상이나 목적이 있다면 그 상황을 고려한 질문을 추가하는 것도 좋다. 예를 들어, 토지 소유자를 대상으로 하는 설문은 토지 관리에 대한 문항을 추가하기도 한다(Larson et al., 2015).

둘째, 설문조사를 통해 인간행태와 인과관계를 가지는 요인을 탐색할 수 있다. 개인의 행태를 유도하도록 전략을 수립하기 위해서는 사회·환경·인구통계학적 변수들의 영향을 파악하는 것이 무엇보다도 중요하다. 그렇기 때문에 이미 오래 전부터 연구가 진행되어 왔고, 관계가 입증된 주요한 변수들은 이론이나 모델로 구축되었다. 환경 분야에서 주로 사용되는 모델은 계획된 행동이론(Ajzen, 1991), 보호 동기이론(Rogers et al., 1983), 가치-신념-규범 이론(Stern, 2000) 등이 있다. 계획된 행동이론(The theory of planned behavior)은 심리학에서 처음 고안되어 환경 분야로 확대되었다. 이론에 따르면, 행동은 그 행동을 하고자 하는 의도에 의해 결정이 되고, 의도는 태도, 주관적인 규범, 인지된 행동 통제의 3가지 요인의 영향을 받는다. 보호 동기이론(Protection Motivation Theory)은 보건 분야에서 주로 활용되다가 환경 분야에도 적용되었으며, 위험평가와 대처평가를 거쳐 특정한 보호 행동을 하도록 결정한다는 이론이다. 규범 활성화 모형(Schwartz, 1977)을 확장한 가치-신념-규범 이론(value-belief-norm theory)은 세 가지 요인이 연쇄적으로 작용하여 친환경 행동을 유도하는 구조를 가지고 있다. 특히, 이 이론은 환경을 규범적 또는 도덕적으로 다루는 경향성이 있다(Steg and Nordlund, 2018). 최근에는 중요한 요인을 중심으로 구조를 단순화한 가치-정체성-개인 규범 모델(value-identity-personal norm model)이 제안되어 개인의 행동을 예측하고 있다(van der Werff and Steg, 2016, Ruepert et al., 2016). 연구자는 연구 목적에 맞는 이론 및 인구통계학적 요인을 선정하여 설문지를 구조화하고 통계 분석을 통해 행태를 예측하고 변수 간의 관계를 파악할 수 있다.

설문조사를 통한 결과는 개인의 행태와 관련된 경향성을 설명할 수 있지만, 내재적인 이유까지 설명하는 것은 어렵다. 물론 원인이 연구를 통해 구체화된 경우에는 설문조사 문항으로 설계할 수 있다.

Gifford (2011a)가 제시한 기후변화 행동을 하지 않는 심리적인 원인을 설문조사로 측정하기 위하여 기후변화 행동의 심리적 걸림돌(The Dragons of Inaction Psychological Barriers; DIPB) 척도를 만들었지만 (Lacroix et al., 2019) 아직 활용된 사례는 많지 않다.

인터뷰(Interview)는 대표적인 질적 연구 방법론으로 행동의 내재적인 동기나 이유를 파악하고 이해하는 데에 용이하다. 다만 설문조사와 비교했을 때 응답자의 수가 제한적이므로 편향성에 대해 주의해야 하고 일반화가 어려울 수 있다. 그래서 많은 선행연구에서 인터뷰를 단독으로 사용하기 보다는 설문조사와 병행하여, 설문조사 결과에서 나타나지 않는 심도 있는 해석을 제시하고자 하였다. 예를 들어, 환경에 대한 태도가 보호 행동에 영향을 준다는 설문조사 결과를 보완하기 위하여 인터뷰를 실시하였고, 정보와 인식, 이익과 보상, 자원에 대한 권한, 하향식(top-down) 거버넌스 등이 행태에 영향을 미치는 주요한 요인이라는 것을 밝혔다(Imran et al., 2014).

한 편, 특정 집단을 연구 대상으로 선정하여 모집단을 파악하기 어렵거나 무작위 표본 추출이 어려운 경우에 인터뷰를 통해 특정 집단을 연구하기도 한다. 친환경 에너지 사용 의사를 실제 행동으로 유도하는 요인을 탐색하기 위한 목적으로, 친환경 에너지 사용자 및 사용 의사가 높은 사람들을 대상으로 인터뷰를 진행하거나(Ozaki, 2011), 중소기업의 친환경행태를 조사하기 위하여 기업의 대표 및 관리자를 인터뷰하는 연구가 진행되었다(Williamson et al., 2006).

관찰(Observation) 방법

자가보고 방법의 대안으로, 관찰 방법이 있다. 관찰 데이터는 비교적 객관적인 데이터를 얻을 수 있으며 편향에 의해 왜곡될 확률이 적지만, 관찰하는 데에 시간과 비용이 많이 든다는 단점이 있다. 탄소중립 행태연구에서는 특히 대상자 자신에 대해서 자기보고 편향이 쉽게 발생하기 때문에 관찰 방법을 통해 객관성 있는 데이터를 확보하고 이를 바탕으로 적절한 전략을 탐색할 필요가 있다. 관찰 방법은 관찰하는 상황의 설계 여부에 따라서 현장 관찰과 실험 관찰로 구분할 수 있다.

현장 관찰(field observation)은 환경을 통제하지 않고 외부적 개입이 없는 실제 상황에서 대상의 행동을 관찰하는 것을 말한다. 자연스러운 환경에서 관찰이 진행되므로 의식적이지 않은 행동 데이터를 얻을 수 있다. 하지만 통제되지 않은 환경에서는 사전에 예측하지 못한 다른 요인들이 복잡하게 작용하기 때문에 연구의 타당성을 약화시키거나 특정 변수의 작은 영향은 확인하기 어려울 수 있다. 또한, 관찰 전 배경이나 태도와 같은 개인적인 특성을 대상자로부터 직접 수집하는 것이 어렵다는 단점이 있다. 현장 관찰의 방법은 세 가지로 나눌 수 있는데, (1)관찰 대상의 주변인으로부터 정보를 제공받거나, (2)훈련된 관찰자가 관찰하거나, (3)기기를 활용하여 측정하는 것이다.

첫번째로, 관찰 대상자의 가족, 친구, 동료 등 대상자를 잘 아는 주변인으로부터 정보를 제공받을 수 있다. 선정된 관찰자는 일상적인 관찰을 하거나, 일정 시간동안 의도적으로 관찰한 후 보고한다(Lange and Dewitte, 2019). 선행연구에서는 관찰자의 대리보고를 통해 자가보고의 한계점을 보완하였다. 예를 들어, Lam and Cheng (2002)은 "지난 1년간 환경 단체에 기부한 적이 있습니까?"라는 자가보고 항목과 "배우자가 지난 1년간 환경 단체에 기부한 적이 있습니까?"라는 대리보고 항목을 동시에 설문하여 응답의 정확도를 높이고자 하였다. Seebauer et al. (2017)는 84쌍의 부부에게 각각 본인과 배우자의 에너지, 교통, 여행 분야의 행태와 환경에 대한 가치를 질문했고, 서로의 응답을 교차 분석하였다. 예측 가능한 루틴을 따르는 행동(예시. 출퇴근 시 차량 이용 빈도)과 파트너가 쉽게 관찰할 수 있는 행동(예시. 방을 나갈 때 조명 끄기)은 자가보고와 대리보고 결과가 유사했으나, 주의 깊게 관찰하지 않으면 알기 어려운 행동(예시. PC나 TV 대기모드 사용하기)에 대해서는 차이가 발생했다.

그러나 주변인을 통한 방식이 유효한 결과를 도출하는지에 대해서 논란의 여지가 있다. 우선, 제보자의 관찰과 응답에는 주관적인 기준이 작용하기 때문에 데이터가 편향될 수 있다. 대상자의 모든 일상을 관찰하는 것은 어렵기 때문에 대리보고가 자가보고에 비해 정확성이 떨어질 수 있고(Richardson, 2006), 판단이 불확실한 경우에는 스스로를 판단의 기준으로 앵커링(anchoring)하여 대상의 행태를 추론할 가능성이 있다. 또한, 제보자와 대상자 간에 형성된 사회적인 관계가 자가보고 방식과 마찬가지로 사회적 선망 편향을 유발할 수 있다.

두번째로, 연구 데이터의 객관성을 확보하기 위하여 훈련된 관찰자를 활용한다. 훈련된 관찰자는 특정 대상의 탄소중립 행태를 집중적으로 관찰할 수 있고, 대상자와 개인적인 관계가 없기 때문에 비교적 행동 데이터의 정확성과 타당성이 높다. 선행연구에서는 훈련된 관찰자가 식료품점 고객의 장바구니에서 재활용 가능한 병의 개수를 세거나(Geller et al., 1973) 배포된 전단지를 올바르게 폐기하는지 평가하거나(Geller et al., 1977) 자리를 비울 때 전자기기의 전원을 끄는지 기록하는 연구(Siero et al., 1996)가 진행되었다. 행태를 관찰할 때 특히 유의해야 할 부분은 피험자의 눈에 띄지 않는 것이다. 피험자가 자신의 행동이 평가되고 있음을 인식하게 되면 의식적으로 행동하기 때문에 정확한 평가가 어려울 수 있다(Kazdin, 1979). 또한, 관찰자의 편견이나 기대에 의해 행동 평가가 왜곡될 수 있다. 따라서, 관찰자를 신중하게 선정하고 교육 및 감독하는 과정을 통해 신뢰성과 타당성이 확보된 평가가 가능하도록 해야 한다.

세번째, 기기를 활용하여 탄소중립 행태를 관찰할 수 있다. 주로 가정 내 전기, 가스, 수도 등의 에너지 소비량을 측정하거나 특정 조건에 따라 소비량 또는 소비 변화량을 비교하는 연구가 진행되었다. 예를 들어, 에너지 절약에 대한 혜택 유무에 따라 사람들의 행태가 다르게 나타났다. Winett and Nietzel (1975)의 연구에서는 가정의 에너지 사용량 감소에 대하여 금전적인 혜택을 제공하였고, 혜택을 받은 그룹의 전기 사용량이 그렇지 않은 그룹에 비해 큰 폭으로 감소하였다. Foxx and Hake (1977)는 휘발유 절약에 대한 동기를 부여하기 위해 현금, 자동차 정비 서비스 등을 제공하였다. 주행 거리계를 사용하여 휘발유 사용량을 측정한 결과, 혜택을 받은 그룹은 기존 행태와 비교하여 일일 평균 주행거리가 20% 감소한 반면, 혜택을 받지 못한 대조 그룹은 변화가 없었다.

그러나, 기기 측정 데이터만으로 개인의 탄소중립 행태를 판단하는 것은 한계가 있다. 계량기 검침 값은 한 개인으로부터 기인한 것이 아니라 가정이나 지역 사회와 같이 더 넓은 차원을 측정한다. 그러므로 직접적으로 개인의 탄소중립 행태를 설명하는 데에 어려움이 있다. 실제로, 가정의 에너지 사용은 주로 소득이나 가구 규모에 따라 달라지는 반면, 개인의 친환경 행동은 개인이 가진 태도와 밀접한 연관이 있는 것으로 나타났다(Gatersleben et al., 2002, Poortinga et al., 2004). 이러한 한계점을 보완하기 위하여 한 개인만 사용하는 특정 기기(예시. 스마트폰)로 에너지 소비를 추적하는 등의 적절한 대안을 활용할 수 있다. 또한 기기로 측정된 결과(예시. 전기 사용 청구서 기록)를 다른 방법론(예시. 인터뷰)과 병행하기도 하여 타당성을 확보하기도 한다(예시. Sapci and Considine (2014)).

실험 관찰(laboratory observation)은 실험 목적에 맞게 환경을 통제하여 불필요한 노이즈를 줄이고 특정 변수의 영향을 집중적으로 측정하는 방법이다. 하지만 인공적인 실험 환경에서 수행된 실험은 생태학적 타당성이 부족하기 때문에 결과를 일반화하는 데에 제한이 있을 수 있으며(Sörqvist et al., 2015), 실험에서 중점을 둔 변수가 경험적 맥락에서 나타나지 않을 수 있기 때문에 참가자가 현실과 동떨어진 느낌을 받을 수 있다(Lange and Dewitte, 2019).

실험 관찰은 실험 목적에 맞춰 개입 전략을 수립하는 것이 중요하다. 개입의 형태에 따라 정보 전략(informational strategies)과 구조 전략(structural strategies)으로 나눌 수 있다. 정보 전략은 정보를 제공함으로써 피험자의 태도 및 인지를 변화시키고, 구조 전략은 피험자의 선택에 따라 보상이나 불이익이 주어지는 등 상황 요인을 변화시킨다

(Steg and Vlek, 2009). 사회 및 환경 심리학 분야에서 개입 전략의 효과를 검토한 문헌에 따르면, 정보제공은 지식 수준을 높이는 경향이 있지만 반드시 에너지 절약행동으로 이어지는 것은 아니었으며, 보상은 에너지 절약을 효과적으로 장려했지만 그 효과는 다소 짧은 것으로 나타났다(Abrahamse et al., 2005).

한편, 개입 전략은 선택에 따른 피드백의 유무에 따라 선행전략(antecedent strategies)과 결과전략(consequence strategies)으로 나뉘기도 한다(Abrahamse et al., 2005). 선행 전략은 행동이 수행되기 전에 하나 이상의 결정 요인이 행동에 영향을 미치도록 설계하는 것이다. 그 예시로는 정보제공, 목표 설정 등이 있다. 결과 전략은 긍정적 또는 부정적 결과의 존재가 행동에 영향을 미칠 것이라는 가정을 기반으로, 응답자의 선택에 대한 피드백이 보상/처벌, 수락/거절, 웃는 이모티콘/화난 이모티콘 등의 형태로 주어진다.

Demarque et al. (2015)는 가상의 상점에서 한정된 예산을 제공하고 친환경 마크가 표시된 상품을 선택하는지 여부를 관찰하였다. 이때 사회적 규범(social norm)을 정보로써 제공하는 선행전략을 활용하였다. 규범은 다른 사람들이 무엇을 하고 있는지 또는 무엇을 허용하는지에 대한 신념을 의미하며(Cialdini et al., 1990b), 인간의 행동을 유도하거나 변화시키기 위한 개입 요소로 사용되기도 한다. 연구에서 지속가능한 소비에 대한 규범의 효과를 확인하기 위해 다음의 4가지 조건이 참가자들에게 무작위로 할당되었다. 상점에 대한 정보를 제공할 때, 이전 참가자들의 친환경 제품 구매 행태를 알려주는 규범 조건 3가지(약한규범: "이전 참가자의 9%가 친환경 제품 한 개를 구매했습니다"; 강한규범1: "이전 참가자의 70%가 친환경 제품을 한 개 이상 구매했습니다"; 강한규범2: "이전 참가자들은 평균적으로 친환경 제품을 최소 두 개 이상 구매했습니다")와 아무런 정보를 제공하지 않는 통제 조건이 사용되었다.

Lange et al. (2018)는 친환경 행동 과제에서 선택에 따른 보상을 결과 전략으로 사용하였다. 실험 참가자들에게 여행의 교통수단을 자동차와 자전거의 두 가지 선택지로 제시하고, 선택지의 가상 이동시간이 실제 실험 시간과 연계되어 있음을 안내한다. 자동차를 선택할 경우 실험실에 머물러야 하는 시간이 짧아지는 반면, 자전거를 선택할 경우 에너지를 절약하는 대신 실험실에 머물러야 하는 시간이 길어진다. 실험 결과, 자전거를 선택한 응답은 친환경 행동과 양의 상관관계를 보였으며, 환경적인 태도나 인식 또한 유의미하게 높은 상관성을 나타냈다.

선행전략과 결과전략은 동시에 사용되기도 하는데, McCalley and Midden (2002)는 에너지와 관련하여 세탁기 사용에 대한 목표 설정과 피드백을 함께 적용했다. 실험실 환경에서 목표 설정이 이루어지고, 세탁 횟수 당 평균 에너지 사용량에 대한 즉각적인 피드백이 제어판에 표시된다. 목표와 피드백을 함께 제공받은 참가자는 목표없이 피드백만 받은 참가자보다 에너지를 절약하는 결과를 보였다.

뇌신경과학(Neuroscience)

앞서 언급한 방법론은 모두 외부에서 관찰이 가능한 개인의 행동을 토대로 인간의 행태를 연구하는 방법이다. 하지만 행동이 나타나기까지의 과정에 내재된 심리요인들을 이해하는 것 또한 매우 중요하다. 외부에서의 관찰만으로는 인간의 행태를 온전히 이해하는 데에 한계가 있기 때문이다. 따라서, 복잡한 인간 행태의 내면에 숨어있는 심리요인을 파악하고 분석하기 위하여 설문이나 관찰 방법과 더불어 객관적인 측정과 해석이 가능한 측정 도구가 필요하다. 이러한 필요성에 대한 솔루션으로서 최근 뇌신경과학(Neuroscience) 방법론이 대두되고 있다. 뇌신경 활동을 뇌공학(neuroengineering) 기술로 측정하고 측정된 뇌신호를 관찰된 특정 행동과 결부시켜 해석함으로써, 그 행동이 나타나기까지 뇌신경 활동이 어떻게 변화했고 어떠한 인지 및 정서과정이 작용했는지를 유추할 수 있다. 따라서 뇌신경과학 방법론을 활용하면 개인의 탄소중립 행태를 더욱 심도있게 이해하는 새로운 창을 열 수 있을 것이다. 하지만 현재 기후변화 분야에서는 자가보고나 관찰 방법에 비해 뇌신경과학 방법은 상대적으로 미비하게 활용되고 있다.

뇌 활동을 어떻게 관찰할 수 있을까?

흔히 뇌를 연구하면 개인의 드러나지 않은 생각과 감정을 읽어낼 수 있을 것이라고 생각하기 쉽다. 이것은 맞을 수도 있고 틀릴 수도 있다. 인간의 인지 과정은 수많은 신경세포의 유기적인 활동으로 이루어지는데, 이때 발생하는 전기적인 신호나 혈류 활동을 과학적으로 분석하고 통계적으로 검증하는 과정을 통해 인지과정을 이해할 수 있다. 하지만 신경세포의 활동과 특정한 인지 과정이 일대일로 직결되는 것은 아니다. 특정 신경세포의 전기 신호가 다수의 인지 과정과 연관되어 있을 수도 있고, 특정한 인지 과정과 연계된 신경세포의 활동이 기술적으로 관찰되지 않을 수도 있다. 이와 관련해서 뇌신호를 측정하거나 분석 혹은 처리하는 기술이 계속해서 발전함에 따라 인지 과정과 뇌활동 사이에 아직 밝혀지지 않은 관계성을 파악할 수 있을 것으로 기대된다.

뇌 신호를 측정하는 방법은 침습적 방법과 비침습적 방법으로 나눌 수 있다. 침습적 방법은 수술을 통해 직접 뇌에 전극을 삽입하여 신경세포 활동을 측정하며, 실제 뇌활동을 가장 명확하게 나타내는 신호를 획득할 수 있다. 하지만 외과적 수술이 필요하므로 일반인들에게 적용하기는 어렵다. 반면, 비침습적 방법은 뇌 바깥에서 신경활동을 관찰하는 방법으로, 상대적으로 잡음이 섞여 있는 신호를 얻게 되지만 편의성 때문에 보편적으로 사용된다(Zhang et al., 2020). 인간의 사회적 행동 양식을 연구할 때 사용되는 대표적인 비침습적 방법은 기능적자기공명영상과 뇌파 전위기록이 있다.

기능적자기공명영상(functional Magnetic Resonance Imaging; fMRI)은 뇌의 활성 부위를 측정하는 대표적인 뇌 영상 기술이다 (그림 1). 흔히 병원에서 사용하는 MRI를 떠올리면 이해하기 쉽다. 실험 대상자가 누운 상태로 MRI 장비 속에 들어가면 자기장을 활용하여 뇌의 각 부분들이 얼마나 활동하고 있는지를 관찰할 수 있다. 외부에서 측정함에도 불구하고 뇌 활동이 일어나는 해부학적 위치를 높은 공간 해상도로 관찰할 수 있으나, 뇌 영상 이미지를 얻는 데 최소 1초 이상 소요되어 제한적인 시간 해상도를 가진다(Ramsey, 2012). 사고하는 과정이 매우 빠르게 진행되는 점을 고려하면 시간 측면에서 다소 한계점이 있다.

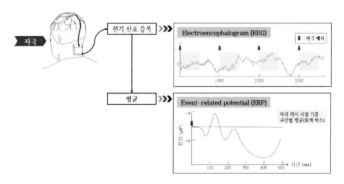

그림 4. 뇌파전위기록(EEG)의 측정과정과 사건관련전위(ERP)의 파형 생성과정

뇌파 전위기록 또는 뇌파(Electroencephalography; EEG)는 두피에 전극을 부착하여 뇌에서 발생하는 전기적인 활동을 측정한다 (그림 2). 뇌와 두개골 사이에 있는 뇌척수액과 두개골을 통과한 미세 전류를 두피에서 측정하기 때문에 정확히 뇌의 어떤 위치에서 유발된 신호인지까지는 알기 어렵지만 1000분의 1초 단위의 짧은 시간까지 측정이 가능하다(Lago and Cester, 2017). 측정된 뇌파는 다양한 방법으로 분석할 수 있다. 특정 시점을 기준으로 뇌에서 일어나는 반응을 관찰하는 **사건관련전위**(Event-Related Potential; ERP)가 대표적이고, 그 외에도 주파수 대역, 네트워크 등이 있다.

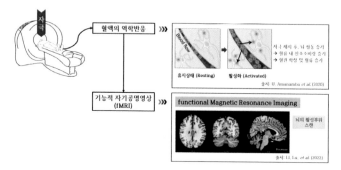

그림 5. 기능적자기공명영상(fMRI)의 원리

탄소중립 행태 연구에 적용하기

기후변화 인식과 탄소중립 행태 연구에서 내재된 심리를 파악하는 것은 매우 중요하다. 최근 뇌과학 방법론을 적용한 연구의 필요성이 계속해서 제기되고 있지만, 아직까지는 수행된 연구가 거의 없다. 그러므로 뇌과학방법을 활용한 연구가 비교적 활발히 진행된 사회심리학 연구를 참고하여 탄소중립 행태 연구에 적용하는 방안을 제안하고자 한다.

De Martino et al. (2006)은 도박과 관련된 fMRI 실험을 진행했다. 실험 과정은 매우 간단하다. 피험자는 매 시도마다 기본 금액을 받은 후 해당 시도의 손익 정보를 확인하여 도박 참여 여부를 결정한다. 제시되는 손익 정보는 도박에 참여하지 않을 경우 잃게 될 금액(손실 프레임) 혹은 도박에 참여할 때에 얻게 될 금액(이익 프레임)과 도박의 손익 확률이다. 피험자는 도박에 참여할 경우 60%의 확률로 모두 잃거나 40%의 확률로 모두 얻게 되며, 이 확률은 모든 시도에서 고정되어 있다. 이 실험은 '프레이밍 효과(framing effect)'가 의사결정에 미치는 영향을 보기 위한 목적으로, 손실 프레임 혹은 이익 프레임의 두 가지 조건을 설계했다. 실험 결과, 이익 프레임보다 손실 프레임에서 도박을 선택하는 경우가 훨씬 많았고, 이 때 뇌 영역 중 편도체가 활성화되었다. 편도체는 감정처리와 연관이 있다고 알려져 있다. 또한, 프레임과 관계없이 합리적인 선택을 내리는 사람의 뇌에서 활성화되는 영역도 추가적으로 관찰할 수 있었다. fMRI 결과는 위험에 대한 의사 결정을 할 때 합리적 이익뿐만 아니라 감정이나 개인의 성향 등 다양한 요인들이 복합적으로 작용한다는 것을 보여준다.

이 연구를 탄소중립 행태 연구에도 적용시켜 볼 수 있다. 기후변화의 특성 상 그 영향이 시·공간적으로 광범위하기 때문에 탄소중립 행태 여부에 따른 손익 확률을 조건에 맞춰 설계할 수 있다. 예를 들어, 탄소중립 행태의 참여 여부를 결정하는 연구를 가정해보자. 피험자는 참여를 하면서 얻게 되는 긍정적인 부분(이익 프레임) 또는 참여하지 않으면서 발생하는 부정적인 부분(손실 프레임)을 인지하고 참여를 선택하게 된다. 행태에 참여함으로써 60%의 확률로 기후변화 위험을 완화하거나, 40%의 확률로 아무런 영향을 미치지 못해 피해를 받을 수 있다. 연구의 결과는 현재 주로 활용되는 기후위기나 생태계의 파괴와 같이 기후변화의 부정적인 면을 부각하는 개입과 추가적으로 행태의 긍정적인 면을 부각하는 개입이 탄소중립 행태를 유도하는 데에 미치는 영향을 확인할 수 있다. 이때 fMRI를 측정하면 활성화되는 뇌의 영역을 확인하여 경제적인 의사 결정과 기후변화에서의 의사 결정에서

작용하는 내재적 심리요인을 파악할 수 있다.

Golnar-Nik et al. (2019)은 아이폰 X 제품에 대한 광고를 다양한 방식으로 제시한 후 피험자의 구매 의사를 확인했다. 이때 전두엽과 두정엽에서 측정된 뇌파 신호의 주파수 성분이 구매 의사 발생을 87%, 광고 선호 정도를 63% 이상의 정확도로 예측하였다. 이를 통해 기후 친화적인 소비를 유도할 수 있는 효과적인 광고 방안을 마련할 수 있다. 예를 들어, 친환경 마크나 탄소배출량이 표기된 제품 구입을 선택할 때의 뇌파를 분석하여, 구매 의사와 선호도를 확인하고 그에 맞는 개입 전략을 수립할 수 있다.

이렇듯 뇌신경과학을 통한 접근은 인간의 행태에 대해 본질적이고 심층적인 해석을 가능하게 한다. 뇌신호를 주요 요인으로 분석하는 연구가 계속해서 증가하고 있고 다양한 분야로 확대되고 있다. 최근 환경 및 기후변화 분야에서도 정치, 경제, 사회, 지리, 문화적 배경을 고려한 다층적 의사 결정 및 행태를 연구하기 위하여 뇌신경과학 방법의 필요성이 제기되고 있다(Wang and Van Den Berg, 2021).

나아갈 방향

앞서 살펴보았듯이, 모든 연구방법론에는 장점과 단점이 공존하고 있으며, 완벽한 방법론이란 존재할 수 없다. 특히, 인간의 행태는 복잡성(complexity), 변산성(variability), 반응성(reactivity)의 특징을 가지고 있기 때문에, 이를 정확히 예측하기란 쉬운 일이 아니다. 그럼에도 불구하고 기후위기를 저감하기 위해서는 개인의 탄소중립 행태를 연구하여 적절한 대응 방안과 전략을 모색해야 한다. 연구자들은 한 가지 방법론을 구체적으로 설계하거나, 두 가지 이상의 방법론을 병행 또는 혼합하여 단점을 보완하기도 하고 새로운 연구방법론을 시도해 보면서 더 나은 학술적 결과를 위해 노력하고 있다. 본 장에서는 새로운 연구방법론으로 뇌신경과학을 소개하였다. 기존에 널리 사용되고 있는 방법론을 활용하면서도 뇌신경과학과 같은 새로운 방법론을 병행하여 내재적인 원인까지 파악할 수 있다면 탄소중립 인간행태 연구의 궁극적인 목표에 가까이 다가설 수 있을 것으로 기대된다.

참고문헌

1장

서론 - 정지범

ABRAHAMSE, W. & STEG, L. 2009. How do socio-demographic and psychological factors relate to households' direct and indirect energy use and savings? Journal of Economic Psychology, 30, 711-720.

ABRAHAMSE, W., STEG, L., VLEK, C. & ROTHENGATTER, T. 2005. A review of intervention studies aimed at household energy conservation. Journal of Environmental Psychology, 25, 273-291.

AHN, S., LEE, H., JEONG, Y. & LEE, Y. 2020. Method of the Political Neutrality of Portal Sites by Analyzing the Propensity of Subscriber. Journal of the Korean Institute of Industrial Engineers, 46, 663-672.

AJIBADE, I. & BOATENG, G. O. 2021. Predicting why people engage in pro-sustainable behaviors in Portland Oregon: The role of environmental self-identity, personal norm, and socio-demographics. Journal of Environmental Management, 289, 112538.

AJZEN, I. 1991. The theory of planned behavior. Organizational Behavior and Human Decision Processes, 50, 179-211.

APERGIS, N. & PINAR, M. 2021. The role of party polarization in renewable energy consumption: Fresh evidence across the EU countries. Energy Policy, 157, 112518.

ATEŞ, H. 2020. Merging Theory of Planned Behavior and Value Identity Personal norm model to explain pro-environmental behaviors. Sustainable Production and Consumption, 24, 169-180.

AYRES, I., RASEMAN, S. & SHIH, A. 2012. Evidence from Two Large Field Experiments that Peer Comparison Feedback Can Reduce Residential Energy Usage. The Journal of Law, Economics, and Organization, 29, 992-1022.

BARTHE, Y., ELAM, M. & SUNDQVIST, G. 2020. Technological fix or divisible object of collective concern? Histories of conflict over the geological disposal of nuclear waste in Sweden and France. Science as Culture, 29, 196-218.

BASHIR, N. Y., LOCKWOOD, P., CHASTEEN, A. L., NADOLNY, D. & NOYES, I. 2013. The ironic impact of activists: Negative stereotypes reduce social change influence. European Journal of Social Psychology, 43, 614-626.

BINDER, M., BLANKENBERG, A.-K. & WELSCH, H. 2020. Pro-environmental Norms,

Green Lifestyles, and Subjective Well-Being: Panel Evidence from the UK. Social Indicators Research, 152, 1029-1060.

BIRESSELIOGLU, M. E. & KARAIBRAHIMOGLU, Y. Z. 2012. The government orientation and use of renewable energy: Case of Europe. Renewable energy, 47, 29-37.

BRICK, C., SHERMAN, D. K. & KIM, H. S. 2017. "Green to be seen" and "brown to keep down": Visibility moderates the effect of identity on pro-environmental behavior. Journal of Environmental Psychology, 51, 226-238.

CADORET, I. & PADOVANO, F. 2016. The political drivers of renewable energies policies. Energy Economics, 56, 261-269.

CHAI, A. & BABUTSIDZE, Z. 2017. Look at me Saving the Planet! The Imitation of Visible Green Behavior and its Impact on the Climate Value-Action Gap. Ecological Economics, 146.

CHEN, J., WU, Y., TONG, G., GUAN, X. & ZHOU, X. 2012. ERP correlates of social conformity in a line judgment task. BMC Neuroscience, 13, 43.

CHO, M.-R. 2020. Urban resilience through progressive governance: The case of the 'one less nuclear power plant' policy, Seoul, Korea. Urban Studies, 57, 1434-1451.

CHOMSKY, N. & POLLIN, R. 2020. Climate crisis and the global green new deal: The political economy of saving the planet, Verso Books.

CHUNG, J.-B. 2018. Let democracy rule nuclear energy. Nature, 555, 415.

CHUNG, J.-B. 2020. Public deliberation on the national nuclear energy policy in Korea – Small successes but bigger challenges. Energy Policy, 145, 111724.

CIALDINI, R. B. & GOLDSTEIN, N. J. 2004. Social Influence: Compliance and Conformity. Annual Review of Psychology, 55, 591-621.

CIALDINI, R. B., RENO, R. R. & KALLGREN, C. A. 1990a. A focus theory of normative conduct: Recycling the concept of norms to reduce littering in public places. Journal of personality and social psychology, 58, 1015.

CIALDINI, R. B., RENO, R. R. & KALLGREN, C. A. 1990b. A focus theory of normative conduct: Recycling the concept of norms to reduce littering in public places. Journal of Personality and Social Psychology, 58, 1015-1026.

CONNOLLY, J. & PROTHERO, A. 2008. Green Consumption. Journal of Consumer Culture, 8, 117-145.

DE MARTINO, B., KUMARAN, D., SEYMOUR, B. & DOLAN, R. J. 2006. Frames, Biases, and Rational Decision-Making in the Human Brain. Science, 313, 684-687.

DEMARQUE, C., CHARALAMBIDES, L., HILTON, D. J. & WAROQUIER, L. 2015. Nudging sustainable consumption: The use of descriptive norms to promote a minority behavior in a realistic online shopping environment. Journal of Environmental Psychology, 43, 166-174.

DIAMOND, J. M. 1998. Guns, germs and steel: a short history of everybody for the last 13,000 years, Random House.

DUBOIS, G., SOVACOOL, B., AALL, C., NILSSON, M., BARBIER, C., HERRMANN, A., BRUYèRE, S., ANDERSSON, C., SKOLD, B., NADAUD, F., DORNER, F., MOBERG, K. R., CERON, J. P., FISCHER, H., AMELUNG, D., BALTRUSZEWICZ, M., FISCHER, J., BENEVISE, F., LOUIS, V. R. & SAUERBORN, R. 2019. It starts at home? Climate policies targeting household consumption and behavioral decisions are key to low-carbon futures. Energy Research & Social Science, 52, 144-158.

EDDY, J. A. 1976. The Maunder Minimum: The reign of Louis XIV appears to have been a time of real anomaly in the behavior of the sun. Science, 192, 1189-1202.

EHRET, P. J., HODGES, H. E., KUEHL, C., BRICK, C., MUELLER, S. & ANDERSON, S. E. 2021. Systematic Review of Household Water Conservation Interventions Using the Information–Motivation–Behavioral Skills Model. Environment and Behavior, 53, 485-519.

FOXX, R. M. & HAKE, D. F. 1977. Gasoline conservation: a procedure for measuring and reducing the driving of college students. Journal of Applied Behavior Analysis, 10, 61-74.

GATERSLEBEN, B., STEG, L. & VLEK, C. 2002. Measurement and determinants of environmentally significant consumer behavior. Environment and behavior, 34, 335-362.

GEHRING, W. J. & WILLOUGHBY, A. R. 2002. The Medial Frontal Cortex and the Rapid Processing of Monetary Gains and Losses. Science, 295, 2279-2282.

GEIGER, N., PASEK, M. H., GRUSZCZYNSKI, M., RATCLIFF, N. J. & WEAVER, K. S. 2020. Political ingroup conformity and pro-environmental behavior: Evaluating the evidence from a survey and mousetracking experiments. Journal of Environmental Psychology, 72, 101524.

GELLER, E. S., FARRIS, J. C. & POST, D. S. 1973. Prompting a consumer behavior for pollution control1. Journal of Applied Behavior Analysis, 6, 367-376.

GELLER, E. S., WITMER, J. F. & TUSO, M. A. 1977. Environmental interventions for litter control. Journal of Applied Psychology, 62, 344.

GHOSH, A. 2018. The great derangement: Climate change and the unthinkable, Penguin UK.

GIFFORD, R. 2011a. The Dragons of Inaction: Psychological Barriers That Limit Climate Change Mitigation and Adaptation. American Psychologist - AMER PSYCHOL, 66, 290-302.

GIFFORD, R. 2011b. The dragons of inaction: psychological barriers that limit climate change mitigation and adaptation. Am Psychol, 66, 290-302.

GOLNAR-NIK, P., FARASHI, S. & SAFARI, M. S. 2019. The application of EEG power for the prediction and interpretation of consumer decision-making: A neuromarketing study. Physiol Behav, 207, 90-98.

HABIB, R., WHITE, K., HARDISTY, D. J. & ZHAO, J. 2021. Shifting consumer behavior to address climate change. Current Opinion in Psychology, 42, 108-113.

HILTON, D., TREICH, N., LAZZARA, G. & TENDIL, P. 2018. Designing effective nudges that satisfy ethical constraints: the case of environmentally responsible behaviour. Mind & Society, 17, 27-38.

HUANG, Y., KENDRICK, K. M. & YU, R. 2014. Conformity to the Opinions of Other People Lasts for No More Than 3 Days. Psychological Science, 25, 1388-1393.

HUNTINGTON, E. 1924. Civilization and climate, Yale University Press.

IMRAN, S., ALAM, K. & BEAUMONT, N. 2014. Environmental orientations and environmental behaviour: Perceptions of protected area tourism stakeholders. Tourism Management, 40, 290-299.

IPCC 2021. Climate change 2021: the physical science basis. Contribution of working group I to the sixth assessment report of the intergovernmental panel on climate change.

IPCC 2022. Climate change 2022: Impacts, adaptation and vulnerability. IPCC Sixth Assessment Report, 37-118.

JIN, S. H. 2021. Path Lock-in of Energy Transition Policy in Moon Jae-in Administration: Focusing on the Phase-out Pledges of Nuclear and Coal. korean policy sciences review, 25, 1-34.

KAISER, F. G. 1998. A General Measure of Ecological Behavior1. Journal of Applied Social Psychology, 28, 395-422.

KAZDIN, A. E. 1979. Unobtrusive measures in behavioral assessment. Journal of Applied Behavior Analysis, 12, 713-724.

KEIZER, K., LINDENBERG, S. & STEG, L. 2008. The Spreading of Disorder. Science, 322, 1681-1685.

KIM, H. 2014. Reconstructing the public in old and new governance: A Korean case of nuclear energy policy. Public Understanding of Science, 23, 268-282.

LACROIX, K., GIFFORD, R. & CHEN, A. 2019. Developing and validating the Dragons of Inaction Psychological Barriers (DIPB) scale. Journal of Environmental Psychology, 63, 9-18.

LAGO, N. & CESTER, A. 2017. Flexible and Organic Neural Interfaces: A Review. Applied Sciences, 7, 1292.

LAM, S.-P. & CHENG, S.-I. 2002. Cross-informant agreement in reports of environmental behavior and the effect of cross-questioning on report accuracy. Environment and behavior, 34, 508-520.

LANGE, F. & DEWITTE, S. 2019. Measuring pro-environmental behavior: Review and recommendations. Journal of Environmental Psychology, 63, 92-100.

LANGE, F., STEINKE, A. & DEWITTE, S. 2018. The Pro-Environmental Behavior Task: A laboratory measure of actual pro-environmental behavior. Journal of Environmental Psychology, 56, 46-54.

LARSON, L. R., STEDMAN, R. C., COOPER, C. B. & DECKER, D. J. 2015. Understanding the multi-dimensional structure of pro-environmental behavior. Journal of Environmental Psychology, 43, 112-124.

LI, D., DU, J., SUN, M. & HAN, D. 2020. How conformity psychology and benefits affect individuals' green behaviours from the perspective of a complex network. Journal of Cleaner Production, 248, 119215.

LI, D., ZHAO, L., MA, S., SHAO, S. & ZHANG, L. 2019. What influences an individual's pro-environmental behavior? A literature review. Resources, Conservation and Recycling, 146, 28-34.

LORENZONI, I., NICHOLSON-COLE, S. & WHITMARSH, L. 2007. Barriers perceived to engaging with climate change among the UK public and their policy implications. Global Environmental Change, 17, 445-459.

MARKLE, G. L. 2013. Pro-Environmental Behavior: Does It Matter How It's Measured? Development and Validation of the Pro-Environmental Behavior Scale (PEBS). Human Ecology, 41, 905-914.

MARKOWITZ, E. M. & SHARIFF, A. F. 2012. Climate change and moral judgement. Nature Climate Change, 2, 243-247.

MATYAS, D. & PELLING, M. 2015. Positioning resilience for 2015: the role of resistance, incremental adjustment and transformation in disaster risk management policy. Disasters, 39 Suppl 1, S1-18.

MAYER, A. 2019. Partisanship, politics, and the energy transition in the United States: A critical review and conceptual framework. Energy Research & Social Science, 53, 85-88.

MCCALLEY, L. & MIDDEN, C. J. 2002. Energy conservation through product-integrated feedback: The roles of goal-setting and social orientation. Journal of economic psychology, 23, 589-603.

MCCRIGHT, A. M. & DUNLAP, R. E. 2011. The politicization of climate change and polarization in the American public's views of global warming, 2001-2010. The Sociological Quarterly, 52, 155-194.

MCDONALD, R., FIELDING, K. & LOUIS, W. 2012. Energizing and De-Motivating Effects of Norm-Conflict. Personality & social psychology bulletin, 39.

MELNYK, V., HERPEN, E. V., JAK, S. & TRIJP, H. C. M. V. 2019. The Mechanisms of Social Norms' Influence on Consumer Decision Making. Zeitschrift für Psychologie, 227, 4-17.

MǝNUS, F. 2021. Environmental perceptions and pro-environmental behavior – comparing different measuring approaches. Environmental Education Research, 27, 132-156.

MUMMOLO, J. & PETERSON, E. 2019. Demand Effects in Survey Experiments: An Empirical Assessment. American Political Science Review, 113, 517-529.

NASH, N., WHITMARSH, L., CAPSTICK, S., HARGREAVES, T., POORTINGA, W., THOMAS, G., SAUTKINA, E. & XENIAS, D. 2017. Climate-relevant behavioral spillover and the potential contribution of social practice theory. WIREs Climate Change, 8, e481.

NATIONAL RESEARCH COUNCIL 2010. Advancing the Science of Climate Change, Washington, DC, The National Academies Press.

NEWS1. 2022, February 18. "대선후보 경제공약] ②'4인4색' 기후위기 해법…감원전 VS 탈원전 백지화".

NEWSTAPA. 2022, June 16. "No Nuclear Phase-out in 5 Years of the Moon Jae-In Government".

NOLAN, J. M., SCHULTZ, P. W., CIALDINI, R. B., GOLDSTEIN, N. J. & GRISKEVICIUS, V. 2008. Normative Social Influence is Underdetected. Personality and Social Psychology Bulletin, 34, 913-923.

NUCLEAR ENGINEERING INTERNATIONAL MAGAZINE. 2020, November 10. "Korean prosecutors investigate early closure of Wolsong 1".

NYBORG, K., ANDERIES, J. M., DANNENBERG, A., LINDAHL, T., SCHILL, C., SCHLþTER, M., ADGER, W. N., ARROW, K. J., BARRETT, S., CARPENTER, S., CHAPIN, F. S., CRǝPIN, A.-S., DAILY, G., EHRLICH, P., FOLKE, C., JAGER, W., KAUTSKY, N., LEVIN, S. A., MADSEN, O. J., POLASKY, S., SCHEFFER, M., WALKER, B., WEBER, E. U., WILEN, J., XEPAPADEAS, A. & DE ZEEUW, A. 2016. Social norms as solutions. Science, 354, 42-43.

OBERY, A. & BANGERT, A. 2017. Exploring the Influence of Nature Relatedness and Perceived Science Knowledge on Proenvironmental Behavior. Education Sciences, 7, 17.

OZAKI, R. 2011. Adopting sustainable innovation: what makes consumers sign up to green electricity? Business Strategy and the Environment, 20, 1-17.

PARK, S.-K. & JANG, D.-H. 2019. Study on the Change of Nuclear Energy Policy:

Before and After Fukushima Nuclear Accident. JOURNAL OF THE KOREA CONTENTS ASSOCIATION, 19(6), 222-235.

PARKER, G. & SMITH, L. M. 1997. The general crisis of the seventeenth century, Psychology Press.

PAULHUS, D. L. 1991. Measurement and control of response bias. Measures of personality and social psychological attitudes. San Diego, CA, US: Academic Press.

POORTINGA, W., STEG, L. & VLEK, C. 2004. Values, Environmental Concern, and Environmental Behavior. Environment and Behavior, 36, 70-93.

RAMSEY, N. F. 2012. Signals reflecting brain metabolic activity. Brain-computer interfaces: principles and practice. Oxford, New York, 65-80.

RICHARDSON, A. J. 2006. Proxy responses in self-completion travel diary surveys. Transportation research record, 1972, 1-8.

RIVIS, A. & SHEERAN, P. 2003. Descriptive norms as an additional predictor in the theory of planned behaviour: A meta-analysis. Current Psychology, 22, 218-233.

ROGERS, R., CACIOPPO, J. & PETTY, R. 1983. Cognitive and physiological processes in fear appeals and attitude change: A revised theory of protection motivation.

RUEPERT, A., KEIZER, K., STEG, L., MARICCHIOLO, F., CARRUS, G., DUMITRU, A., GARCÏA MIRA, R., STANCU, A. & MOZA, D. 2016. Environmental considerations in the organizational context: A pathway to pro-environmental behaviour at work. Energy Research & Social Science, 17, 59-70.

SAPCI, O. & CONSIDINE, T. 2014. The link between environmental attitudes and energy consumption behavior. Journal of Behavioral and Experimental Economics, 52, 29-34.

SCHMIDT, T. S., SCHMID, N. & SEWERIN, S. 2019. Policy goals, partisanship and paradigmatic change in energy policy-analyzing parliamentary discourse in Germany over 30 years. Climate Policy, 19, 771-786.

SCHULTZ, P. W., NOLAN, J. M., CIALDINI, R. B., GOLDSTEIN, N. J. & GRISKEVICIUS, V. 2007. The Constructive, Destructive, and Reconstructive Power of Social Norms. Psychological Science, 18, 429-434.

SCHULTZ, W. P., KHAZIAN, A. M. & ZALESKI, A. C. 2008. Using normative social influence to promote conservation among hotel guests. Social Influence, 3, 4-23.

SCHUSTER, C., GOSEBERG, T., ARNOLD, J. & SUNDERMANN, A. 2022. I share because of who I am: values, identities, norms, and attitudes explain sharing intentions. The Journal of Social Psychology, 1-19.

SCHWARTZ, S. 1968. Words, deeds and the perception of consequences and responsibility in action situations. Journal of Personality and Social Psychology, 10, 232-242.

SCHWARTZ, S. H. 1977. Normative Influences on Altruism. In: BERKOWITZ, L. (ed.) Advances in Experimental Social Psychology. Academic Press.

SEEBAUER, S., FLEIá, J. & SCHWEIGHART, M. 2017. A Household Is Not a Person: Consistency of Pro-Environmental Behavior in Adult Couples and the Accuracy of Proxy-Reports. Environment and Behavior, 49, 603-637.

SIERO, F. W., BAKKER, A. B., DEKKER, G. B. & VAN DEN BURG, M. T. 1996. Changing organizational energy consumption behaviour through comparative feedback. Journal of environmental psychology, 16, 235-246.

SMITH, J. R., LOUIS, W. R., TERRY, D. J., GREENAWAY, K. H., CLARKE, M. R. &

CHENG, X. 2012. Congruent or conflicted? The impact of injunctive and descriptive norms on environmental intentions. Journal of Environmental Psychology, 32, 353-361.

SøRQVIST, P., HAGA, A., HOLMGREN, M. & HANSLA, A. 2015. An eco-label effect in the built environment: Performance and comfort effects of labeling a light source environmentally friendly. Journal of Environmental Psychology, 42, 123-127.

SPARKMAN, G., HOWE, L. & WALTON, G. 2021. How social norms are often a barrier to addressing climate change but can be part of the solution. Behavioural Public Policy, 5, 528-555.

STEG, L. & NORDLUND, A. 2018. Theories to Explain Environmental Behaviour. Environmental Psychology.

STEG, L. & VLEK, C. 2009. Encouraging pro-environmental behaviour: An integrative review and research agenda. Journal of Environmental Psychology, 29, 309-317.

STEG, L., VLEK, C. & SLOTEGRAAF, G. 2001. Instrumental-reasoned and symbolic-affective motives for using a motor car. Transportation Research Part F: Traffic Psychology and Behaviour, 4, 151-169.

STERN, P. C. 2000. New Environmental Theories: Toward a Coherent Theory of Environmentally Significant Behavior. Journal of Social Issues, 56, 407-424.

STERN, P. C., DIETZ, T., ABEL, T., GUAGNANO, G. A. & KALOF, L. 1999. A Value-Belief-Norm Theory of Support for Social Movements: The Case of Environmentalism. Human Ecology Review, 6, 81-97.

STROUD, N. J. 2010. Polarization and partisan selective exposure. Journal of communication, 60, 556-576.

TRELOHAN, M. 2022. Do Women Engage in Pro-environmental Behaviours in the Public Sphere Due to Social Expectations? The Effects of Social Norm-Based Persuasive Messages. VOLUNTAS: International Journal of Voluntary and Nonprofit Organizations, 33, 134-148.

UNITED NATIONS INTERNATIONAL STRATEGY FOR DISASTER REDUCTION 2015. Sendai Framework for Disaster Risk Reduction 2015-2030, Geneva, United Nations.

VAN DER WERFF, E. & STEG, L. 2016. The psychology of participation and interest in smart energy systems: Comparing the value-belief-norm theory and the value-identity-personal norm model. Energy Research & Social Science, 22, 107-114.

VAN VALKENGOED, A. M., ABRAHAMSE, W. & STEG, L. 2022. To select effective interventions for pro-environmental behaviour change, we need to consider determinants of behaviour. Nature Human Behaviour, 6, 1482-1492.

VAN VALKENGOED, A. M. & STEG, L. 2019. Meta-analyses of factors motivating climate change adaptation behaviour. Nature Climate Change, 9, 158-163.

VESELY, S., KLøCKNER, C. A. & BRICK, C. 2020. Pro-environmental behavior as a signal of cooperativeness: Evidence from a social dilemma experiment. Journal of Environmental Psychology, 67, 101362.

WANG, S. & VAN DEN BERG, B. 2021. Neuroscience and climate change: How brain recordings can help us understand human responses to climate change. Current Opinion in Psychology, 42, 126-132.

WHITE, K. M., SMITH, J. R., TERRY, D. J., GREENSLADE, J. H. & MCKIMMIE, B. M. 2009. Social influence in the theory of planned behaviour: The role of descriptive, injunctive, and in-group norms. British Journal of Social Psychology, 48, 135-158.

WHITMARSH, L. & CAPSTICK, S. 2018. 2 - Perceptions of climate change. In: CLAYTON, S. & MANNING, C. (eds.) Psychology and Climate Change. Academic Press.

WILLIAMSON, D., LYNCH-WOOD, G. & RAMSAY, J. 2006. Drivers of Environmental Behaviour in Manufacturing SMEs and the Implications for CSR. Journal of Business Ethics, 67, 317-330.

WINETT, R. A. & NIETZEL, M. T. 1975. Behavioral ecology: Contingency management of consumer energy use. American Journal of Community Psychology, 3, 123-133.

WOOD, W. 2000. Attitude Change: Persuasion and Social Influence. Annual Review of Psychology, 51, 539-570.

ZHANG, D. D., BRECKE, P., LEE, H. F., HE, Y.-Q. & ZHANG, J. 2007. Global climate change, war, and population decline in recent human history. Proceedings of the National Academy of Sciences, 104, 19214-19219.

ZHANG, M., TANG, Z., LIU, X. & VAN DER SPIEGEL, J. 2020. Electronic neural interfaces. Nature Electronics, 3.

ZHU, Y., WANG, Y. & LIU, Z. 2021. How Does Social Interaction Affect Pro-Environmental Behaviors in China? The Mediation Role of Conformity. Frontiers in Environmental Science, 9.

ZIZZO, D. J. 2010. Experimenter demand effects in economic experiments. Experimental Economics, 13, 75-98.

김문기 2011. 특집(特輯) : 기후변동과 역사 ; 17세기 중국과 조선의 재해와 기근. 이화사학 연구, 43, 71-129.

김연옥 1996. 歷史속의 小氷期. 역사학보, 149, 253-265.

유희석 2021. 기후변화와 기후소설 : 시론. 현대영미소설, 28, 35-65.

이성규 2019. '홀로세' 가고 '인류세' 올까. 사이언스타임즈.

이태진 1996. 小氷期(1500-1750) 천변재이 연구와 《朝鮮王朝實錄》. 역사학보, 149, 203-236.

한정수 2003. 고려전기 천변재이와 유교정치사상. 한국사상사학, 21, 43-79.

2장

기후변화와 한반도 - 차동현, 박창용

김도현 외. 2022. "CORDEX-EA Phase 2 다중 지역기후모델 앙상블을 이용한 전지구 온 난화 제한 목표 (1.5, 2.0℃) 하에서의 한반도 미래 기온 전망", 「한국기후변화학회지」, 13, pp.525-543.

이은정 외. 2023. 기후변화에 따른 한반도 태풍 진로 변화 및 영향, 2023년 한국기상학회 봄학술대회, 부산, 대한민국.

산업통상자원부, 한국에너지공단. 2020. 2020 신·재생에너지 백서.

BP. 2021. "bp Statistical Review of World Energy 2020" London: BP p.l.c.

BP. 2022. "bp Statistical Review of World Energy 2021" London: BP p.l.c.

Feron, S. et al. 2021. "Climate change extremes and photovoltaic power output." Nature Sustainability, 4, 270-276. https://doi.org/10.1038/s41893-020-00643-w.

Friedlingstein, P. et al. 2022. "Global Carbon Budget 2022." Earth System Science Data, 14, 4811-4900.

Global Carbon Project. 2021. "Carbon budget and trends 2021" [www.globalcarbonproject.org/carbonbudget]

Global Carbon Project. 2022. "Carbon budget and trends 2022" [www.globalcarbonproject.org/carbonbudget]

IRENA. 2021. "Offshore renewables: An action agenda for deployment" Abu Dhabi: International Renewable Energy Agency.

IRENA. 2023. "World Energy Transitions Outlook 2023: 1.5°C Pathway, Volume 1" Abu Dhabi: International Renewable Energy Agency.

IPCC. 2013. "Climate change 2013: the physical science basis." In: Stocker TF et al (eds) Contribution of working group I to the fifth assessment report of the Intergovernmental Panel on Climate Change. Cambridge: Cambridge University Press.

IPCC. 2018. "Global warming of 1.5 °C: An IPCC Special Report on the impacts of global warming of 1.5°C above pre-industrial levels and related global greenhouse gas emission pathways, in the context of strengthening the global response to the threat of climate change, sustainable development, and efforts to eradicate poverty." In Press.

IPCC. 2021. "Climate Change 2021: The Physical Science Basis. Contribution of Working Group I to the Sixth Assessment Report of the Intergovernmental Panel on Climate Change" Masson-Delmotte, V., P. Zhai, A. Pirani, S.L. Connors, C. Péan, S. Berger, N. Caud, Y. Chen, L. Goldfarb, M.I. Gomis, M. Huang, K. Leitzell, E. Lonnoy, J.B.R. Matthews, T.K. Maycock, T. Waterfield, O. Yelekçi, R. Yu, and B. Zhou (eds.). Cambridge University Press, Cambridge, United Kingdom and New York, NY, USA. doi:10.1017/9781009157896.

IPCC. 2022. "Climate Change 2022: Mitigation of Climate Change. Contribution of Working Group III to the Sixth Assessment Report of the Intergovernmental Panel on Climate Change." https://doi.org/10.1017/9781009157926.001.

Jerez, S. et al. 2015. "The impact of climate change on photovoltaic power generation in Europe." Nature Communications, 6, 10014. https://doi.org/10.1038/

ncomms10014.

Manwell, J.F., McGowan, J.G., Rogers, A.L. 2009. "Wind Energy Explained: Theory, Design and Application" Chichester: John Wiley & Sons.

Mathew, S. 2006. "Wind Energy: Fundamentals, Resource Analysis and Economics" Berlin and Heidelberg: Springer-Verlag.

Nangini, C. et al. 2017. "CO_2 emissions and ancillary data for 343 cities from diverse sources." PANGAEA. https://doi.org/10.1594/PANGAEA.884141.

Nangini, C. et al. 2019. "A global dataset of CO_2 emissions and ancillary data related to emissions for 343 cities." Scientific Data, 6, 180280. https://doi.org/10.1038/sdata.2018.280.

Park, C. et al. 2022. "What determines future changes in photovoltaic potential over East Asia?" Renewable Energy, 185, 338-347. https://doi.org/10.1016/j.renene.2021.12.029.

RE100. 2023. "Annual disclosure report 2022: Driving renewables in a time of change."

Tobin, I. et al. 2016. "Climate change impacts on the power generation potential of a European mid-century wind farms scenario." Environmental Research Letters, 11, 034013. https://doi.org/10.1088/1748-9326/11/3/034013.

UN. 2015. "Transforming Our World: The 2030 Agenda for Sustainable Development" New York: United Nations Publications.

UN. 2018. "Disability and Development Report: Realizing the Sustainable Development Goals by, for and with persons with disabilities" New York: United Nations Publications.

UN. 2020. "The Sustainable Development Goals Report 2020" New York: United Nations Publications.

UN.ESCAP. 2012. "Low carbon green growth roadmap for Asia and the Pacific: turning resource constraints and the climate crisis into economic growth opportunities" Bangkok: UN.ESCAP.

Vezzoli, C. et al. 2018. "Designing Sustainable Energy for All" Switzerland: Green Energy and Technology.

Wang, Z. et al. 2011. "Technology Roadmap: China Wind Energy Development Roadmap 2050" Paris and Beijing: International Energy Agency and Energy Research Institute.

3장

탄소중립과 ESG 경영 - 류종기

2025 ESG 의무 시대, 미래 대응 전략 워크숍, 동아일보 동아비즈니스리뷰(DBR) X EY한영 광화문 스쿨 2023.9

IFRS지속가능성공시기준: S1 (일반 요구사항), S2 (기후 관련 공시, Climate-related Disclosures), 국제지속가능성기준위원회(International Sustainability Standards Board, ISSB), 한국회계기준원 2023.07

브랜든 브래들리, 2022.05 쉽게 이해하고 적용하는 ESG 투자와 경영, 박영사

요시 세피 2020.08, 밸런싱 그린: 탄소중립시대, ESG 경영을 생각한다, 리스크 인텔리전스 경영연구원

스코프 3에 대해 알아야 할 7가지 키워드, 한경 ESG 2023년 7월호

'TCFD 핵심' 기후 시나리오 분석 가이드, 한경ESG 2023년 4월호

요시 세피 2022.04, 밸런싱 어스(Balancing Earth) '1.5℃ 지켜 내기' - 탄소중립을 위한 기업의 ESG 경영과 노력, 미디어 SK (SK 블로그), SOVAC(Social Value Connect)

은행연합회, 금융투자협회, 생명보험협회, 손해보험협회, 여신금융협회 공동, 금융권 녹색금융 핸드북 Green Finance Handbook, 2022년3월

후마 겐지 2023.04 사례와 도해로 이해하는 ESG 101 (모두를 위한 ESG 수업 개정판), 리스크 인텔리전스 경영연구원

吉川武文, 最新 脱炭素経営の基本と仕組みがよ~くわかる本, 2022, 秀和システム

류종기, ESG 주요 평가기관의 특성과 평가대응 전략, Auditor Journal 한국상장회사협의회 2023.04

지속가능경영을 위한 기업 가이드 ESG A to Z, 대한상공회의소

중소·중견기업 CEO를 위한 알기 쉬운 ESG, 대한상공회의소

탄소국경조정제도(CBAM) - 조봉경

ACAR, S., AŞıCı, A. A. & YELDAN, A. E. 2022. Potential effects of the EU's carbon border adjustment mechanism on the Turkish economy. Environment, Development and Sustainability, 24, 8162-8194.

CHEPELIEV, M. 2021. Possible Implications of the European Carbon Border Adjustment Mechanism for Ukraine and Other EU Trading Partners. Energy RESEARCH LETTERS, 2.

CLORA, F., YU, W. & CORONG, E. 2023. Alternative carbon border adjustment mechanisms in the European Union and international responses: Aggregate and within-coalition results. Energy Policy, 174, 113454.

EICKE, L., WEKO, S., APERGI, M. & MARIAN, A. 2021. Pulling up the carbon ladder? Decarbonization, dependence, and third-country risks from the European carbon border adjustment mechanism. Energy Research & Social Science, 80, 102240.

LIM, B., HONG, K., YOON, J., CHANG, J.-I. & CHEONG, I. 2021. Pitfalls of the EU's

Carbon Border Adjustment Mechanism. Energies, 14, 7303.

MEHLING, M. A., VAN ASSELT, H., DAS, K., DROEGE, S. & VERKUIJL, C. 2019. Designing Border Carbon Adjustments for Enhanced Climate Action. American Journal of International Law, 113, 433-481.

MöRSDORF, G. 2022. A simple fix for carbon leakage? Assessing the environmental effectiveness of the EU carbon border adjustment. Energy Policy, 161, 112596.

OVERLAND, I. & SABYRBEKOV, R. 2022. Know your opponent: Which countries might fight the European carbon border adjustment mechanism? Energy Policy, 169, 113175.

PERDANA, S. & VIELLE, M. 2022. Making the EU Carbon Border Adjustment Mechanism acceptable and climate friendly for least developed countries. Energy Policy, 170, 113245.

WMO 2023. 2023 is Off to a Warm Start, Breaking Records Across Europe.

WOLF, M. 2021. Giving green a chance: Climate change mitigation will alter global trade [Online]. Deloitte insights. [Accessed 03.14 2022].

ZHONG, J. & PEI, J. 2022. Beggar thy neighbor? On the competitiveness and welfare impacts of the EU's proposed carbon border adjustment mechanism. Energy Policy, 162, 112802.

김동구 & 손인성 2021. 유럽 그린딜 내 탄소국경세 도입 시 글로벌 가치사슬 영향 및 국내 대응방안 연구. 에너지경제연구원.

신규섭 2022. EU의회의 탄소국경조정제도 수정안 평가와 시사점. 한국무역협회 통상지원센터 통상리포트, 4.

이슬기, 길은선 & 허선경 2021. EU 탄소국경조정의 국내 제조업 영향 분석. 산업연구원.

이정은, 조용성 & 이수철 2015. 한국형 온실가스 배출권 거래제도 활성화를 위한 EU 및 일본 사례 비교 연구. 한국기후변화학회지.

이중교 2018. 탄소세 및 배출권의 국경조정에 대한 주요 법리적 쟁점 검토. 환경법과 정책.

이천기, 박지현 & 박혜리 2021. EU 탄소국경조정 메커니즘에 대한 통상법적 분석과 우리 산업에의 시사점. In: 대외경제정책연구원 (ed.). 오늘의 세계경제.

장은혜 & 한정훈 2021. 유럽연합의 탄소국경조정제도와 한국의 법률적·정책적 대응, 세종, 한국법제연구원.

정민정 2017. 국경탄소조정과 WTO 규범의 합치 여부. 국제법학회논총.

정인교, 유정호, 임병호 & 박슬기 2021. 국제통상 관점에서 탄소국경조정제도(CBAM) 평가. 무역학회지.

기후변화와 산업 – 정하일

Ilhan, E., Sautner, Z. and Vilkov, G., 2021. Carbon tail risk. The Review of Financial Studies, 34(3), pp.1540-1571.

Jung, H., Song, S., Ahn, Y.H., Hwang, H. and Song, C.K., 2021. Effects of emission trading schemes on corporate carbon productivity and implications for firm-level responses. Scientific Reports, 11(1), p.11679.

Jung, H., Lee, J. and Song, C.K., 2023. Carbon productivity and volatility. Finance

Research Letters, p.104052.

Jung, H. and Song, C.K., 2023. Managerial perspectives on climate change and stock price crash risk. Finance Research Letters, 51, p.103410.

Sautner, Z., Van Lent, L., Vilkov, G. and Zhang, R., 2023. Firm-level climate change exposure. The Journal of Finance, 78(3), pp.1449-1498.

Sautner, Z., Van Lent, L., Vilkov, G. and Zhang, R., 2023. Pricing climate change exposure. Management Science.

4장

탄소중립과 정치적 양극화 – 김청일, 정지범

APERGIS, N. & PINAR, M. 2021. The role of party polarization in renewable energy consumption: Fresh evidence across the EU countries. Energy Policy, 157, 112518.

BARTHE, Y., ELAM, M. & SUNDQVIST, G. 2020. Technological fix or divisible object of collective concern? Histories of conflict over the geological disposal of nuclear waste in Sweden and France. Science as Culture, 29, 196-218.

BIRESSELIOGLU, M. E. & KARAIBRAHIMOGLU, Y. Z. 2012. The government orientation and use of renewable energy: Case of Europe. Renewable energy, 47, 29-37.

CADORET, I. & PADOVANO, F. 2016. The political drivers of renewable energies policies. Energy Economics, 56, 261-269.

CHO, M.-R. 2020. Urban resilience through progressive governance: The case of the 'one less nuclear power plant' policy, Seoul, Korea. Urban Studies, 57, 1434-1451.

CHUNG, J.-B. 2018. Let democracy rule nuclear energy. Nature, 555, 415.

CHUNG, J. B., & KIM, E. S. 2018. Public perception of energy transition in Korea: Nuclear power, climate change, and party preference. Energy Policy, 116, 137-144.

CHUNG, J.-B. 2020. Public deliberation on the national nuclear energy policy in Korea – Small successes but bigger challenges. Energy Policy, 145, 111724.

JIN, S. H. 2021. Path Lock-in of Energy Transition Policy in Moon Jae-in Administration: Focusing on the Phase-out Pledges of Nuclear and Coal. korean policy sciences review, 25, 1-34.

KIM, H. 2014. Reconstructing the public in old and new governance: A Korean case of nuclear energy policy. Public Understanding of Science, 23, 268-282.

MAYER, A. 2019. Partisanship, politics, and the energy transition in the United States: A critical review and conceptual framework. Energy Research & Social Science, 53, 85-88.

MCCRIGHT, A. M. & DUNLAP, R. E. 2011. The politicization of climate change and polarization in the American public's views of global warming, 2001-2010. The Sociological Quarterly, 52, 155-194.

PARK, S.-K. & JANG, D.-H. 2019. Study on the Change of Nuclear Energy Policy: Before and After Fukushima Nuclear Accident. JOURNAL OF THE KOREA CONTENTS ASSOCIATION, 19(6), 222-235.

SCHMIDT, T. S., SCHMID, N. & SEWERIN, S. 2019. Policy goals, partisanship and paradigmatic change in energy policy-analyzing parliamentary discourse in Germany over 30 years. Climate Policy, 19, 771-786.

STROUD, N. J. 2010. Polarization and partisan selective exposure. Journal of communication, 60, 556-576.

NEWS1. 2022, February 18. "[대선후보 경제공약] ②'4인4색' 기후위기 해법…감원전 VS 탈원전 백지화".

GALLUP, Americans' Support for Nuclear Energy Highest in a Decade, 2023.04.25. https://news.gallup.com/poll/474650/americans-support-nuclear-energy-highest-decade.aspx

탄소중립과 경로 고착 – 조봉경, 송창근, 정지범

AVERCHENKOVA, A., FANKHAUSER, S. & FINNEGAN, J. 2018. The role of independent bodies in climate governance: the UK's Committee on Climate Change. Policy Report, Grantham Research Institute, London School of Economics, October.

AVERCHENKOVA, A., FANKHAUSER, S. & FINNEGAN, J. J. 2021. The impact of strategic climate legislation: evidence from expert interviews on the UK Climate Change Act. Climate Policy, 21, 251-263.

CARTER, N. 2008. Combating Climate Change in the UK: Challenges and Obstacles1. The Political Quarterly, 79, 194-205.

CARTER, N. & LITTLE, C. 2021. Party competition on climate policy: The roles of interest groups, ideology and challenger parties in the UK and Ireland. International Political Science Review, 42, 16-32.

CHO, B.-K, CHUNG, J.-B. & SONG, C.-K. 2023. National climate change governance and lock-in: Insights from Korea's conservative and liberal governments' committees. Energy Strategy Reviews, 50.

CHUNG, J.-B. 2020. Public deliberation on the national nuclear energy policy in Korea-Small successes but bigger challenges. Energy Policy, 145, 111724.

CHUNG, J.-B. & KIM, E.-S. 2018. Public perception of energy transition in Korea: Nuclear power, climate change, and party preference. Energy Policy, 116, 137-144.

FANKHAUSER, S., AVERCHENKOVA, A. & FINNEGAN, J. 2018. 10 years of the UK Climate Change Act. Policy Paper. London School of Economics and Political Science, Grantham Research Institute on Climate Change and the Environment, Centre for Climate Change Economics and Policy. http://www. lse. ac. uk/ GranthamInstitute/publication/10-yearsclimate-change-act.

FINNEGAN, J. J. 2022. Institutions, climate change, and the foundations of long-term policymaking. Comparative Political Studies, 55, 1198-1235.

FISHKIN, J. S. & LUSKIN, R. C. 2005. Experimenting with a Democratic Ideal: Deliberative Polling and Public Opinion. Acta Politica, 40, 284-298.

GOLDTHAU, A. & SOVACOOL, B. K. 2012. The uniqueness of the energy security, justice, and governance problem. Energy policy, 41, 232-240.

GREENER, I. 2005. The potential of path dependence in political studies. Politics, 25, 62-72.

HABERMAS, J. 1995. 의사소통 행위이론, 의암출판.

HEALEY, P. 2004. 협력적 계획, 한올아카데미.

KIM, D.-Y. 2020. Energy Transition in South Korea: Energy Democracy, Collaborative Governance or Conflict. 한국거버넌스학회보, 27.

LOCKWOOD, M. 2013. The political sustainability of climate policy: The case of the UK Climate Change Act. Global Environmental Change, 23, 1339-1348.

MARKUSSON, N. & HASZELDINE, S. 2009. 'Capture readiness'-lock-in problems for CCS governance. Energy Procedia, 1, 4625-4632.

MEADOWCROFT, J. 2009. Climate change governance. World Bank Policy Research Working Paper.

MILDENBERGER, M. 2021. The development of climate institutions in the United States. Environmental Politics, 30, 71-92.

PARSONS, M., NALAU, J., FISHER, K. & BROWN, C. 2019. Disrupting path dependency: Making room for Indigenous knowledge in river management. Global Environmental Change, 56, 95-113.

UNRUH, G. C. 2000. Understanding carbon lock-in. Energy policy, 28, 817-830.

UNRUH, G. C. 2002. Escaping carbon lock-in. Energy policy, 30, 317-325.

김병완 1993. 한국 행정부 내의 관료정치-환경정책에 관한 개발부처와 보전부처의 관계 분석. 한국행정학보, 27, 171-194.

김정해 & 조성한 2007. 정부위원회의 운영 및 관리상의 문제점과 개선방안. 현대사회와 행정, 17, 173-204.

김현우 2021. 누가 정의로운 전환을 두려워하랴. 뉴 래디컬 리뷰, 1, 239-253.

산업통상자원부 2020. 제9차 전력수급 기본계획(2020~2034).

서순탁 2005. 현대이론 사상가들, 한울아카데미.

윤순진 2009. 기후변화 대응을 둘러싼 사회 갈등 예방과 완화를 위한 거버넌스의 모색. 국정관리연구, 4, 125-160.

정상호 2003. 한국과 일본의 정부 위원회 제도의 역할과 기능에 대한 비교 연구. 한국정치학회보, 37, 289-310.

정정길, 최종원, 이시원, 정준금 & 정광호 2003. 정책학원론, 대명출판사.

조봉경 2021. 광화문광장 조성 및 재조성 계획과정 비교 연구: 협력적 계획의 담론과 실제. 지방정부연구.

조석준 1994. 한국행정조직론, 법문사.

진상현 2020. 에너지 민주주의의 개념 및 한국적 함의: 관료정치와의 비교를 중심으로. 공간과 사회, 71, 283-321.

진상현 2021. 문재인 정부 에너지 전환 정책의 경로 고착: 탈원전·탈석탄 공약을 중심으로. 한국정책과학학회보, 25, 1-34.

채영진, 노건기 & 박중구 2014. 한국 전력산업의 탄소고착에 대한 역사적 분석. 에너지공학, 23, 125-148.

천세봉, 장용석 & 이삼열 2012. 지방과학기술정책 거버넌스 분석. 지방정부연구, 15, 81-108.

하연섭 2011. 제도 분석, 다산출판사.

한재각 & 이영희 2012. 한국의 에너지 시나리오와 전문성의 정치. 과학기술학연구, 12, 107-144.

5장

지열발전과 대중 인식 – 임동현, 김은성, 정지범

Baek, H., Chung, J.-B. & Yun, G. W. 2021. Differences in public perceptions of geothermal energy based on EGS technology in Korea after the Pohang earthquake: National vs. local. Technological Forecasting and Social Change, 172, 121027.

Bickerstaff, K, Lorenzoni I, Pidgeon NF, Poortinga W & Simmons P. 2008. Reframing nuclear power in the UK energy debate: Nuclear power, climate change mitigation and radioactive waste. Public Understanding of Science, 17: 145-169.

Chung, J.-B., Kim, E.-S., 2018. Public perception of energy transition in Korea: Nuclear power, climate change, and party preference. Energy Policy 116, 137-144.

European Commission, 2007. Energy Technologies: Knowledge, Perception, Measures. Special Eurobarometer, 262, 1-57.

Grigoli, F., Cesca, S., Rinaldi, A. P., Manconi, A., Lopez-Comino, J. A., Clinton, J. F., . . . Wiemer, S. 2018. The November 2017 Mw 5.5 Pohang earthquake: A possible case of induced seismicity in South Korea. Science, 360(6392), 1003-1006. doi:10.1126/science.aat2010

Höijer, B. 2011. Social representations theory. Nordicom Review, 32(2), 3-16.

Joffe, H. 2003. Risk: From perception to social representation. British Journal of Social Psychology, 42(1), 55-73. doi:10.1348/014466603763276126

Kasperson, R. E., Renn, O., Slovic, P., Brown, H. S., Emel, J., Goble, R., . . . Ratick, S. 1988. The Social Amplification of Risk: A Conceptual Framework. Risk Analysis, 8(2), 177-187. doi:10.1111/j.1539-6924.1988.tb01168.x

Kim, E.-S., & Chung, J.-B. 2019. The memory of place disruption, senses, and local opposition to Korean wind farms. Energy Policy, 131, 43-52. doi:https://doi.org/10.1016/j.enpol.2019.04.011

Kim, E.-S., Chung, J.-B., & Seo, Y. 2018a. Korean traditional beliefs and renewable energy transitions: Pungsu, shamanism, and the local perception of wind turbines. Energy Research & Social Science, 46, 262-273. doi:10.1016/j.erss.2018.07.024

Kim, K. H., Ree, J. H., Kim, Y., Kim, S., Kang, S. Y., & Seo, W. 2018b. Assessing whether the 2017 Mw 5.4 Pohang earthquake in South Korea was an induced event. Science, 360(6392), 1007-1009. doi:10.1126/science.aat6081

Korean Government Commission on the Cause of the Pohang Earthquake. 2019. Summary Report of the Korean Government Commission on Relations between the 2017 Pohang Earthquake and EGS project. The Geological Society of Korea Retrieved from http://www.gskorea.or.kr/html/?pmode=BBBS0002700001&smode=view&seq=4658

Lee, Y., Park, S., Kim, J., Kim, H. C., & Koo, M. H. 2010. Geothermal resource assessment in Korea. Renewable & Sustainable Energy Reviews, 14(8), 2392-2400. doi:10.1016/j.rser.2010.05.003

Moscovici, S. 1988. Notes towards a description of social representations. European journal of social psychology, 18(3), 211-250.

Olasolo, P., Juárez, M. C., Morales, M. P., & Liarte, I. A. 2016. Enhanced geothermal systems (EGS): A review. Renewable and Sustainable Energy Reviews, 56, 133-144.

Parkhill, K.A., Demski, C., Butler, C., Spence, A., Pidgeon, N., 2013. Transforming the UK Energy System:Public Values, Attitudes and Acceptability. UK Energy Research Centre, London.

Pinch, T. J., & Bijker, W. E. 1984. The Social Construction of Facts and Artifacts - or How the Sociology of Science and the Sociology of Technology Might Benefit Each Other. Social Studies of Science, 14(3), 399-441. doi:Doi 10.1177/030631284014003004

Poortinga, W., Aoyagi, M., Pidgeon, N.F., 2013. Public perceptions of climate change and energy futures before and after the Fukushima accident: A comparison between Britain and Japan. Energy Policy 62, 1204-1211.

Siegrist, M., & Árvai, J. 2020. Risk perception: Reflections on 40 years of research. Risk Analysis, 40(S1), 2191-2206.

Siegrist, M., Gutscher, H., & Earle, T. C. 2005. Perception of risk: the influence of general trust, and general confidence. Journal of Risk Research, 8(2), 145-156. doi:10.1080/1366987032000105315

Slovic, P. 1987. Perception of risk. Science, 236(4799), 280-285. doi:10.1126/science.3563507

윤운상, 송윤호, 이태종, 김광엽, 민기복, 조용희, & 전종욱. 2011. MW급 EGS 지열발전 상용화 기술개발사업의 추진 배경 및 계획. 터널과 지하공간, 21(1), 11-19.

풍력발전단지의 지역 수용성 - 김은성

AITKEN, M. 2010. A Three-dimensional View of Public Participation in Scottish Landuse Planning: Empowerment or Social control? Planning Theory, 9(3), 248-264.

APOSTOL, D, J. PALMER, M. PASQUALETTI, R. SMARDON & R. SULLIVAN. 2017. The Renewable Energy Landscape: Preserving Scenic Values in our Sustainable Future. London: Routledge.

BATEL, S. & P. DEVINE-WRIGHT. 2015. Toward a Better Understanding of People's Responses to Renewable Energy Technologies: Insights from Social Representations Theory."Public Understanding of Science, 24(3), 311-325.

BELL, D., T. GRAY. & C. HAGGETT. 2005. The 'Social Gap' in Wind Farm Siting Decisions: Explanations and Policy Responses. Environmental Politics, 14(4), 460-477.

BIDWELL, D. 2013. The Role of Values in Public Beliefs and Attitudes towards Commercial Wind Energy. Energy policy, 58, 189-199.

BRIDGE, G. BOUZAROVSKI, S. BRADSHAW, M. & N. EYRE. 2013. Geographies of Energy Transition: Space, Place and the Low-carbon Economy. Energy Policy, 53, 331-340.

BUTLER, C., DEMSKI, C., PARKHILL, K., PIDGEON, N. & A. SPENCE. 2015. "Public Values for Energy Futures: Framing, Indeterminacy and Policy-making." Energy Policy, 87, 665-672.

DEVINE-WRIGHT, P. 2005. Beyond NIMBYism: towards an Integrated Framework for Understanding Public Perceptions of Wind Energy. Wind Energy, 8(2), 125-139.

DEVINE-WRIGHT, P. & Y. HOWES. 2010. Disruption to Place Attachment and the Protection of Restorative Environments: A Wind Energy Case Study. Journal of Environmental Psychology, 30(3), 271-280.

EUROPEAN COMMISSION. 2011. Special Eurobarometer 372 - Climate Change.

FIRESTONE, J., D. BIDWELL, M. GARDNER. & L. KNAPP. 2018. Wind in the Sails or Choppy Seas?: People-place Relations, Aesthetics and Public Support for the United States' First Offshore Wind Project. Energy Research & Social Science, 40, 232-243.

HICKS, D. & M.C. BEAUDRY (EDS). 2010. Oxford Handbook of Material Culture Studies. Oxford: Oxford University Press.

HORST, D. 2007. NIMBY or not? Exploring the Relevance of Location and the Politics of Voiced Opinions in Renewable Energy Siting Controversies. Energy Policy, 35, 2705-2714.

JASANOFF, S. & S-H. KIM .2009. Containing the Atom: Sociotechnical Imaginaries and Nuclear Power in the United States and South Korea. Minerva, 47 (2), 119-146.

KAN, S. 2009. Overcoming Barriers to Wind Project Finance in Australia. Energy Policy, 37, 3139-3148.

KIM, E.S. 2016. The Politics of Climate Change Policy Design in Korea. Environmental Politics, 25(3), 454-474.

KIM, E.S. 2017. The Material Culture of Korean Social Movements, Journal of Material Culture, 22(2):,194-215.

KIM, EUN-SUNG, JI-BUM CHUNG. & YONGSEOK SEO. 2018. Korean traditional beliefs and renewable energy transitions: Pungsu, shamanism, and the local perception of wind turbines. Energy Research and Social Science, 46,262-273.

KIM, EUN-SUNG & JI-BUM CHUNG. 2019. The memory of place disruption, senses, and local opposition to Korean wind farms. Energy Policy, 131, 43-52.

NADAI, A. & D.V.D. HORST. 2010. Introduction: Landscapes of Energies. Landscape Research, 35(2), 143-155.

OGILVIE, M. & C. ROOTES. 2015. The Impact of Local Campaigns against Wind Energy Developments. Environmental Politics, 24(6), 874-893.

PASQUALETTI M.J. 2011. Social Barriers to Renewable Energy landscapes. The Geographical Review, (2), 201-223

PHADKE, R. 2010. Steel Forests or Smoke Stacks: the Politics of Visualisation in the Cape Wind Controversy. Environmental Politics, 19(1), 1-20.

RUDOLPH D., J. KIRKEGAARD, I. LYNHNE, NE, CLAUSEN. & L. KØRNØV. 2017. Spoiled Darkness? Sense of Place and Annoyance over Obstruction Lights from the World's Largest Wind Turbine Test Centre in Denmark. Energy Research and Social Science, 25, 80-90.

SWOFFORD, J. & M. SLATTERY. 2009. Public Attitudes of Wind Energy in Texas: Local Communities in Close Proximity to Wind Farm and Their Effect on Decision-making. Energy Policy, 38(5), 2508-2519

TILLEY, C., W. KEANE, S. KUCHLER, M. ROWLANDS. & P. SPYER. 2013. Handbook of Material Culture. London: Sage.

TUAN, Y.-F. 1977. Space and Place: The Perspective of Experience. Minneapolis: University of Minnesota Press.

WOLSINK, M. 2007. Planning of Renewables schemes: Deliberative and Fair Decision-making on Landscape Issues Instead of Reproachful Accusations of Non-cooperation. Energy Policy, 35, 2692-2704.

WÜSTENHAGEN, R., M. WOLSINK. & M.J. BÜRER. 2007. Social Acceptance of Renewable Energy Innovation: An Introduction to the Concept. Energy Policy, 35(5), 2683-2691.

김동주. 2012. 제주도 바람의 사회적 변형과 그 함의- 자원화와 공유화. eco, 16(1), 162-204.

김동주. 2017. 바람은 우리 모두의 것이다- 제주도 풍력발전의 개발과 풍력자원 공유화운동. 제주: 경인문화사.

김은성. 2022. 감각과 사물: 한국사회를 읽는 새로운 코드. 갈무리

김은성, 정지범, 서용석. 2017. 미래에너지원에 대한 국민인식조사: 국제비교. 서울: 미래사회에너지정책연구원.

김철민. 2012. 농촌인구 고령화의 파급영향과 시사점. NHERI 리포트, 202, (2012. 12. 7).

김형성, 김민영, 황성원, 박재필. 2014. 서남해안 해상풍력단지 예정지역 주민 수용성에 관한 시론적 연구 -주민인식 조사결과를 중심으로. 한국도서연구, 26(2), 1010-129.

박영민, 정태량. 2009. 풍력발전시설에서 발생하는 환경소음 및 저주파음의 영향. 세종시: 환경정책평가연구원.

염미경. 2010. 풍력발전시설 입지문제의 지역 쟁점화 양상과 시사점. 지역사회학, 11(2), 2017-214.

이희선. 2010. 풍력발전의 국내외 사례분석을 통한 주민수용성 향상 방안. 환경포럼, 14(6), 3-12.

통계청. 2015. 2014년 농림어업총조사 결과. 서울: 통계청.

탄소중립과 인간행태의 연구방법론 – 연다혜, 정지범, 김성필, 김종수, 이보은, 심민재

ABRAHAMSE, W., STEG, L., VLEK, C. & ROTHENGATTER, T. 2005. A review of intervention studies aimed at household energy conservation. Journal of Environmental Psychology, 25, 273-291

AJZEN, I. 1991. The theory of planned behavior. Organizational Behavior and Human Decision Processes, 50, 179-211.

Amanamba, U., Sojka, A., Harris, S., Bucknam, M., & Hegd , J. 2020. A window into your brain: How fMRI helps us understand what is going on inside our heads. Frontiers for Young Minds, 8, 484603.

CIALDINI, R. B., RENO, R. R. & KALLGREN, C. A. 1990. A focus theory of normative conduct: Recycling the concept of norms to reduce littering in public places. Journal of personality and social psychology, 58, 1015.

DE MARTINO, B., KUMARAN, D., SEYMOUR, B. & DOLAN, R. J. 2006. Frames, Biases, and Rational Decision-Making in the Human Brain. Science, 313, 684-687.

DEMARQUE, C., CHARALAMBIDES, L., HILTON, D. J. & WAROQUIER, L. 2015. Nudging sustainable consumption: The use of descriptive norms to promote a minority behavior in a realistic online shopping environment. Journal of

Environmental Psychology, 43, 166-174.

DUBOIS, G., SOVACOOL, B., AALL, C., NILSSON, M., BARBIER, C., HERRMANN, A., BRUYèRE, S., ANDERSSON, C., SKOLD, B., NADAUD, F., DORNER, F., MOBERG, K. R., CERON, J. P., FISCHER, H., AMELUNG, D., BALTRUSZEWICZ, M., FISCHER, J., BENEVISE, F., LOUIS, V. R. & SAUERBORN, R. 2019. It starts at home? Climate policies targeting household consumption and behavioral decisions are key to low-carbon futures. Energy Research & Social Science, 52, 144-158.

FOXX, R. M. & HAKE, D. F. 1977. Gasoline conservation: a procedure for measuring and reducing the driving of college students. Journal of Applied Behavior Analysis, 10, 61-74.

GATERSLEBEN, B., STEG, L. & VLEK, C. 2002. Measurement and determinants of environmentally significant consumer behavior. Environment and behavior, 34, 335-362.

GELLER, E. S., FARRIS, J. C. & POST, D. S. 1973. Prompting a consumer behavior for pollution control1. Journal of Applied Behavior Analysis, 6, 367-376.

GELLER, E. S., WITMER, J. F. & TUSO, M. A. 1977. Environmental interventions for litter control. Journal of Applied Psychology, 62, 344.

GIFFORD, R. 2011. The Dragons of Inaction: Psychological Barriers That Limit Climate Change Mitigation and Adaptation. American Psychologist - AMER PSYCHOL, 66, 290-302.

GOLNAR-NIK, P., FARASHI, S. & SAFARI, M. S. 2019. The application of EEG power for the prediction and interpretation of consumer decision-making: A neuromarketing study. Physiol Behav, 207, 90-98.

IMRAN, S., ALAM, K. & BEAUMONT, N. 2014. Environmental orientations and environmental behaviour: Perceptions of protected area tourism stakeholders. Tourism Management, 40, 290-299.

IPCC 2021. Climate change 2021: the physical science basis. Contribution of working group I to the sixth assessment report of the intergovernmental panel on climate change.

IPCC 2022. Climate change 2022: Impacts, adaptation and vulnerability. IPCC Sixth Assessment Report, 37-118.

KAISER, F. G. 1998. A General Measure of Ecological Behavior1. Journal of Applied Social Psychology, 28, 395-422.

KAZDIN, A. E. 1979. Unobtrusive measures in behavioral assessment. Journal of Applied Behavior Analysis, 12, 713-724.

LACROIX, K., GIFFORD, R. & CHEN, A. 2019. Developing and validating the Dragons of Inaction Psychological Barriers (DIPB) scale. Journal of Environmental Psychology, 63, 9-18.

LAGO, N. & CESTER, A. 2017. Flexible and Organic Neural Interfaces: A Review. Applied Sciences, 7, 1292.

LAM, S.-P. & CHENG, S.-I. 2002. Cross-informant agreement in reports of environmental behavior and the effect of cross-questioning on report accuracy. Environment and behavior, 34, 508-520.

LANGE, F. & DEWITTE, S. 2019. Measuring pro-environmental behavior: Review and recommendations. Journal of Environmental Psychology, 63, 92-100.

LANGE, F., STEINKE, A. & DEWITTE, S. 2018. The Pro-Environmental Behavior

Task: A laboratory measure of actual pro-environmental behavior. Journal of Environmental Psychology, 56, 46-54.

LARSON, L. R., STEDMAN, R. C., COOPER, C. B. & DECKER, D. J. 2015. Understanding the multi-dimensional structure of pro-environmental behavior. Journal of Environmental Psychology, 43, 112-124.

Li, L., Ma, J., Hua, X., Zhou, Y., Qiu, Y., Zhu, Z., ... & Xu, J. 2022. Altered Intra-and Inter-Network Functional Connectivity in Patients With Crohn's Disease: An Independent Component Analysis-Based Resting-State Functional Magnetic Resonance Imaging Study. Frontiers in Neuroscience, 16, 855470

MARKLE, G. L. 2013. Pro-Environmental Behavior: Does It Matter How It's Measured? Development and Validation of the Pro-Environmental Behavior Scale (PEBS). Human Ecology, 41, 905-914.

MCCALLEY, L. & MIDDEN, C. J. 2002. Energy conservation through product-integrated feedback: The roles of goal-setting and social orientation. Journal of economic psychology, 23, 589-603.

MCCRIGHT, A. M. & DUNLAP, R. E. 2011. The Politicization of Climate Change and Polarization in the American Public's Views of Global Warming, 2001-2010. The Sociological Quarterly, 52, 155-194.

M∂NUS, F. 2021. Environmental perceptions and pro-environmental behavior - comparing different measuring approaches. Environmental Education Research, 27, 132-156.

MUMMOLO, J. & PETERSON, E. 2019. Demand Effects in Survey Experiments: An Empirical Assessment. American Political Science Review, 113, 517-529.

NATIONAL RESEARCH COUNCIL 2010. Advancing the Science of Climate Change, Washington, DC, The National Academies Press.

OBERY, A. & BANGERT, A. 2017. Exploring the Influence of Nature Relatedness and Perceived Science Knowledge on Proenvironmental Behavior. Education Sciences, 7, 17.

OZAKI, R. 2011. Adopting sustainable innovation: what makes consumers sign up to green electricity? Business Strategy and the Environment, 20, 1-17.

PAULHUS, D. L. 1991. Measurement and control of response bias. Measures of personality and social psychological attitudes. San Diego, CA, US: Academic Press.

POORTINGA, W., STEG, L. & VLEK, C. 2004. Values, Environmental Concern, and Environmental Behavior. Environment and Behavior, 36, 70-93.

RAMSEY, N. F. 2012. Signals reflecting brain metabolic activity. Brain-computer interfaces: principles and practice. Oxford, New York, 65-80.

RICHARDSON, A. J. 2006. Proxy responses in self-completion travel diary surveys. Transportation research record, 1972, 1-8.

ROGERS, R., CACIOPPO, J. & PETTY, R. 1983. Cognitive and physiological processes in fear appeals and attitude change: A revised theory of protection motivation.

RUEPERT, A., KEIZER, K., STEG, L., MARICCHIOLO, F., CARRUS, G., DUMITRU, A., GARCïA MIRA, R., STANCU, A. & MOZA, D. 2016. Environmental considerations in the organizational context: A pathway to pro-environmental behaviour at work. Energy Research & Social Science, 17, 59-70.

SAPCI, O. & CONSIDINE, T. 2014. The link between environmental attitudes and energy consumption behavior. Journal of Behavioral and Experimental Economics,

52, 29-34.

SCHWARTZ, S. H. 1977. Normative Influences on Altruism. In: BERKOWITZ, L. (ed.) Advances in Experimental Social Psychology. Academic Press.

SEEBAUER, S., FLEIá, J. & SCHWEIGHART, M. 2017. A Household Is Not a Person: Consistency of Pro-Environmental Behavior in Adult Couples and the Accuracy of Proxy-Reports. Environment and Behavior, 49, 603-637.

SIERO, F. W., BAKKER, A. B., DEKKER, G. B. & VAN DEN BURG, M. T. 1996. Changing organizational energy consumption behaviour through comparative feedback. Journal of environmental psychology, 16, 235-246.

SøRQVIST, P., HAGA, A., HOLMGREN, M. & HANSLA, A. 2015. An eco-label effect in the built environment: Performance and comfort effects of labeling a light source environmentally friendly. Journal of Environmental Psychology, 42, 123-127.

STEG, L. & NORDLUND, A. 2018. Theories to Explain Environmental Behaviour. Environmental Psychology.

STEG, L. & VLEK, C. 2009. Encouraging pro-environmental behaviour: An integrative review and research agenda. Journal of Environmental Psychology, 29, 309-317.

STERN, P. C. 2000. New Environmental Theories: Toward a Coherent Theory of Environmentally Significant Behavior. Journal of Social Issues, 56, 407-424.

VAN DER WERFF, E. & STEG, L. 2016. The psychology of participation and interest in smart energy systems: Comparing the value-belief-norm theory and the value-identity-personal norm model. Energy Research & Social Science, 22, 107-114.

WANG, S. & VAN DEN BERG, B. 2021. Neuroscience and climate change: How brain recordings can help us understand human responses to climate change. Current Opinion in Psychology, 42, 126-132.

WILLIAMSON, D., LYNCH-WOOD, G. & RAMSAY, J. 2006. Drivers of Environmental Behaviour in Manufacturing SMEs and the Implications for CSR. Journal of Business Ethics, 67, 317-330.

WINETT, R. A. & NIETZEL, M. T. 1975. Behavioral ecology: Contingency management of consumer energy use. American Journal of Community Psychology, 3, 123-133.

WU, J., HUANG, J., LI, J., CHEN, X. & XIAO, Y. 2022. The role of conflict processing mechanism in deception responses. Scientific Reports, 12, 18300.

UN News 2023, July 27. "Hottest July ever signals 'era of global boiling has arrived' says UN chief". https://news.un.org/en/story/2023/07/1139162

ZHANG, M., TANG, Z., LIU, X. & VAN DER SPIEGEL, J. 2020. Electronic neural interfaces. Nature Electronics, 3.

ZIZZO, D. J. 2010. Experimenter demand effects in economic experiments. Experimental Economics, 13, 75-98.